KB182829

2017

교통기사 실기

착한 가격

이 상 준 편저

교통기사 수험생 여러분들께 실기시험을 효과적으로 대비하는 방법에 대해 간략하게 설명하고자 한다. 실기시험의 총 문제수는 약 24~26문제 정도 출제되며, 통상 계산문제와 이론문제로 분류된다. 연도마다 조금씩 차이는 있지만 계산문제와 이론문제의 기출 비율은 7:3 내지 6:4 정도로 계산문제의 비중이 높은 편이다. 따라서 계산문제에 좀 더 비중을 두면서 이론 공부를 겸비한다면 반드시 좋은 결과가 나오리라 예상된다.

머 리 말

편저자가 교통기사 수험생일 때 시중에는 필기수험서만 있을 뿐 실기수험서는 존재하지 않았다. 이 당시 실기시험 준비의 어려움과 비효율성을 느낀 나머지 교통기사 시험 대비를 위한 적정수준의 실기수험서의 필요성을 절실히 느끼게 되었다. 그래서 다음 교통기사 수험생에게는 효율적인 교통기사 시험 준비를 도모하고자 본서를 집필하게 되었다. 그리고 1판이 출판된 이후 5년이란 시간이 지났다. 교통기사 수험생 여러분들의 충고와 격려에 힘입어 1판의 부족한 점을 부분적으로 보완하고 개정하는데 주안점을 두었다.

본서의 내용구성은 총 1~4부로 구성되었으며, 교통계획, 교통경제, 대중교통 관련 내용을 교통계획으로 통합하여 이론문제와 계산문제를 1, 2부로 나누어 구성하였다. 3, 4부는 교통공학의 이론문제와 계산문제로 분류하였으며, 관련 내용은 교통조사, 교통운영, 교통용량, 교통류이론, 도로공학, 교통안전 등이 있다.

그리고 교통기사 수험생 여러분들께 실기시험을 효과적으로 대비하는 방법에 대해 간략하게 설명하자 한다. 실기시험의 총 문제수는 약 24~26문제 정도 출제되며, 통상 계산문제와 이론문제로 분류된다. 연도마다 조금씩 차이는 있지만 계산문제와 이론문제의 기출비율은 7:3 내지 6:4 정도로 계산문제의 비중이 높은 편이다. 따라서 계산문제에 좀 더 비중을 두면서 이론공부를 겸비한다면 반드시 좋은 결과가 나오리라 예상된다.

끝으로 본서의 출판 및 원고교정에 힘써주신 도서출판 정일 이병덕사장님과 편집부 여러분께 감사의 뜻을 전한다.

편저자 씀

시험안내

1. 자격증 소개

원활한 교통체계의 구축, 안전사고, 편리한 교통수단의 개발보급 등 교통체계의 효율적인 관리를 위하여 교통공학적 측면에서 전문지식을 토대로 도로상의 교통량을 추정하고 도로의 용량, 교차로 개선, 신호체계의 합리화, 도로의 경제성 분석을 토대로 도로를 설계하고 통행분포, 배분 및 노선선정 등에 관한 제반 업무를 수행

2. 진출분야/전망

건설 교통관련 공무원, 관련 투자기관으로 진출, 한정된 도로여건에 비해 기하급수적으로 증가하는 교통량에 대한 제반 교통문제는 앞으로 더 심각한 문제로 대두될 것으로 예측되므로 장기적인 안목에서 교통량을 정확하게 예측하고 효율적인 소통이 이루어 질 수 있는 도로교통체계를 구축하기 위한 정책적 지원이 증가하고 있으므로 일정한 수요는 계속될 것으로 예상되나, 민간부분보다 공공부분으로 수요가 높은 종목임

3. 응시자격

다음 각 호에 해당하는 자

1. 산업기사의 자격을 취득하는 후 응시하고자 하는 종목이 속하는 동일 직무분야에서 1년 이상 실무에 종사한 자
2. 기능사자격을 취득한 후 응시하고자 하는 종목이 속하는 동일 직무분야에서 3년 이상 실무에 종사한 자
3. 다른 종목의 기사의 자격을 취득한 자
4. 4년제 대학 졸업자 또는 이와 동등이상의 학력이 있다고 인정되는 자 또는 그 졸업예정자
5. 전문대학 졸업자 또는 이와 동등이상의 학력이 있다고 인정되는 자 등으로서 졸업 후 응시하고자 하는 종목이 속하는 동일 직무분야에서 2년 이상 실무에 종사한 자
6. 기술자격종목별로 산업기사의 수준에 해당하는 교육훈련을 실시하는 기관으로

서 이수 후 동일 직무분야에서 2년 이상 실무에 종사한 자
7. 기술자격종목별로 기사의 수준에 해당하는 교육훈련을 실시하는 기관으로서 노동부령이 정하는 교육훈련기관의 기술훈련과정을 이수한 자 또는 그 이수 예정자
8. 응시하고자 하는 종목이 속하는 동일 직무분야에서 4년 이상 실무에 종사한 자
9. 외국에서 동일한 등급 및 종목에 해당하는 자격을 취득한 자

4. 시험과목

[필기]

- 시험방법 : 객관식 4지택일형/과목당 40점 이상 전과목 평균 60점 이상
- 시험과목 : 교통계획, 교통공학, 교통시설, 도시계획개론, 교통관계법규, 교통안전

[실기]

- 시험방법 : 필답형(100%)
- 시험과목 : 교통계획에 관한 실무적인 지식, 교통공학에 관한 실무적인 지식
- 시험시간 : 필답형-2시간 30분
- 채점방법 : 필답형 중앙채점
- 합격기준 : 100점 만점에 60점 이상

5. 제출서류

가. 필기시험 원서접수시 제출서류

1) 수검원서 1통(산업안전인력공단에서 배포하는 소정양식으로 작성하되 접수일 전 6월 이내에 촬영한 3.5cm×4.5cm 규격의 동일원판 탈모상반신 사진2매)
2) 검정과목의 일부 또는 필기시험 전과목 면제 해당자는 수검원서 면제 신청란에 취득한 자격명칭 및 자격등록번호를 정확히 기재하여 제출
3) 다른 법령에 의한 자격취득자중 필기시험 과목면제 해당자는 자격증 원본 제시 및 검정과목면제신청서와 자격증 사본 제출
4) 외국에서 기술자격을 취득한 자로서 검정과목의 일부 또는 전부의 면제를 받고자 하는 자는 검정과목면제신청서, 해외공관장이 확인한 자격증 사본 및 이력서, 자격을 취득한 국가의 자격법령에 관한 자료와 각 관련 자료 번역문 각 1부

※ 해외공관장 확인 : 자격증을 발행한 국가에 주재하고 있는 한국대사관 또는 영사관의 확인을 말함

나. 실기(면접)시험 원서접수시 제출서류

1) 검정의 일부시험 합격자(필기시험 면제자) : 수검원서 1통 (산업안전인력공단에서 배포하는 소정양식으로 작성하되 접수일 전 6월 이내에 촬영한 3.5cm×4.5cm 규격의 동일원판 탈모상반신 사진2매 부착)

2) 다음의 응시자격서류는 필기시험 합격예정자로 발표된 자에 한하여 수검 자격을 인정할 수 있는 관계증명서류 각 1통씩을 응시자격서류 제출기간 (당회 필기시험 합격예정자 발표일로부터 4일 이내) 중 제출해야 하며, 동 기간 중에 제출하지 않아 응시자격서류심사를 필하지 않은 자의 필기시험 합격예정은 무효됨)

   가) 국가기술자격취득자는 응시자격서류 제출기관에 자격취득사항을 전산으로 조회 신청

   나) 대학, 전문대학 등 졸업자는 졸업증명서

   다) 대학, 전문대학 졸업예정자는 최종학년 재학(졸업예정)증명서

   라) 대학 3학년 또는 전문대학 1학년 수료 후 중퇴·휴학자는 수료 또는 휴학하였음을 입증할 수 있는 증명서(휴학증명서, 수료증명서, 재적 증명서 등)

   마) 실무경력으로 응시하고자 하는 자는 공단에서 배포하는 소정 양식의 경력증명서 또는 재직증명서(근무부서, 근무기간, 직명, 담당 업무『구체적으로』 명시된 것)

   바) 노동부령으로 규정한 교육훈련기관의 이수자 및 이수예정자는 이수 증명서 또는 이수 예정증명서

차 례

제1부 교통계획(이론문제)

제2부 교통계획(계산문제)

제3부 교통공학(이론문제)

제4부 교통공학(계산문제)

제1부

교통계획(이론문제)

Chapter 1 교통조사

Chapter 2 교통계획 과정

Chapter 3 교통계획 평가방법

Chapter 4 대중교통 및 주차

실전문제

1 교통조사

1 교통의 3대 요소를 쓰시오.

해설 교통주체(사람, 물건), 교통수단(자동차, 버스, 지하철, 철도, 비행기, 선박), 교통시설(교통로, 역, 주차장, 공항, 항만)

2 도로의 기능 3가지를 쓰시오.

해설 접근성, 이동성, 공간성

3 교통시설의 3요소를 쓰시오.

해설 시설(LINKS), 결절점(NODES), 운반체(MEANS)

4 교통정책의 3대 목표는 열거하시오.

해설 교통체계의 효율성, 교통서비스의 질적 향상, 환경 악영향의 최소화

5 통행목적의 유형에 대해 열거하시오.

해설 출근통행, 등교통행, 업무통행, 쇼핑통행, 친교・여가통행

---

6 교통량 조사방법 3가지를 열거하시오.

해설 주행차량 이용 조사방법, 기계적 조사, Cordon line조사, Screen line조사, 사진측량법

---

7 속도조사의 방법을 3가지 열거하시오.

해설 차량번호판조사, 자동감지기조사, 사고기록조사, 통계조사, 실험조사

---

8 노측면접 조사시 조사할 수 있는 조사의 종류를 3가지 이상 설명하시오.

해설 출발지 및 목적지(기종점), 통행목적, 평균재차인원(승객수), 통행시간

---

9 교통존 내의 교통량조사 방법을 단계별로 설명하시오.

해설 존 설정 → 외부의 교통조사 → 내부의 교통조사 → 스크린라인 검정 → 자료분석(확충)

---

10 Cordon Line 조사와 Screen Line 조사의 목적에 대해 설명하시오.

해설 가구통행실태 조사자료의 전수화를 위하여 보정하는데 필요한 조사자료들을 Cordon Line 조사나 Screen Line 조사방법 통해 얻는 것이 Cordon Line 조사와 Screen Line 조사의 주목적이다.

---

11 Cordon Line 조사와 Screen Line 조사에 대해 설명하시오.

해설 • Cordon Line 조사

① 폐쇄선(Cordon Line) : 조사대상지역을 포함하는 외곽선을 의미

② 총 통행량의 5% 이상이 Cordon Line을 통과하는 지점에 대해 조사 (대상지역으로 유 · 출입조사)

③ 폐쇄선 설정시 고려사항

- 가급적 행정구역 경계선 일치
- 도시주변에 인접한 위성도시나 장래 도시화 지역 등은 가급적 폐쇄선 내에 포함
- 폐쇄선을 횡단하는 도로나 철도 등이 최소가 되도록 설정

④ 폐쇄선조사를 통해 습득할 수 있는 정보

- 지역(폐쇄선)을 출입하는 통행량
- 통행수단
- 시간별 변동

• Screen Line 조사

① 경계선(Screen Line) : 조사지역 내 일정 지점을 통과하는 통행자조사

② Screen Line은 존의 중심지를 지나지 않도록 하고, Cordon Line과 근접하지 않도록 Screen Line을 적정 간격으로 설정

③ 실제로 조사한 교통량과 표본조사를 전수화 시킨 자료를 비교하기 위해 실시 (OD 표본조사로부터 추정된 교통량 검증)

---

12 경계선 교통량조사(Cordon line)시 필요한 조사 항목에 대해 3가지 이상 쓰시오.

해설 차종별 교통량, 평균재차인원, 24시간 교통량, 조사지점도

---

13 폐쇄선(Cordon Line) 설정시 고려사항을 설명하시오.

해설 - 가급적 행정구역 경계선과 일치시킨다.
- 도시주변의 인접 위성도시나 장래도시화 지역은 폐쇄선 내에 포함시킨다.
- 횡단되는 도로나 철도는 최소화한다.
- 주변에 동이 위치하면 포함시킨다.

14 스크린라인(Screen Line) 설정시 고려사항을 설명하시오.

해설 - 존 중심지를 지나지 않도록 설정한다.
- 폐쇄선(Cordon Line)과 근접하지 않도록 설정한다.
- 여러 개의 스크린라인 설정시 적정한 간격이 유지되도록 설정한다.
- 실제로 조사한 교통량과 표본조사를 전수화 시킨 자료를 비교하기 위해 실시 (OD 표본조사로부터 추정된 교통량 검증)

15 사람통행실태조사 방법의 종류를 설명하시오. or 사람통행실태조사의 방법을 기술하시오. or 도시교통계획 수립을 위해 사용된 조사방법을 열거하시오.

해설 폐쇄선조사, 스크린라인조사, 영업용차량조사, 대중교통 수단이용객조사, 터미널승객조사, 직장방문조사, 가구방문조사, 노측면접조사, 차량번호판조사

【참고】• 출발/목적지조사(O/D Studies) 방법

① 가구방문조사(앙케이트, 설문지 등)
- 조사대상 지역 내에 기·종점을 가진 사람통행에 한하여 조사하는 것으로서 가구방문조사, 우편에 의한 회수법, 학생이용 설문조사 등의 방법이 있다.

② 영업용차량조사(Commercial Vehicle Survey)
- 버스, 화물차, 택시, 트럭 등의 영업용 차량을 대상으로 그 대상지역에서 무작위로 추출된 영업용차량에 대해 조사표를 이용하여 설문조사한다.

③ 직장방문조사(Office Interview Survey)
- 가구방문조사는 가구를 근간으로 하여 통행을 조사하는 방법이지만 직장방문조사는 조사자가 직장의 고용자를 대상으로 하여 조사표를 배부하고, 조사일의 통행실태를 조사하는 방법이다.

④ 대중교통 수단 이용객조사(Transit Passenger Survey)
- 버스정류장이나 지하철역 등에서 승차하기 위해 기다리는 승객에게 설문지를 배부하여 우편으로 우송하는 방법이다.

⑤ 차량번호판조사(License Plate Survey)
- 조사예정 지역 내의 일정한 지점을 선정하여 이 지점들을 통과하는 차량의 번호, 차종, 통과시간을 기록하는 방법이다. 이는 차량의 출발지와 목적

지(도착지)를 알 수 있다. 이 방법은 조사대상 지역이 크면 신뢰성이 있는 결과를 얻기 힘들다. 또한 차량의 번호판이 작고 지저분하여 번호를 식별하기가 힘든 경우가 종종 발생한다.

⑥ 노면접조사(Roadside Interview)

- 간선도로나 이면도로상에 차량을 세우거나 신호 대기하는 차량 등을 대상으로 출발지와 목적지를 조사한다.

---

16 도로개선사업, 교차로 문제를 해결하는데 사용하는 교통조사의 종류 4가지를 쓰시오.

해설 도로현황(기하구조)조사, 교통량조사, 속도조사, 지체도조사 등

---

17 교통존 설정시 4가지 유의 사항을 설명하시오.

해설
- 각 존은 가급적 동질적인 토지 이용이 포함이 되도록 한다.
- 각 존 내부의 사회적, 경제적 성격이 비슷한 존을 산정한다.
- 간선도로나 강, 철도 등이 가급적 존 경계선과 일치하도록 한다.
- 행정구역과 가급적 일치시킨다.
- 각 존의 모양은 원형에 가깝게 해야 한다.
- 한 존에 소규모 도시의 주거지역 : 1,000~3,000명
  대규모 도시의 주거지역 : 5,000~10,000명
  (각 존의 가구수, 인구, 통행량 규모가 비슷해야 한다.)
- 각 존은 분리되어야 한다.

---

18 공공서비스로서의 교통에 정부의 개입이 필요한 이유에 대해서 설명하시오.

해설
- 외부효과가 크고 다분히 공공재적 성격을 지니고 있다.
- 교통시설에 대한 투자와 관리는 해당 지역뿐만 아니라 도시전역에 걸쳐 영향을 미친다.
- 서비스의 형평성과 효율성을 확보하기 위해서
- 교통체계 구성요소간의 연결성과 체계성을 유지하기 위해서
- 사적독점에서 나타나는 부작용을 방지
- 일정수준 이상의 교통서비스를 확보하기 위해서

19 가구방문조사에는 성별, 연령, 직업을 제외한 나머지 사항을 5가지로 나열하시오. or 교통수요조사 방법 중 가구방문조사 결과로 얻을 수 있는 것을 3가지 이상 쓰시오.

해설 출발지와 목적지, 통행목적, 통행비용, 자동차소유여부와 보유대수, 환승 여부, 가구총소득, 5세 이상 가족수, 통행시간, 교통비, 이용한 교통수단, 운전면허증 소지여부

20 교통수요와 교통상황 실태조사를 전국 또는 도시권 전체가 대상지역인 광역적 교통조사의 종류 5가지만 나열하시오.

해설
- 가구통행 실태조사
- 자동차 기종점조사
- 고속국도, 국도, 간선도로 등 상위도로 주위의 교통량조사
- 주요교차점 교통량조사
- 구역의 지체도 및 빈도조사
- 물류조사

21 교통지구 분할의 3대 원칙을 설명하시오.

해설
- 균일한 무게를 지녀야 한다.
- 단일의 centroid(중심)를 가져야 한다.
- 교통존은 원형에 유사하여야 한다.

22 표본설계의 유형 3가지를 설명하시오.

해설 • **단순확률 표본설계**

- 모집단이 개체가 똑같은 확률로 뽑혀지도록 표본단위를 모집단에서 추출
- 조사대상을 무작위로 추출

• **층화확률 표본설계**

- 모집단의 개체 특성치분포가 계층에 따라 다를 경우에 적용
- 일반적으로 조사대상자의 직업, 연령 등의 구성비에 비례하여 표본 추출

• **집락확률 표본설계**

- 모집단이 지리적으로 구분되어 있고, 또 지역적으로 개체 특성치 분포가 다를 때 적용되는 표본 추출 방법

---

23 가구통행실태조사 중 학생이용 설문조사의 장 · 단점을 설명하시오.

해설

구분	내용
장점	· 교육당국의 협조만 얻으면 학교별 학생 설문이 용이 · 저비용
단점	· 30대 가장의 가구가 적게 나타남 · 존별 표본수가 아주 적은 존이 발생 · 택시이용자의 수가 적게 나타나는 경향이 있음 · 근로자의 표본수가 적음

---

24 교통수단에 영향을 미치는 요소를 나열하시오.

해설
- 통행자의 사회 · 경제적 변수
- 교통비용에 대한 인식
- 경쟁관계에 있는 교통류(수단)의 특성
- 현재 교통수단 분담 정책

---

25 교통량의 내부 구성요소를 3가지만 열거하시오.

해설 차종구성, 방향별, 회전별 교통량, 기 · 종점별 교통량

2 교통계획 과정

1 교통계획의 기능에 대해 설명하시오.

해설
- 근시안적인 교통계획의 장기적인 테두리 설정해준다.
- 즉흥적인 계획과 집행을 막을 수 있다.
- 교통행정에 대한 지침을 제공하는 역할을 한다.
- 정책목표를 세울 수 있는 계기가 마련된다.
- 한정된 재원의 투자우선순위를 설정해 준다.
- 세부계획을 수립할 수 있는 준거를 마련해 준다.
- 교통문제 진단, 인식여건 조성시킨다.
- 집행된 교통정책 점검할 수 있다.
- 단기, 중기, 장기교통정책의 조정과 상호연관성을 높일 수 있다.

2 토지이용과 교통체계 간의 연관성에 대해 설명하시오.

해설 토지이용은 통행발생 활동의 가장 중요한 결정요인으로 여겨진다. 통행발생 활동의 수준과 해당지역 내에서의 통행방향은 교통시설의 필요성을 결정한다. 이들 시설을 마련하면 그 토지의 접근성은 변화되고 이로 말미암아 지가가 변하게 된다. 지가는 토지이용의 주요 결정요인이므로, 결국 이 순환과정 내에서 어느 한 요소가 변화되면 나머지 모든 요소가 변하는 순환을 계속한다. 교통체계와 토지이용 간의 상호작용은 다음과 같다.

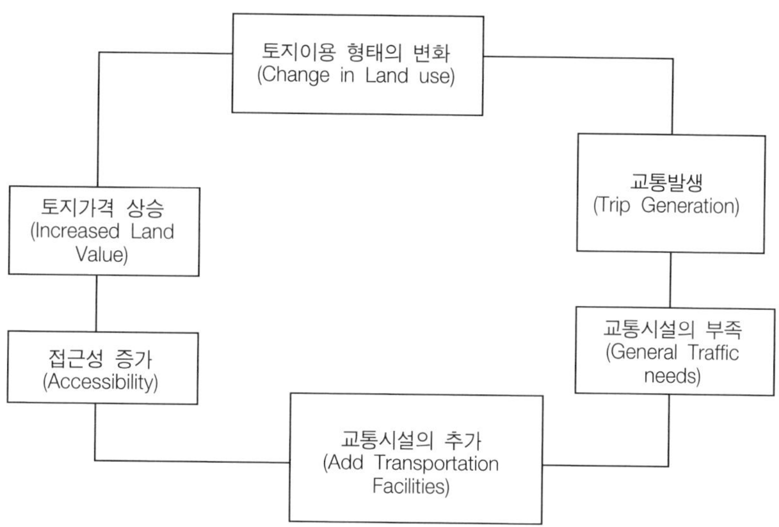

[그림] 토지이용 형태의 변화에 따른 교통계획의 필요성

【참고】• 토지이용과 교통과의 관계

① 토지이용이 교통에 미치는 영향 : 지대이론(Rent Theory)
- 지역 교통망 형성
- 목적별/수단별 통행발생 규모 결정
- 통행분포 결정

② 교통이 토지이용에 미치는 영향 : 입지이론(Location Theory)
- 토지이용 분포와 형태 결정
- 접근성 제고로 토지가치 상승

• 토지이용-교통 모형의 유형

① 지대이론(Rent Theory)
- 입지 선정시 지대가 중용
- CBD에 가까울수록 수송비 감소로 유리
- 도시구조에 따른 지대발생이론

② 입지이론(Location Theory)
- 공장, 주거, 상업지의 입지 선정시 수송비 중요
- 교통이 토지이용 형태를 결정하는 중요한 요소
- Lowry 모형 : 토지이용 상호 간 흡입력이 큰 활동을 상호 운행시켜 총 수송비 최소화

3 도시교통계획 과정에 대해서 설명하시오.

해설

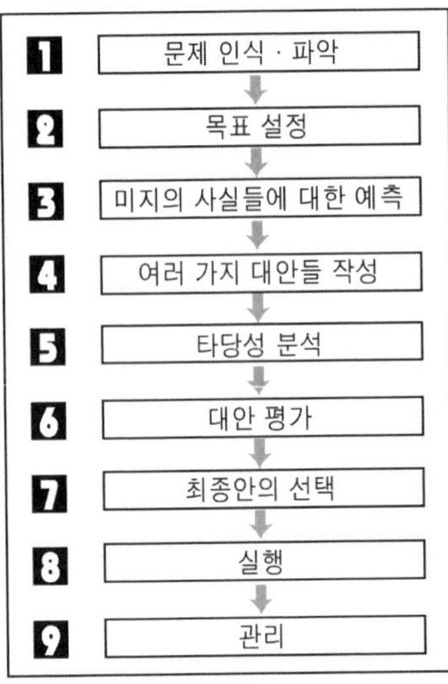

① 문제인식 · 파악(Problem diagnosis)
계획의 바탕이 되는 단계로 현황 분석을 통해 문제점을 알아 인식하고 공공계획에서 공공의 희망을 인식하는 단계이다.

② 목표설정(Goal Articulation)
매우 중요한 단계이다. 초기에는 추상적이고 불분명한 상태에서 설정(도시의 건강성, 쾌적성)을 해야 하기 때문에(Goal : 상위목표, Objective : 구체화된 목표) 점차 진행시키며 Goal을 구체화시켜 나가야 한다.

③ 미지의 사실들에 대한 예측(Forecasting)
구축된 사회 · 경제지표자료들과 예측모형을 이용하여 장래에 대한 예측한다.

④ 여러 가지 대안들을 작성(Making of Alternative plan)
최적의 대안을 고르기 위해 여러 가지 측면을 검토하여 대안들을 수집한다.

⑤ 타당성의 분석(Feasibility Study)
작성된 대안들이 미래에 실현 가능성이 있는가를 분석하며, 여러 가지 운영 효과의 분석도 중요하다.

⑥ 대안들의 평가(Evaluation)
경제적인 분석 방법(NPU) 등의 분석방법을 통해 대안들을 평가한다.

⑦ 최종안의 선택(Selection of best alternative)

⑧ 실행(Implementation)

⑨ 관리(Monitoring)

---

4 교통계획의 상위 목표를 4가지 이상 설명하시오.

해설
- 합리적 수송체계 확립
- 도시 및 지역개발
- 목표달성을 위한 적극적인 방법
- 토지이용의 능률비교, 기동성 향상
- 교통사고 감소, 환경의 질적 개선
- 에너지절약, 경제적 효율성 증진성을 높일 수 있다.

【참고】

상위목표	하위목표(objectives)
기동성의 향상	· 도시통행의 서비스 수준 향상 · 통행의 신뢰성 향상 · 자가용 승용차의 이용 억제를 위한 대안적 교통수단의 제공 · 교통약자에 대한 양호한 교통서비스 제공 · 보행자와 자전거 등과 같은 교통수단을 위한 교통시설 개선
교통사고의 감소	· 교통사고건수의 감소 · 사망과 중경상건수의 감소
환경의 질적 개선	· 자동차 방출가스의 영향 감소 · 소음의 감소 · 자연환경에 대한 악영향 감소 · 도시환경의 심미성 향성
에너지 절약	· 도시통행에 소요되는 연료소비량의 감소
교통의 경제적 효율성 증진	· 현 교통체계의 사람과 화물의 처리능력 향상 · 개인 통행비용의 감소 · 도시교통체계의 공공비용 감소 · 화물수송비용 감소 · 도시교통에 의해 초래되는 경제적 효과의 최대화

5 노선계획 수립과정을 순서대로 설명하시오.

해설

1단계	현황조사 및 분석표
	· 사회경제지표 및 현황조사
	· 연관계획 검토

↓

2단계	교통수요 예측
	· 사회경제지표 예측
	· 장래 교통수요 예측

↓

3단계	노선선정 및 계략설계
	· 최적노선 선정
	· 개략설계

↓

4단계	예비설계
	· 기술적 타당성 검토
	· 예비설계

↓

5단계	투자계획수립
	· 경제성분석
	· 투자계획

6 노선계획수립을 위한 계획 교통량의 추정절차를 순서대로 나열하시오.

해설 지역계획조사 → 조사지역 설정과 존분할 → 경제 및 토지이용 현황조사 → 교통현황조사 → 인구, 경제 및 토지이용예측 → 장래교통량 예측

7 교통계획의 유형은 어떤 것들이 있는지 설명하시오.

해설 – 계획기간에 따라 : 장기, 중기, 단기계획

- 계획의 공간적 범위에 따라 : 국가, 지역, 도시, 지구, 교통축 교통계획
- 계획대상에 따라 : 대중교통, 간선도로, 교차로, 주차시설, 보행시설, 관리·운영

---

8 교통계획의 공간적 범위에 따라 분류하시오.

해설 국가교통계획, 지역교통계획, 도시교통계획, 지구교통계획, 교통축교통계획

【참고】• 교통의 공간적 분류와 특성

구 분	교통계획 목표	교통체계	교통특성
국가 교통	· 국토이용의 효율성을 제고하기 위한 교통망 형성 · 국토의 균형발전을 위한 교통망	고속도로, 철도 항만, 항공	· 화물과 승객의 장거리 이동 · 국가경제발전의 측면에서 접근
지역 교통	· 지역 간 승객 및 화물이동 촉진	고속도로, 철도 항만	· 화물과 승객의 장거리 이동 · 지역생활권간의 교류
도시 교통	· 도시교통 효율성 증대 · 대량교통수요의 원활한 처리	간선도로, 이면도로, 도시고속도로, 지하철, 승용차 택시, 전철, 버스	· 도시경제활동을 위한 교통서비스
지구 교통	· 지구 내 자동차의 통행제한 · 안전하고 쾌적한 보행자 공간의 확보 · 대중교통체계의 접근성 확보	이면도로, 주차장 보조간선도로, 골목	· 블록으로 형성 · 근린지구의 교통처리
교통축 교통	· 교통축별 교통처리능력의 향상 · 교차로 용량의 증대	간선도로, 교차로 승용차, 택시 버스, 지하철	· 교통체증이 발생되는 축 · 도심과 연결되는 주요 동서, 남북, 방사선 간선도로

9 계획대상의 특성에 따라 분류된 교통계획의 종류를 나열하시오.

해설 운영·관리계획, 가로망계획, 대중교통계획, 간선도로계획, 이면도로계획, 교차로계획, 주차시설계획, 보행시설계획 등

10 교통서비스 개선 및 서비스의 질적 향상을 알 수 있는 사항을 설명하시오.

해설
- 통행시간, 대기시간, 환승시간, 통행비용, 교통사고의 감소
- 교통서비스의 신뢰성 회복
- 기존교통체계의 교통처리능력 제고
- 토지이용 효과증진

11 장기교통계획과 단기교통계획을 서로 비교하여라.

해설

장기교통계획	단기교통계획
소수대안	다수의 대안
유사한 대안	서로 다른 대안
교통수요고정	교통수요의 변화
단일교통수단위주	여러 교통수단을 동시에 고려
공공기관의 정책	공공기관 및 민간기관 정책
장기적	단기적
시설지향적	서비스지향적
추정지향적	피드백지향적
자본집약적	저자본집약적

12 도시교통정비 촉진법의 목적 세 가지를 설명하시오.

해설
- 교통시설의 정비를 촉진
- 교통수단 및 교통체계를 효율적으로 운영·관리
- 도시교통의 원활한 소통과 교통편의의 증진에 이바지

13 도시교통정비 촉진법에 의한 교통혼잡 특별관리구역 지정기준에 대해 설명하시오.

해설 교통혼잡 특별관리구역(도시교통정비 촉진법 제42조)는 시장이 도시교통의 원활한 소통과 교통편의 증진을 위해 필요하다고 인정하면 도시교통정비지역안의 일정지역을 지정한다. 특별관리구역에 있는 대통령령으로 정하는 규모 이상의 시설물(주거용 시설물은 제외하며, 이하 "특별관리구역시설물"이라 한다) 및 특별관리구역에 들어가는 차량에 대하여 제43조에 따른 교통수요관리 조치를 시행할 수 있다.

- **교통혼잡 특별관리구역 지정기준**(도시교통정비 촉진법 시행령 제30조)
  ① 혼잡시간대(일정구역을 둘러싼 편도 3차로 이상의 도로 중 적어도 1개 이상의 도로이 시간대별 평균속도가 10km/h 미만인 상태)가 평일 기준 1일 평균 3회 이상 발생
  ② 그 구역으로 진입 또는 진출교통량이 해당도로 단방향 교통량의 15% 이상일 것

- **교통수요관리 조치**(도시교통정비 촉진법 제43조)
  - 혼잡통행료 부과 징수, 교통유발 부담금 징수, 부설 주차장 이용제한 명령, 통행 개선 및 대중교통 이용촉진을 위한 시책 실시

14 도시교통정비 촉진법상 도시교통정비 기본계획의 수립시 포함되어야할 사항을 열거하시오.

해설
- 교통시설 개선
- 대중교통체계의 개선
- 환경친화적 교통체계 구축

15 국가교통위원회에서 처리하는 업무범위에 대해 설명하시오.

해설
- 국가기간교통망계획의 수립 및 변경
- 중기투자계획의 수립 및 변경과 집행 실적 평가
- 교통시설 개발사업의 투자재원 확보
- 국가교통조사계획의 수립 및 변경
- 국가교통물류경쟁력지표 설정
- 중기 연계교통체계구축계획의 수립 및 변경
- 연계교통체계구축대책의 수립 및 변경
- 제1종 교통물류거점의 지정 및 변경
- 복합환승센터 개발 기본계획의 수립 및 변경
- 광역복합환승센터의 지정
- 복합환승센터개발계획 수립 및 변경
- 지능형교통체계기본계획의 수립 및 변경
- 국가교통기술개발계획 및 국가교통기술개발시행계획의 수립 및 변경
- 교통체계와 관련된 제도의 개선
- 국가교통정책의 종합조정

16 국가기간교통망계획 수립 내용에 대해 설명하시오.

해설
- 교통 여건의 전망과 교통 수요의 예측
- 종합적인 교통정책 및 교통시설투자의 방향
- 국가기간교통망 구축의 목표와 단계별 추진전략
- 국가기간교통시설의 신설·확장 또는 정비사업 및 연계수송체계
- 국가기간교통시설 개발사업에 필요한 재원 확보의 기본 방향과 투자의 개략적인 우선순위
- 교통기술의 개발 및 활용
- 국가기간교통망과 다른 나라 교통망 간의 연계운영·개발 및 협력
- 그 밖에 교통체계의 개선에 관한 사항

17 대중교통 기본계획 수립 내용에 대해 설명하시오.

해설 - 대중교통의 현황과 전망
- 대중교통정책의 기본방향과 목표
- 대중교통시설 및 대중교통 수단의 개선, 확충에 관한 사항
- 비수익노선 대중교통 수단의 현황과 향후 운행조정 및 지원방향
- 자가용 승용차 이용자의 대중교통 이용촉진에 관한 사항
- 농어촌 및 벽지주민을 위한 대중교통 이용 편의 증진에 관한 사항
- 기본계획의 추진에 소요되는 재원의 조달방안
- 기타 대통령령이 정하는 사항

---

18 4단계 추정모형의 종류와 추정법을 각각 2가지씩 쓰시오.

해설

통행발생	· 과거추세연장법(증감율법, 원단위법) · 회귀분석법 · 카테고리분석법
통행분포	· 성장률법 (균일성장률법, 평균성장률법, 프라타법, 디트로이트법) · 간섭기회모형 · 중력모형, 엔트로피모형
교통수단선택	· 통행단모형(전환곡선, 회귀분석) · 통행교차모형(전환곡선, 회귀분석) · 확률선택모형(판별분석법, 로짓모형, 회귀분석법, 프로빗모형)
통행배정	· 용량을 제약하지 않는 방법(ALL-OR-NOTHING) · 용량을 제약하는 방법(반복배정, 분할배정, 이용자균형배정, 확률적 통행 배정)

---

19 기존의 전통적 4단계 교통수요 추정모형의 문제점을 설명하시오.

해설 - 설명변수가 제약되어 있다.
- 각 단계에서 예측을 위해 사용되는 모형의 파라미터, 변수의 값 등이 각 단계 간에 일치하지 않는다.
- 존별 집계자료에 근거해서 개발된 모델이기 때문에 개발된 모델을 타 존의 교통수요 추정에 활용할 수 없다.
- 수요관리정책 등과 같이 비물리적 교통계획 대안에 대한 평가가 불가능하다.

– 단계별로 활용하는 자료의 행태가 상이하기 때문에 오차의 누적현상에 의한 신뢰도 저하현상이 발생할 수 있다.

---

20 4단계 수요추정의 장·단점을 설명하시오.

해설 • **장점**

- 각 단계별로 결과에 대한 검증함으로써 교통수요를 수리적 모형으로 묘사 가능
- 통행패턴의 변화가 일어나지 않는다는 가정을 전제로 하기 때문에 통행패턴의 변화가 적은 사업에 유용
- 장기적, 대규모 사업 분석에 유용
- 각 단계별로 적절한 모형의 선택이 가능

• **단점**

- 과거의 일정한 시점을 기초로 모형화 함으로써 추정시 경직성을 나타냄
- 계획가나 분석가의 주관이 강하게 작용할 수 있음
- 총체적 자료에 의존하기 때문에 통행자의 행태적 측면이 거의 무시됨
- 단기적, 서비스 지향 사업에 적용 곤란
- 누적오차 발생

---

21 통행단모형의 특징에 대하여 서술하시오.

해설
- 사회, 경제적인 변수에 따라 교통수단 선택 패턴이 결정된다고 가정
- 모형 적용이 편리하고 통행자 행태에 대한 가설 설정이 가능
- 주로 도로이용자의 통행자분담율 산출에 주목적을 둠
- 개인의 개별적 형태를 무시
- 교통체계의 변화에 대처가 난이

---

22 통행발생(Trip Generation) 모형의 분석기법의 종류를 열거하시오.

해설 회귀분석법, 과거추세연장법(원단위법, 증감율법), 카테고리법

23 통행발생모형 중 회귀모형의 분석과정 단계별로 설명하시오.

해설 발생, 집중 교통량과 인과관계를 가지고 있다고 생각되는 존의 지표(변수)를 선택 → 발생, 집중 교통량과 위에서 선택한 변수와의 관련성을 단상관분석 등으로 파악하여 설명변수 설정 → 중회귀분석 → 중회귀분석의 검토 → 예측모델의 재검토

24 카테고리분석의 적용과정을 설명하시오.

해설 카테고리유형 결정 → 조사된 자료를 유형에 따라 분류 → 현재 평균 통행 발생량 산출 → 장래 총통행 발생량 산출

25 카테고리분석법에 의한 수요 추정시 설명변수로 작용하는 유형의 종류를 3가지만 열거하시오.

해설 차량보유대수, 가구의 규모, 가구의 소득 등

26 교차분류법(카테고리법)의 장 · 단점을 기술하시오.

해설 • **장점**

- 자료 이용이 효율적이며 이해가 용이
- O/D가 없어도 예측 가능
- 타 지역에 이전이 용이
- 카테고리 그룹과 존 체계가 독립적임
- 통행발생율과 설명변수간의 관계를 선형 또는 비선형으로 가정하지 않아도 됨
- 특정계층의 행태를 반영할 수 있음

• **단점**

- 표본수가 적을 경우 통행발생률의 정확도가 떨어짐
- 통계적 적합도를 평가할 수 있는 검정통계량 부재
- 시행오차방법을 제외하고 가장 적합한 조합을 결정할 수 있는 방법론 부재
- 교차분류의 기준이 되는 변수가 정해졌다 하더라도 예측의 정확도를 높일 수 있는 방법이 없음
- 존 규모에 따라 분석의 정확도가 좌우될 수 있음
- 최저값 또는 최고값이 극단값을 가질 가능성이 높음
- 셀 안의 변동량 정보가 없음
- 교통운영체계와 토지이용 패턴이 크게 변하지 않는 지역에서만 통행발생률을 이용할 수 있음
- 카테고리 범위에 포함되지 않는 값에 대해서는 외삽(extrapolation)을 허용하지 않음(최상위 또는 최하위 카테고리 범위는 오차로 인정함)

---

27 원단위법의 장 · 단점을 기술하시오.

해설 • **장점**

- 소규모 지역단위에 적합
- 추정비용 및 시간절약
- 건축밀도 및 토지이용의 집약도가 고려됨

• **단점**

- 기준자료(신도시 등)가 없을 경우 분석자 주관 개입
- 내부통행이 고려가 안 됨
- 목적별 통행비중의 변화를 고려하지 못함
- 접근변수의 한계
- 원단위가 장래에도 변하지 않는다는 가정 때문에 장래상황 반영이 어려움

---

28 시계열 자료(Time-Series Data)와 횡단면 자료(Cross-Sectional Data)에 대해 설명하시오.

해설 • 용어 정의

- 시계열 자료(Time-Series Data) : 시간을 통해 변화하는 양을 나타내는 시계열 자료
- 횡단면 자료(Cross-Sectional Data) : 개체 간, 그룹 간의 크기나 양의 차이를 나타내는 횡단면 자료

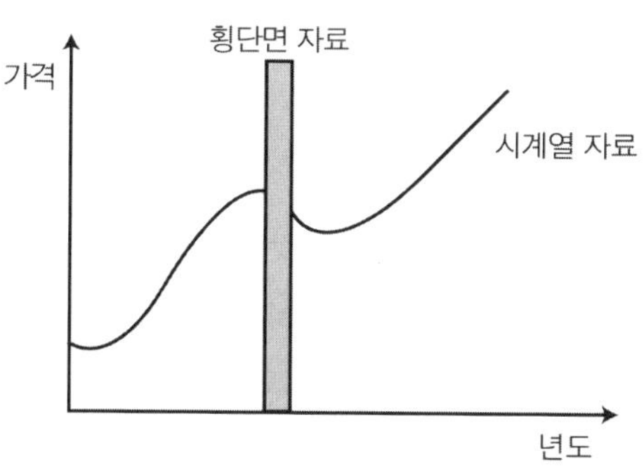

[그림] 시계열 분석과 횡단면 분석 관계

• 특징

① 시계열 자료보다 횡단면자료의 표본수가 많음

② 횡단면 분석은 지역별, 직업별 등 시계열로 명백히 구분하기 곤란한 요인분석 가능

③ 소비함수 계측의 경우
- 시계열 분석은 소득과 가격요인의 상관도가 높으면 신뢰할 추계값 산정이 곤란
- 횡단면 분석은 소득요인 우선 계측 후 가격요인을 구할 수 있음
- 그러나 횡단면 자료에서 각 가계의 가격요인이 같은 정도로 작용하고 있기 때문에 우선 소득계층별 자료에서 소득 요인만을 계측하고 다음에 시계열 자료에서 가격요인을 구하게 되는 방법이 고려되고 있음

• 사례

① 일정시간대의 존 중심자료에 의한 기존 4단계 추정모형에서는 횡단면 분석을 함

② 그러나 개인 또는 가구의 생활주기 자료에 의한 활동중심모형(Activity Based Model)에서는 시계열 분석을 함

- **분석의 한계**

① 개인 혹 가구의 선택에 영향을 미치는 핵심변수들의 관측값 변화는 특별한 이유 때문에 발생될 수 있음. 예를 들어 교통수단, 주거입지 변화로 휘발류 가격이나 생애주기 등의 변화를 초래

② 이런 변화는 정확한 같은 시점에서 발생되지 않기 때문에 횡단면 자료는 변화의 인과관계를 파악하는데 한계가 있음

③ 횡단면 자료는 현재 통행패턴과 설명변수간의 인과관계를 잘 표현할 수 있으나 장래 통행패턴을 예측하는데 한계가 있음

④ 이런 취약점을 시계열 자료를 활용해 극복할 수 있음

⑤ 시계열 분석 역시 방법론 자체에 심각한 기술적 제약이 있음

---

29 통행발생모형의 접근방법 중 O/D 접근방법과 P/A 접근방법의 차이를 설명하시오.

해설 O/D 접근방법은 통행목적(통근, 등교, 학원, 업무, 귀가, 쇼핑, 기타)으로 구분하며 모든 통행에 있어서 출발지를 기점(O), 도착지를 종점(D)으로 두는 방식이다. P/A 접근방법은 가정기반 출퇴근통행(Home based work trip), 가정기반 통학통행, 가정기반 쇼핑통행(Home based school trip) 가정기반 기타통행(Home based other trip), 비가정기반 통행(None home based trip) 등으로 구분하는 방식이다. 즉, 가정기반통행의 경우 통행 방향을 구분하지 않고 가정을 통행생성(P) 지점으로, 반대지점을 통행유인(A) 지점으로 접근하는 방법이다. 다만 비가정기반 통행의 경우 O/D 접근방법과 동일하다.

통행목적별 구분에 있어서 O/D 접근방법이 P/A 접근방법과 분명히 다른점은 귀가통행을 별도의 목적통행으로 구분하고 있는 것이다. P/A 접근방법에서 통행을 가정과 관련하여 분류하는 근본적 논리는 가정을 모든 활동이 시작하고 끝나는 개인의 기반이 되는 지점으로써 고려하고자 하는 것이다.

다시 말해 O/D 접근방법은 통행이 출발하고 도착하는 현상적 패턴을 기준으로 하여 통행량을 산출하는 반면, P/A 접근방법은 통행의 주체인 개인이 기반을 두는 지점과 활동의 목적이 달성되는 지점으로 고려한 통행 행태적 패턴을 기준으로 통행량을 산출한다.

이와 같이 P/A 기반 접근방법은 보다 근본적인 활동의 목적으로 통행목적 범주를 설정하였기 때문에 통행 행태 측면에서 O/D 기반 접근방법보다 우수하다고 할 수 있다

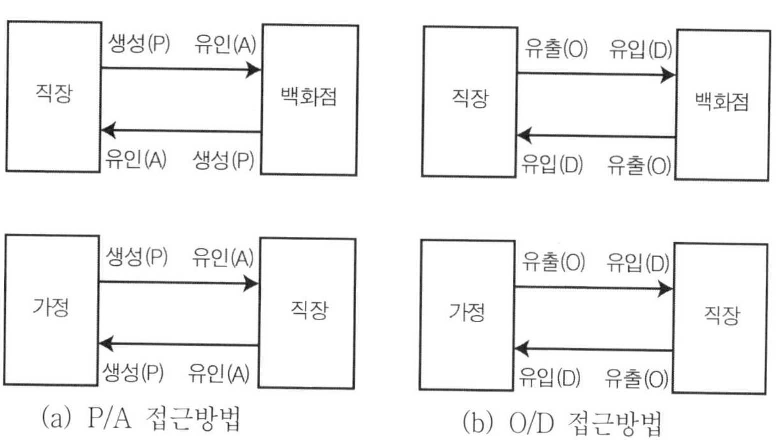

(a) P/A 접근방법 (b) O/D 접근방법

30 통행분포(Trip Distribution) 모형의 분석기법의 종류를 열거하시오.

해설 성장률법(균일성장률법, 평균성장률법, 프라타법, 디트로이트법), 중력모형, 간섭기회모형

31 성장률법의 장 · 단점을 서술하시오.

해설

- **장점**
  - 이해가 용이하고 적용이 용이
  - 장래의 교통여건이 크게 변하지 않는 지역에 적합
  - 프라타법의 경우 평균성장률법보다 통행제약조건을 만족시키는 속도가 신속
  - 가장 쉬운 방법은 균일성장률법이고 정확도는 프라타법이 가장 높음

- **단점**
  - 장래여건이 크게 변화하는 지역에 적용성이 떨어짐
  - 프라타법의 경우 계산과정이 복잡하고 이해가 어려움

32 중력모형의 유형을 열거하시오.

해설
- 총량제약 중력모형
- 유출제약 중력모형

– 유입제약 중력모형
– 이중제약 중력모형

【참고】• 중력모형

중력모형의 통행배분에서의 적용은 뉴턴의 만유인력법칙을 사회현상에까지 적용해 보려는 사회과학자들의 대담한 노력에서 그 근원을 찾을 수 있다. 두 장소 간의 교통량 교류는 두 장소의 토지이용에 의한 활동량의 곱에 비례하고 한 장소에서 다른 장소로 통행하는 데에 따른 교통 불편성(통행비용)에 반비례하는 것이라는 가정에서 출발한다.

① 총량제약 중력모형

– 존별 총출발통행량(O_i)과 총도착통행량(D_j)에 대한 제약이 없는 모형이며, 모든 존 간에 분포된 통행량 총합($\sum_i \sum_j T_{ij}$)은 분석대상지역의 총통행량(T)과 같아야 한다는 제약조건만을 만족시키는 중력모형임

$$T_{ij} = \frac{K O_i D_j}{d_{ij}^{\beta}}$$

여기서, $T_{ij} = i$ 와 j 사이의 통행량
$O_{i,} =$ 존 i의 출발통행량
$D_j =$ 존 j의 도착통행량
$d_{ij} = i$ 와 j 지역의 거리
$\beta =$ 파라미터
$K =$ 조정계수

② 유출제약 중력모형

– 존별 총출발통행량(O_i)에 대한 제약이 있는 모형이며, 존 i에서 출발하여 다른 모든 존으로 가는 통행량의 합($\sum_j T_{ij}$)은 존 i의 총출발통행량(O_i)과 같아야 한다는 제약조건을 만족시키는 중력모형임

$$T_{ij} = \frac{A_i O_i D_j}{d_{ij}^{\beta}}$$

여기서, $T_{ij} = i$ 와 j 사이의 통행량
$A_j =$ 출발지 존 i의 조정계수
$O_{i,} =$ 존 i의 출발통행량
$D_j =$ 존 j의 도착통행량
$d_{ij} = i$ 와 j 지역의 거리
$\beta =$ 파라미터

③ 유입제약 중력모형

– 존별 총출발통행량(D_j)에 대한 제약이 있는 모형이며, 다른 모든 존에서 출발하여 존 j에 도착하는 통행량의 합($\sum_i T_{ij}$)은 존 j의 총도착통행량(D_j)과 같아야 한다는 제약조건을 만족시키는 중력모형임

$$T_{ij} = \frac{B_j O_i D_j}{d_{ij}^{\beta}}$$ 여기서, T_{ij} = i 와 j 사이의 통행량
B_j = 도착지 존 j의 조정계수
$O_{i,}$ = 존 i의 출발통행량
D_j = 존 j의 도착통행량
d_{ij} = i 와 j 지역의 거리
β = 파라미터

④ 이중제약 중력모형
- 존별 총출발통행량(O_i)과 총도착통행량(D_j)에 대한 제약이 있는 모형임

$$T_{ij} = \frac{A_i O_i B_j D_j}{d_{ij}^{\beta}}$$ 여기서, T_{ij} = i 와 j 사이의 통행량
A_j = 출발지 존 i의 조정계수
B_j = 도착지 존 j의 조정계수
$O_{i,}$ = 존 i의 출발통행량
D_j = 존 j의 도착통행량
d_{ij} = i 와 j 지역의 거리
β = 파라미터

---

33 중력모형의 장 · 단점을 2가지씩 설명하시오.

해설 • **장점**
- 통행생성과 통행유인의 형태로 토지이용간과 교통의 상호경쟁성이 고려된다.
- 존 간 통행시간의 변화에 민감하다.(통행시간에 따라 다른 통행패턴을 따름)
- 존 간 통행량에 영향을 주는 통행목적을 고려할 수 있다.
- 직감적으로 이해하기 쉬우며, 특정지역에 적용하기 용이하다.
- 완전한 현재 O/D표가 없어도 장래통행분포 예측이 가능하다

• **단점**
- 통행의 마찰인자로 작용하는 통행시간, 통행거리, 통행비용 등은 기준년도의 값이 목표연도에도 동일한 값을 가질 것으로 가정되는데 이러한 가정은 현실적으로 한계를 가질 수 밖에 없다.
- 존 사이의 통행시간은 하루 중에도 시간대별로 많은 차이를 보이는데도 불구하고 중력모형은 일반적으로 하나의 출발지-목적지 존 간(O-D)의 통행시간은 하나의 값만을 가진 것으로 가정함으로써 정확한 통행분포의 예측에 한계를 가진다.
- 일반적으로 중력모형은 먼 통행은 과소 예측하고, 가까운 통행은 과대 예측하는 경향이 있다.
- 존 내 통행량 예측을 위한 소요시간의 결정이 어렵다.

34 교통수단에 영향을 미치는 요소를 설명하시오.

해설 - 교통비용에 대한 인식
- 경쟁관계에 있는 교통수단의 특성
- 통행자의 사회 · 경제적 변수

35 기회간섭모형의 단점을 설명하시오.

해설 - 모형의 이론 이해가 어렵다.
- 출발지로부터의 접근성 순서대로 나열 작업이 어렵다.
- 도착존 간의 상대적 거리는 무시되고 단지 절대적 순서로만 계산된다.
- 중력모형보다 이론적이나 실용성 면에서 떨어진다.

【참고】• 기회간섭모형

i 존과 j 존 사이에 V 개의 기회가 있었고, $i \leftrightarrow j$ 간 통행비용이 동일한 곳에 dV 개의 기회가 있다.

dV 개의 도착기회 중에서 어느 하나에 도착할 확률 = 먼저 있는 V 개의 도착기회 중에서 원하는 목적지가 없을 확률 × dV 개의 도착기회 중에서 원하는 목적지가 있을 확률

$P(dV) = [1 - P(V)]\ L \cdot dV$

$P(dV)$: dV개의 도착기회 중에서 어느 하나에 도착할 확률(dV보다 가까운 곳에 있는V개의 도착기회 중에서는 원하는 목적지를 발견할 수 없으면서)

$P(V)$: V 개의 도착기회 중에서 원하는 목적지가 있을 확률

L : 통행자가 각 기회를 선택할 확률, 주어진 각 기회에서 자신의 목적을 달성할 확률 즉 총 기회의 역수

$L \cdot dV$: dV 개의 도착기회 중에서 원하는 목적지가 있을 확률

V : 순서가 붙여진 V 영역 내의 도착기회의 총합, 예를 들어 V_j 는 i 존에서 가까운 순서로 따져 j 존까지의 모든 도착기회

$$\frac{P\ (dV)}{1 - P(V)} = L \cdot dV$$

$$\frac{dP(V)}{1 - P(V)} = L \cdot dV$$

$\therefore P(V) = 1 - K \cdot \exp(-LV)$

36 개별행태모형의 종류를 나열하시오.

해설 판별분석법, 로짓모형, 회귀분석법, 프로빗모형

【참고】 개별형태모형은 기존의 전통적 4단계 교통수요추정모형의 제기되는 각종 문제점을 극복하기 위해 개발된 모형으로써 효용이론을 근거해 모형구축

37 개별행태모형의 장점에 대해서 설명하시오.

해설
- 교통존이 한정되지 않으므로 어떤 지역단위에서도 적용이 가능
- 효용이론에 근거한 모델 구축
- 형태성이 강하기 때문에 공간적 시간적으로 이전 가능
- 관측 불가능한 효용에 대해서 가정된 분포의 형태에 따라서 다양한 형태의 모형이 구축 가능
- 4단계 교통수요추정모형과 비교해서 여러 가지 과정을 동시에 수행 가능
- 단기적 교통정책의 영향을 쉽게 확인
- 비용 절감, 짧은 시간만에 결과 도출

38 개별형태모형에서 수집된 자료를 토대로 종속변수와 설명변수의 관계를 규명하는 방법 3가지를 열거하시오.

해설
- 회귀분석(regression)
- 판별분석법(discriminant analysis)
- 최우추정법(maximum likelihood method)

【참고】 • 회귀분석법(Regression Analysis)

① 일반식

$$P_{im} = \theta_0 + \theta_1 X_{im1} + \theta_2 X_{im2} + \cdots + \theta_k X_{imk}$$

P_{im} : 개인 m이 대안 i를 선택할 확률

θ_k : 대안 i의 k번째 설명변수에 대한 계수

X_{imk} : 대안 i의 k번째 설명변수에 대한 개인 m의 변수값

② 문제점

- 종속변수인 개인의 선택확률을 알 수 없다 → 자료를 계층별로 분류하여 각 계층별 선택확률을 사용하고 설명변수도 각 계층별 평균치 적용
- 개별행태모형의 종속변수는 이산형인데 회귀분석법의 종속변수는 연속형
- 회귀방정식의 오차항에 관한 확률적 분포의 가정에 위배
- 계수의 적합성 평가 불가능

• **판별분석법**(Discriminant Analysis)

① 판별함수식

- 인간의 선택은 각 대안이 갖는 비효용의 상대적 크기에 따라 결정
- 상대적 비효용함수인 판별함수를 통해서 계수를 추정

$$Z_{im} = \lambda_0 + \lambda_1 X_{im1} + \lambda_2 X_{im2} + \cdots + \lambda_k X_{imk}$$

Z_{im} : 집단 i에 속한 개인 m의 상대적 비효용

λ_k : k번째 요소에 대한 가중계수

X_{imk} : 집단 i에 속한 개인 m에 대한 k번째 변수의 값

② 문제점

- 계수의 의미설명이 곤란
- 소속집단의 판별은 모든 개인이 어느 한 집단에 결정적으로 속한다는 가정에 근거하여 확률적 선택의 가정과 대치

• **최우추정법**(Maximum Likelihood Method)

① 개인 m이 대안a 또는 b를 선택할 확률

$$P_m(a) = \frac{e^{V_{am}}}{\sum_i e^{V_{im}}} \qquad P_m(b) = \frac{e^{V_{bm}}}{\sum_i e^{V_{im}}}$$

$$V_{im} = \theta_0 + \theta_1 X_{im1} + \theta_2 X_{im2} + \cdots + \theta_k X_{imk}$$

$P_m(a)$: 개인 m이 대안 a를 선택할 확률

$P_m(b)$: 개인 m이 대안 b를 선택할 확률

V_{im} : 개인 m의 대안 i에 대한 효용

θ_k : 대안 i의 k번째 설명변수에 대한 계수

X_{imk} : 대안 i의 k번째 설명변수에 대한 개인 m의 변수값

② 조사자의 입장에서 개인 m이 대안 i를 선택하는 것을 관측할 수 있는 확률

$$f_m(i) = P_m(a)^{\delta_{am}} \times P_m(b)^{\delta_{bm}}$$

$f_m(i)$: 개인 m이 대안 i를 선택하는 행위를 관측할 수 있는 확률

δ_{am} : 개인 m이 대안 a를 선택하면 1, 그렇지 않으면 0

δ_{bm} : 개인 m이 대안 b를 선택하면 1, 그렇지 않으면 0

③ 우도함수(Likelihood Function)의 도입 : 현상은 가장 개연성 있는 확률의 표출이라는 이론

$$L = \prod_{m=1}^{M} f_m(i) = \prod_{m=1}^{M} \prod_{i} P_m(i)^{\delta_{im}} = \prod_{m=1}^{M} P_m(a)^{\delta_{am}} \times P_m(b)^{\delta_{bm}}$$

L : 우도함수

M : 표본의 수

$P_m(i)$: 개인 m이 대안 i를 선택할 확률

i : 대안 a, b

- 개인 m이 대안 i를 선택할 확률이 타인의 대안선택 확률에 대해서 독립적이라는 가정
- 우도함수는 조사를 통해서 특정한 사건이 발생한 결과를 관측할 확률과 같음
- 조사를 통해 수집한 자료에는 종속변수와 독립변수가 모두 포함되며, 독립변수의 계수만이 미지수임
- 우도함수를 극대화하는 계수값이 로짓모형 내 효용함수의 계수값
- 우도함수의 양변에 ln을 취함

$$\ln L = L^* = \sum_{m=1}^{M}\sum_{i}\delta_{im}\ln P_m(i) = \sum_{m=1}^{M}\delta_{am}\ln P_m(a) + \delta_{bm}\ln P_m(b)$$

– 상기 함수의 극대값을 찾기 위한 조건은 θ_k에 대해 미분하여 0이 되고, 2차 편도함수가 음의 값을 가져야 한다.

$$\frac{\partial L^*}{\partial \theta_k} = 0 \quad \text{그리고} \quad \frac{\partial^2 L}{(\partial \theta_k)^2} < 0$$

– 상기 조건식은 k에 대하여 비선형이므로 해를 구하기 위하여 수치 해석적 기법을 적용(Newton–Raphson법 또는 Davidson–Fletcher–Powell법 등)

---

39 로짓모형의 변수를 교통체계와 사회, 경제적으로 분류하여 서술하시오.

해설 – 교통체계변수 : 차내시간(IVTT), 차외시간(OVTT), 통행비용
– 사회 · 경제적 변수 : 통행자의 소득, 가장여부, 자가용 보유여부, 가장의 연령

【참고】• 로짓모형(Logit Model)

로짓모형에서 교통수단 선택에 결정적으로 중요한 설명력을 가진 변수는 교통비용, 통행시간, 도보시간, 승차대기시간, 대중교통의 차두간격, 가족 중 운전할 수 있는 사람의 수, 임금 등 있음

$$P_n(i) = \frac{e^{Uin}}{\sum_{j=1}^{J} e^{Ujn}}$$

여기서, $P_n(i)$: t번째 통행자가 i번째 대안을 선택할 확률

e^{Uin} : t번째 통행자가 i번째 대안에 대해 갖는 효용

j : 선택 가능한 대안의 수

---

40 로짓모형의 장 · 단점을 쓰시오.

해설 • **장점**

– 명확한 이론적 배경(효용이론)
– 많은 변수를 모형식에 포함 가능
– 통행자의 행태적 반응을 신뢰성 있게 설명

- 타지역으로 적용범위를 넓게 활용할 수 있음
- 모형식이 간단하고 정산이 용이
- 수요 추정시 다른 과정과 통합 가능
- 비용이 적게 소요
- 단기적 정책효과를 사전에 예측하는데 있어서 우수한 결과 도출

• **단점**

- 변수값이 장래에도 그대로 적용되어 장기적인 선택지표 사용 곤란
- 선택 대안의수가 많을 경우 신뢰성 저하
- 비관련 대안의 독립성 보장이 필요

---

41 로짓모형의 비관련대안 독립성(Independence of Irrelevant Alternatives)에 대해 설명하시오.

해설 IIA(비관련대안 독립성)는 로짓모형의 바람직스럽지 못한 성질로 기존 대안 집합 내 새로운 대안이 도입될 경우 새로운 대안과 관련 없는 독립대안의 선택확률에도 영향을 미치는 문제점이 발생한다.
IIA의 이런 성질을 독립대안의 선택확률을 과대 또는 과소평가하게 되어 예측오차를 발생시킨다.

【참고】• IIA 개념을 쉽게 이해할 수 있는 예

① 처음에는 버스와 승용차 2개의 수단만 존재하며, 수단별 선택확률은 각각 50%이다. ($P_a = 1/2$, $P_b = 1/2$)

② 이후 버스가 빨간버스와 파란버스 분류되어 3개의 수단으로 증가될 경우 수단별 선택확률은 ($P_a = 1/3$, $P_{rb} = 1/3$, $P_{bb} = 1/3$)

③ 그러나 통행자는 빨간버스와 파란버스를 같은 대안으로 취급하여 실제통행의 선택확률은 ($P_a = 1/2$, $P_{rb} = 1/4$, $P_{bb} = 1/4$)

④ 따라서 로짓모형 적용시 승용차는 과소추정되며, 분류된 버스는 과대추정이 발생하게 된다.

---

42 비관련대안의 독립성 문제를 극복하기 위한 상호 독립성을 가정하지 않은 모형에 대해 설명하시오.

해설 IIA(비관련대안 독립성)을 극복하는 방안은 특성대안의 직접탄력성과 교차탄력성을 구하여 수단간 관련성 또는 독립성 여부를 판단한다. 또한 상호 독립성을 가정하지 않는 다음과 같은 모형을 사용함으로써 IIA를 확보한다.

– 프로빗모형(Probit Model)

· 상호 대안간 독립성을 가정하지 않는 모형

– 결합로짓모형(Joint Logit Model)

· 추정효용함수에 대안을 분류할 수 있는 효용함수 적용

· 개인 특성을 고려한 대안 그룹별 적용

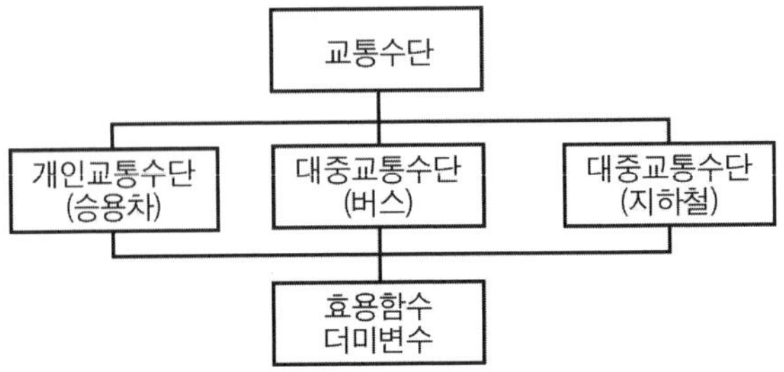

– 네스티드모형(Nested Logit Model)

· 계층적으로 수단선택 확률 산정

· 비슷한 속성의 대안은 같은 가지로 분류

· 1회에 분석할 대안수가 많으면 대안평가가 어려움

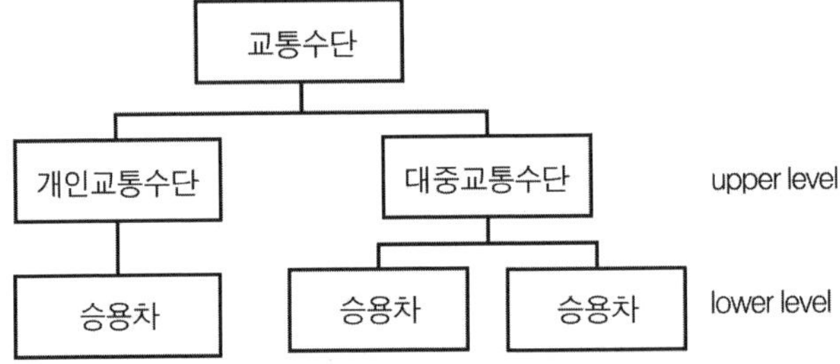

43 개별형태모형과 4단계 교통수요추정모형의 특징을 비교하시오.

해설

구분	개별형태모형	4단계 수요추정모형
기본개념	· 개별적 행태를 중시	· 교통현상간 인과성을 중시
자료형태	· 개인의 통행행태 관련자료 [통행빈도, 목적지 선택빈도, 선택된 대안의 속성자료(통행시간, 통행비용), 개인의 속성자료(소득, 승용차보유 여부) 등]	· 존별 집계자료 [존별 인구, 취학아동수, 산업부문별 고용자수, 소득수준별-자동차보유대수별 가구수, 용도별 건물연면적 등]
모델의 구조	· 확률모형	· 결정적 모형
변수의 속성	· 종속변수 : 선택확률 · 독립변수 : 개인의 형태관련 자료	· 종속변수 : 통행량 · 독립변수 : 존의 사회경제지표
모형의 활용성	· 다른 존에 적용 가능	· 다른 존에 적용하기 곤란
수요추정과정	· 수요추정과정의 통합 가능	· 수요추정과정 통합의 한계
한계성	· 장기적, 거시적으로 지역별 변화가 심할 때 오차가 심함	· 존의 평균적 성격의 변화가 심한 경우 곤란
계획기간	· 단기교통정책	· 장기교통계획

44 통행배정모형의 유형을 설명하시오.

해설

<table>
<tr><th>구분</th><th colspan="2">링크 용량을 고려하지 않는 모형</th><th colspan="2">링크 용량을 고려하는 모형</th></tr>
<tr><td rowspan="3">정적 모형</td><td colspan="2" rowspan="3">전량배정(ALL-or-nothing)</td><td colspan="2">반복배정(Iterative Assignment)
분할배정(Incremental Assignment)</td></tr>
<tr><td rowspan="2">균형배정
(Equilibrium Assignment)</td><td>이용자균형배정
(User Equilibrium Assignment)</td></tr>
<tr><td>체계최적배정
(System optimum Assignment)</td></tr>
<tr><td rowspan="2">확률적 모형</td><td>이항경로 선택모형
(Binary Route Choice Model)</td><td>이항유니폼 모형
(Binary Uniform Model)
이항로짓 모형
(Binary Logit Model)
이항프로빗 모형
(Binary probit Model)</td><td colspan="2" rowspan="2">확률적 평행배정
(Stochastic Equilibrium Assignment)</td></tr>
<tr><td>다중경로 노선선택 모형
(Multinominal Route Choice Model)</td><td>다이얼 모형(Dial Model)
다항로짓 모형
(Multinominal Logit Model)
시뮬레이션기법
(Simulation Method)</td></tr>
<tr><td>동적 모형</td><td colspan="2">확률적 동적 모형
(Stochastic Dynamic Assignment)</td><td colspan="2">동적 이용자균형 모형
(User Equilibrium Dynamic Model)</td></tr>
</table>

45 통행배정단계에서 용량제약이 필요한 근거와 용량제약에 따른 통행배정모형의 종류를 열거하시오.

해설 전량배정의 결과는 최단경로에 통행량 전량이 배정되어 최단경로에 비현실적으로 과다한 부하가 발생된다. 용량제약법은 통행자 평형원리의 개념 속에서 링크 성능함수를 고려한 배정기법이다. 따라서 교통량과 통행속도의 관계를 이용하여 출발지와 목적지 사이의 모든 경로에서 평형(동일한 통행시간)에 도달할 때까지 배정한다.
여기서 통행자 평형원리는 다음과 같은 Wardrop의 원리에 근거하고 있다.
'선택된 모든 경로에 의한 통행시간은 모두 동일하며, 그 시간은 선택하지 않은 다른 경로에 의한 통행시간보다 길지 않다.'
또한 용량제약의 대표적인 배정기법으로서는 반복배정(Iterative Assignment), 분할배정(Incremental Assignment), 평행배정(User Equilibrium Assignment), 확률적 이용자균형배정(Stochastic Equilibrium Assignment) 등이 있다.

---

46 Braess' Paradox에 대해 설명하시오.

해설 Braess' 역설(Braess' Paradox)은 새로운 도로(즉 링크)의 건설 후에 오히려 통행자의 통행시간이 길어질 수 있는 가능성을 이용자 균형통행배정원리를 통해 보여주는 것을 말한다.
즉, 이용자는 이용자 균형에 의해 통행하여 체계최적상태를 이루지 못하므로 시스템 전체의 통행시간은 증가하는 현상을 보인다.

【참고】 • Down-Thompson's Paradox
- 도로건설에 따라 도로용량이 증대하면 승용차 이용수요가 증가하고 대중교통 이용수요는 감소하여 사회적통행비용이 오히려 증가한다는 이론이다.
- 도로용량의 증가는 대중교통에서 개인통행으로 전환을 야기하게 되는데 이는 대중교통서비스의 악화를 가져오게 되어 새로운 균형점은 더 높은 통행비용을 보이게 된다.
- 이 역설의 의미하는 것은 승용차의 통행시간과 대중교통의 통행시간은 서로 같아지는 방향으로 사람들의 이용형태가 바뀌게 되므로 대중교통을 장려함으로서 사회적 비용을 감소시켜야 한다는 점이다.

• Edgeworth Paradox
- 승용차 이용자에게 패널티를 부과시켜 승용차 통행비용을 높이면, 승용차 이용수요가 대중교통으로 전환되어 오히려 사회적 통행비용이 낮아진다는 이론이다.
- 이론적으로 Marginal Cost와 Average Cost와의 차이만큼의 부담금 징수로 승용차의 통행비용을 증대시킴으로서 승용차 이용자와 대중교통 이용자의 전체적인 통행비용은 감소하게 된다.

47 ALL-OR-NOTHING법의 장·단점에 대해서 설명하시오.

해설 • **장점**

- 도로의 여건이 최대한 주어진다면 개인의 희망노선을 파악 가능
- 대중교통 배정노선을 결정하는 개념과 동일
- 이론이 단순하며 모형을 적용하기가 용이
- 총 교통체계의 관점에서 최적통행배정 상태를 검토 가능

• **단점**

- 도로의 용량을 고려하지 않음
- 실질적인 도로용량을 초과하는 경우가 다수 발생
- 통행자의 개별적 행태 측면의 반영 미흡
- 통행시간에 다른 통행자의 경로변경 등의 현실성을 고려치 않음

【참고】• 통행배정기법의 장·단점 비교

구분	장 점	단 점
반복배정 분할배정	· 이해와 접근이 용이 · 링크 용량을 고려	· 반복과정 등 어디가 평형상태인지 검토 난이 · 현실적으로 통행시간만으로 노선선택이 결정되지는 않음
전환곡선법	· 신규노선 건설시 O/D data에 근거한 신규노선의 교통량 추정에 좋음	· 여러 노선의 배정이 곤란
균형배정	· 현재 기술력과 여건에 알맞은 배정기법으로서 현실적으로 많이 적용함	· 이용자 균형배정과 체계최적 균형배정의 결과가 다름 · Braess' Paradox 발생
확률적 통합배정	· 통행배정결과의 신뢰도가 높음 · 링크의 통행비용에 대해서는 통행배정 결과가 영향이 없음 · 비체증 상황에 적합	· 대개의 경우 도로용량 고려가 없음 · 대안 경로에 대한 알고리즘 미흡
동적 배정	· 교통류의 시간대별 변화 평가 · 돌발상황이나 수요의 변화가 심할 때 적용 가능	· 교통시설, 운전자 형태에 관한 미시적 자료의 신뢰성 문제 · 시간대별 O/D 추정의 현실적인 제약이 따름

48 다중공선성(Multicollinearity)의 문제점에 대해 설명하시오.

해설 다중회귀모형에서 설명변수들 간에 직선의 상관관계가 높은 것을 다중공선성이라 부른다. 다중회귀모형에서 설명변수 간의 상관관계가 0이라고 가정하지만 현실적으로 상관관계는 존재하게 된다.

그러나 설명변수 간 너무 높은 상관관계(0.9 이상)가 존재하는 두변수를 모형에 같이 포함하면 회귀분석의 목적인 종속변수와 설명변수 간의 변화에 대한 설명이 모호해진다. 이러한 현상을 다중공선성 문제라 한다.

다중공선성의 문제는 회귀분석에서 애매하고 어려운 부분으로서 일반적으로 설명변수의 수가 많아질수록, 그리고 횡단면자료(cross-sectional data)를 이용하는 모형보다는 시계열자료(time-series data)를 사용하는 모형에서 더욱 심각하게 나타나는 것으로 알려져 있다.

다중공선성을 탐지할 때 추정량의 표준오차나 t-값, 설명변수 간의 상관관계, 결정계수(R^2) 등을 종합적으로 살펴보아야 한다.

49 다중공선성(Multicollinearity)의 해결책에 대해 설명하시오.

해설
- 원래의 모형에 대한 선험적인 사전지식이나 새로운 추가자료를 더 입수하여 이용하면 다중공선성은 감소됨
- 이론적인 면과 실제자료의 분포 등에 근거를 두고 높은 상관관계에 있는 설명변수를 면밀히 검토한 후에 그 중 하나 또는 일부 변수를 추정하고자 하는 회귀모형에서 제외시키면 다중공선성은 감소됨
- 서로 상관관계가 큰 설명변수를 변형시키거나 다른 것으로 대체시켜 원래 의도했던 모형자체를 바꾸어 보는 것도 하나의 방법
  ex) 선형 → 비선형으로 변환

50 결정계수(R^2)에 대해 설명하시오.

해설 결정계수는 다중회귀모형에서 종속변수의 변동이 설명변수에 의해 설명되는 정도 즉, 설명변수의 설명력을 나타내는 지표로서 0과 1사이 값을 가진다.

일반적으로 설명변수의 수가 많아지면 결정계수는 높아지지만 불필요한 설명변

수를 모형에 포함하면 불필요한 자료조사 등 모형의 경제성이 저하된다.
이러한 문제 때문에 결정계수의 의미를 해석할 때 사용하는 것이 조정된 결정계수 R^2이다.

---

51 RP(Reveal Preference) 조사와 SP(Stated Preference) 조사에 대해 설명하시오.

해설

- **RP 조사**

– 장래여건이 변하지 않는다는 전제조건 하에 일반적으로 장래수요예측시 실제의 행동결과(RP)를 조사하는 기법

- **SP 조사**

– 장래여건 변화를 감안하여 개인의 선호의식(SP)을 예측하는 조사
– 즉, 현재상태가 아닌 장래의 가상상태에 대한 교통이용자의 행동변화를 조사·분석하는 기법

---

52 SP(Stated Preference) 조사시 응답자에게 대안을 제시하는 방법 3가지 이상 기술하시오.

해설

– 순서화(Ranking) : 선택 가능한 대안을 제시하고 응답자가 대안을 순서대로 평가
– 단순선택(Choice) : 2가지 이상 대안으로 큰 선호를 가진 대안을 선택
– 등급화(Rating) : 선택대안에 대한 선호정도를 표현
  ㉠ semantic 척도 : 5개 또는 7개 구간을 나눈 척도
  ㉡ scoring 척도 : 선택대안의 상대적인 선호를 수치로 표현
– 자유회답

---

53 RP(Reveal Preference) 조사와 SP(Stated Preference) 조사의 장·단점을 기술하시오.

해설

구분	RP 조사	SP 조사
장점	· 응답결과와 실제행동결과를 차이가 적음 · 즉, 목적변수로서의 행동결과에 오차가 적음	· 속성간의 상관제어가 가능 · 설명변수 설정가능 · 관측오차가 적음 · 자료획득이 용이함(동일인 복수 응답가능) · 대안의 명확한 제시가 가능
단점	· 관측오차발생 · 자료수집 곤란 · 대안간의 명확한 판단 곤란 · 변수의 다중공선성이 판단 곤란	· 행동과 의식간의 오차발생 · 변수가 증가하면 혼란가중 · 적절한 변수치설정 곤란

54 SP(Stated Preference) 조사시 발생되는 잠재적 오차(bias)의 종류를 나열하시오.

해설
- 긍정편차 : 응답자는 자기생각보다 설문자가 듣기 기대하는 대안을 응답하는 편차
- 합리화편차 : 자신의 현재 행동을 합리화하기 위해 인위적으로 응답하는 편차
- 정책반응편차 : 자신의 의견이 정책에 영향을 주기 위해 고의적으로 응답하는 편차
- 제약조건을 무시하는 반응편차 : 실제 제약조건을 무시하는 비현실적인 응답편차

55 SP(Stated Preference) 조사시 신뢰성확보 방안을 제시하시오.

해설
- 속성의 수 : 3개 이하(더 많으면 응답자에게 혼란 가중)
- 대안의 작성 : 응답자가 이해하기 쉽고 간단하게 대안 작성
- 선택대안제시방법 : 무작위가 바람직함
- 선호표현방법 : 선호가 결정되는 한계치 제시

3 교통계획 평가방법

1 교통대안 평가기법 중 비용-편익 분석법을 열거하시오.

해설 비용-편익비(B/C), 초기년도수익률($FYRR$), 순현재가치(NPV), 내부수익률(IRR), 자본회수기간(PP)

2 편익-비용 산정방법에서 산출되는 편익의 종류에 대해 열거하시오.

해설 통행시간 절감편익, 운행비용 절감편익, 교통사고비용 감소편익, 환경비용 절감편익

【참고】 ① 차량운행비용 감소편익

차량운행비(VOC : Vehicle Operation Cost)는 도로사용자가 차량을 운행할 때 소요되는 비용으로 도로투자사업의 경우 경제성 분석을 수행하는데 기초자료로 활용되며, 도로시설의 개선에 따라 절감의 효과가 민감하게 나타나는 요소이다. 또한 자동차가 도로를 운행하는 데 소요되는 총 비용을 말하며 도로투자사업의 평가가 기존 교통시설에 대한 서비스의 질을 평가하는데 기초자료가 된다.
차량운행비는 비용의 성격에 따라 고정비와 변동비로 구분되며, 고정비는 차량의 감가상각비, 운전원 및 보조원의 임금, 보험료 및 차량검사료로 세분되며, 변동비는 연료비, 엔진오일비, 타이어마모비, 차량유지수선비 등으로 구분된다.

② 통행시간 절감편익

차량속도가 변화하는 경우 운전자는 물론 차량에 승차하고 있는 승객에게는 통행시간이 달라지는 결과를 가져온다. 즉 차량속도가 향상되면 운전자 및 승객의 통행시간은 절감되어 다른 목적에 시간을 사용할 수 있는 반면, 교통혼잡으로 차량

속도가 낮아지면 운전자 및 승객에게는 더 많은 통행시간이 소요된다.

③ 교통사고 감소편익

우리나라의 경우에는 교통사고 감소를 화폐가치화를 통한 편익으로 전혀 고려하지 않고 있다. 최근 교통사고의 화폐가치화에 대한 일부 연구가 수행되었으며, 무엇보다도 교통사고 감소를 위해서는 교통사고 감소효과가 큰 투자사업이 선정될 필요가 있으므로 교통사고 감소는 편익으로 포함시켜야 한다.

④ 환경비용 감소편익

교통투자사업으로 영향을 받게 되는 환경비용으로는 소음, 대기오염, 지역분리 등이 있다. 교통투자사업이 이러한 환경비용에 미치는 영향은 그 크기를 측정하는 것도 용이하지 않거니와, 영향의 크기를 측정하더라도 이를 화폐 가치화하는 것은 더욱 어렵다. 그러함에도 불구하고, 선진국은 모두 교통투자사업이 환경에 미치는 영향이 지대함을 인식하고 환경에 미치는 영향은 모두 측정하게 하고 있다.

⑤ 운영자수입 변화편익

통행배정 결과를 나타내는 분석대상 영향권 내의 통행시간이 실제로 통행요금이 포함된 일반화 비용을 말한다. 이를 순수한 의미의 통행시간과 구분해 주기 위해서 별도 편익으로 계산한다. 통행시간 절감편익을 통행 배정 후 산출된 통행시간을 이용하여 산정하였을 경우 운영자수입 역시 편익으로 반영해야 소비자 잉여의 왜곡을 해결할 수 있다.

---

3 편익–비용산정 방법에서 비용항목에 대해 열거하시오.

해설
- 고정비 : 도로부문사업비(용지보상비, 공사비), 차량구입비
- 변동비 : 운영비(인건비, 연료비, 차량관리비)

【참고】 ① 도로부문사업비

도로부문사업비는 크게 보아 공사비, 보상비로 구분되는데, 공사비는 토공 및 포장 공사비, 교량설치비, 터널설치비, I/C 및 Junction설치비, 영업소설치비용, 기타 휴게소등 부대시설 설치비용, 도로 유지관리비로 구분된다.

② 용지보상비

용지보상비는 기본적으로 공시지가와 시장가격 사이에서 결정해야 한다. 그러나 교통사업의 타당성조사나 기본설계에서 실제 건설이 이루어지는 때까지의 5년여의 시점 차이가 발생하고 있어 용지보상비를 정확히 산정하는 것은 무리이다.

용지비 산출에 관한 기본원칙은 첫째, 용지비의 보상은 성토부와 절토부로 나누어 수행한다는 점이다. 둘째, 보상비는 지가공시법에 의해 제시된 감정평가를 거쳐 토지보상비를 산출한 후, 실거래가(표본조사를 통해 검증)를 반영하여 보정한다는 것이다. 셋째, 노선이 지나는 지장물이나 영농지에 대한 보상비는 토지 보상비의 상대적 비율을 감안하여 산출하며, 그 항목은 보상비에 추가하도록 한다는 것이다. 넷째, 실제 용지보상비는 물가상승 등을 고려하여 보정할 수 있으나 그 상한값은 통과 노선대의 특성을 고려하여 결정하여 사용한다는 것이다.

③ 공사비

공사비는 최근 몇 년간 시행한 유사시설물의 실시설계 시 적용했던 평균공사비(제잡비 포함)를 기준으로 km당으로 산출한다. 이 때 물가수준, 시중노임단가, 재경부 회계예규 원가계산에 의한 예정가격 작성기준 등을 감안해야 한다. 시공중에 발생할 공법의 수정 등에 따른 공사비 변화 가능성을 감안하여 가중치를 고려할 수 있다.

④ 차량구입비

차량구입비는 당해 운영되는 차량시스템의 구입비용을 포함한다. 이때 수송수요에 따른 연차별 운영계획을 수립한 후, 소요차량대수를 산정하고 차량 당 구입가격을 적용하여 결정한다.

한편 변동비는 운영비를 의미하며, 이는 사업이 완공되어 운영단계에서 소요되는 비용을 말하며 여기에는 인건비, 연료비, 차량관리비가 포함된다.

---

4 교통영향평가의 목적 3가지를 기술하시오.

해설
- 사업시행 전에 규모, 성격 등의 적정성 검토
- 악영향을 고려하여 최소화방안을 계획과정에서 고려와 정책 방향 설정
- 파급효과 등의 정도, 원인자, 수혜자 등을 판별하여 비용분담 결정

---

5 각 대안들의 교통사업 평가시에 검토되어야 하는 영향분석들의 내용을 서술하시오.

해설 비용, 교통체계 이용자에 대한 영향, 차량운행비용, 교통사고, 환경영향, 지역경제에 미치는 영향, 에너지소비, 재정적, 조직적 영향, 접근성과 토지이용 패턴에 대한 영향, 교통시설의 건설과 이용에 따른 국지적인 영향

6 교통계획평가에 있어서 경제성 분석시 고려할 요소를 나열하시오.

해설

- 소비자잉여 : 교통시설 개선으로 이용자가 지불한 금액 이상으로 누리는 효용
- 잠재가격 : 공공자원의 사회적 기회비용을 말함
- 사회적 할인율 : 인플레이션을 반영하기 위해 통상적으로 평균화 개념의 이자율
- 교통투자의 승수효과 : 교통사업의 효과는 해당지역 전역에 걸쳐 일어나기 때문에 지역에 미치는 영향을 신뢰성 있게 평가하기 위해 승수효과를 고려
- 편익 : 통행시간의 가치, 교통사고 감소, 운영자 수입, 차량운행비용, 환경오염 감소
- 비용 : 용지보상비, 공사비, 차량구입비, 유지관리비

7 경제성평가기법의 장 · 단점을 설명하시오.

해설

기법	장점	단점
B/C	· 이해의 용이 · 사업규모 고려 가능 · 비용, 편익이 발생하는 시간에 대한 고려 가능	· 편익과 비용을 명확하게 구분하기 힘들다. · 대안이 상호 배타적일 경우 대안선택의 오류 발생 가능 · 할인율을 반드시 알아야 한다.
FYRR	· 이해의 용이 · 계산 간단	· 사업의 초기년도를 정하기 곤란 · 편익, 비용이 발생하는 시간 고려가 불가능 · 할인율을 고려하기 않아 정확성 결여
IRR	· 사업의 수익성 측정 가능 · 타대안과 비교가 용이 · 평가과정과 결과 이해가 용이	· 사업의 절대적인 규모를 고려하지 못함 · 몇 개의 내부수익률이 동시에 도출될 가능성 내재
NPV	· 대안선택에 있어 정확한 기준제시 · 장래발생편익의 현재가치 제시 · 한계 순현재가치를 고려하여 여러 가지 분석 가능	· 할인율(자본의 기회비용)을 반드시 알아야 함 · 이해가 어려움 · 상대적 기준이 아니므로 대안 우선순위 결정시 오류발생 가능성이 존재
PP	· 사업 시행 후 타사업이 있을 경우 정책결정에 유용 · 자본이 부족할 때 유리	· 분석 전기간에 걸친 적절한 지표로 사용하기에는 역부족

[팁] 비용-편익비(B/C비), 초기년도수익률($FYRR$), 내부수익률(IRR), 순현재가치(NPV) 각각의 장단점을 묻는 문제는 다수 출제된 바 있으므로 경제성평가기법 4가지 모든 장·단점을 반드시 이해하고 암기해 두어야 한다.

---

8 비용-편익 분석법 대해 서술하시오.

해설 • **비용-편익분석법**

- 교통사업평가에 가장 많이 적용되는 방법
- 소용된 비용과 사업시행으로 인한 편익의 비교분석
- 비교방법으로 비용-편익비, 초기연도수익률, 순현재가치, 내부수익률, 자본회수기간 등을 사용

㉮ 비용-편익비(B/C비)

- 비용으로 편익을 나누어 가장 큰 수치가 나타나는 대안을 선택하는 방법
- 장래에 발생될 비용과 편익을 현재가치로 환산해야 한다.
- $B/C>1$이면 타당성이 있는 사업, B/C비 <1이면 타당성이 없는 사업

$$(B/C)\text{비} = \frac{\text{편익의 현재가치}}{\text{비용의 현재가치}}$$

㉯ 초기년도수익률(FYRR : First Year Rate of Return)

- 사업시행으로 인한 수익이 나타나기 시작하는 해의 수익을 소요비용으로 나누는 방법
- 초기에 많은 비용이 소요되고 일정한 편익이 발생되는 경우에 적합

$$FYRR = \frac{\text{수익성이 발생하기 시작한 해의 편익}}{\text{사업에 소요된 비용}}$$

㉰ 내부수익률(IRR : Internal Rate of Return)

- 편익과 비용의 현재가치로 환산된 값이 같아지는 할인율을 구하는 방법
- 내부수익률 : 사업시행으로 인한 순현재가치(NPV)를 0으로 만드는 할인율
- 내부수익률이 사회적 기회비용(일반적인 할인율)보다 크면 수익성이 존재
- NPV=0, B/C=1로 만들어 주는 값⇒IRR

$$IRR = \sum_{t=0}^{n} \frac{B_t}{(1+r)^t} = \sum_{t=0}^{n} \frac{C_t}{(1+r)^t}$$

㉱ 순현재가치(NPV : Net Present Value)

- 현재가치로 환산된 총 편익에서 총 비용을 제하여 편익을 구하는 방법
- 교통사업의 경제성 분석시 가장 보편적으로 사용
- 할인율을 적용하여 장래의 비용, 편익을 현재가치화

- $NPV > 0$이라면 타당성이 있는 사업이라 판단

$$NPV = \sum_{t=0}^{n} \frac{B_t}{(1+r)^t} - \sum_{t=0}^{n} \frac{C_t}{(1+r)^t} = 0$$

㉳ 자본회수기간(PP : Payback Period)

- 할인율이 적용된 총 편익과 총 비용이 같아지는 기간을 찾는 방법
- 자본회수 기간은 짧을수록 유리
- PP의 n년도를 도출

$$PP = \sum_{t=0}^{n} \frac{B_t}{(1+r)^t} = \sum_{t=0}^{n} \frac{C_t}{(1+r)^t}$$

---

9 민감도분석(sensitivity analysis)에 대해 설명하시오.

해설 공공투자사업에서 불확실한 외생요인의 변화가 해당사업의 경제성에 어떤 영향을 미치는가를 검토하는 것을 말한다. 공공투자사업에 대한 경제성 분석에 있어서 화폐단위로 계측되는 대부분의 비용과 편익의 흐름은 불확실한 미래의 예측에 바탕을 둔 기대치에 불과하므로 오류의 범위를 가지고 있을 수 있으며, 경제성 분석결과도 상대적으로 오차가 발생할 수 있다. 최종 경제성 분석결과에 영향을 미치는 여러 요인들을 결정하고 이 요인들의 변화에 따른 경제성 분석결과의 변화 정도를 파악하기 위하여 민감도 분석을 시행한다.

이러한 요인들로는 할인율의 변화, 공사비의 증감, 교통수요의 증감, 공사시행연도의 연기, 차량운행비용의 증감 등이 있으며, 이 요인들이 일정량만큼 변화되었을 경우 경제성이 어떻게 변화하는지 파악하는 방법이다.

---

10 경제적 타당성평가와 재무적 타당성평가 간의 차이를 항목별로 구분하여 설명하시오.

해설 • **경제적 타당성 평가**

- 국가적 관점에서 해당 정책대안에 대하여 경제적 측면에서 사업의 적합성과 경제적 타당성 여부를 평가함
- 즉, 경제적 타당성 평가는 일반적으로 비용–편익분석법을 통하여 이루어지는데, 국가 전체적인 입장에서 사회적 편익과 사회적 비용을 추정하여 사회적 순현재가치를 추정하는 방법임

- **재무적 타당성 평가**
  - 기업의 관점에서 해당 투자계획(안)에 대하여 재무적 측면에서 투자의 타당성과 투자가치를 평가함
  - 즉, 재무적 타당성 평가는 일반적으로 현금흐름할인분석법을 통하여 이루어지는데, 사업주체의 입장에서 현금유입과 현금 유출 및 최초자본투자에 대한 비용을 추정하여 재무적 순현재가치를 추정하는 방법임

- **경제·재무적 타당성 평가 비교**

기법	경제적 타당성 평가	재무적 타당성 평가
목적	· 평가대상사업의 시행여부 및 최적투자시기 결정	· 평가대상사업의 민자유치사업으로 제안여부 결정
관점	· 국가적 관점	· 사업주체 관점
재무제표 산출	· 공동체의 사회적 대차대조표 (사회적 편익/비용)	· 회계주체의 현금에 기초한 손익계산서 (현금유입/현금유출)
소득과 손실 가치평가	· 이상적 시장 조건에서 계산되는 경쟁적 잠재가격으로 평가	· 현재 시장 조건하에서 현재가치 평가
할인과정	· 국채이자율, 사회적 시간선호율 가중평균 등을 고려하여 이론적으로 도출	· 투자자금(주식과 부채)의 산출된 비용

---

11 사회적 할인율 결정에 대한 이론과 최근 할인율 조정배경을 서술하고, 사회적 할인율이 변화될 경우 경제성분석 결과에 미치는 영향을 기술하시오.

해설
- **사회적 할인율의 결정이론**
  - 다스굽타(Dasgupta) 등이 민간부문에서의 할인율에 준하여 사회적 할인율을 결정방법론의 한계를 지적하고, 주관적 가치판단에 입각한 사회적 할인율을 주장
  - 즉, 공공투자사업의 경우 사회적 할인율을 민간부문의 할인율(시장 할인율)보다 낮게 하향조정할 필요가 있음

- **우리나라의 사회적 할인율 결정 방법**
  - 교통부문 예비타당성조사에서 경제성 분석에 적용되는 사회적 할인율은 7.5%(1999~2003년), 6.5%(2004~2007년), 5.5%(2008~현재)를 적용하고 있으며, '예비타당성조사 일반지침' 이 개정 될 때마다 사회적 할인율은 하향 조정되었음
  - 공공투자사업의 경우 적정할인율은 시간선호율과 투자의 수익률에 의해 결정됨. 여기서, 투자의 수익률은 국채의 금리 또는 기대 실질이자율을 통해 사회적 할인율을 가늠하고 있음
  - 우리나라는 1년, 3년(단기), 5년, 10년(중기), 20년, 30년(장기) 만기 국고채가 존재함. 이 중 비교적 장기라고 볼 수 있는 20~30년 국고채 중 20년 만기 국고채는 2006년에 등장하였고 2012년부터 30년 국고채가 발행되어 발행된 기간이 짧음. 10년 만기 채권은 시장거래 빈도가 작아 5년 만기 국채 금리 수준을 공공투자사업에 사용되는 금리로 적용하여 왔음
- **우리나라의 사회적 할인율 조정 필요성**
  - 2000년 이후 국고채(5년, 10년 국고채)의 명목금리와 실질금리를 제시하고 있음. 2004년까지 감소추세였다가 이후 다시 상승추세를 보이고 있으며, 2008년에 감소 후 상승 추세를 보이다가 2011년에는 (-)금리까지 하락하여 다시 상승하였음. 명목 금리는 2008년 이후 최근까지 지속적으로 하락하고 있음. 2000년 이후 5년 만기 국고채의 실질 금리 평균은 2.01%, 10년 만기 국고채의 실질금리 평균은 2.25%임
  - 2000년 이후 실질금리는 4~5년 단위로 살펴보면 하락 이후 다시 상승하는 추세를 보이고 있으며, 최근 5년간 평균 실질금리만을 고려하면, 0.95%로 더욱 낮아지는 것을 볼 수 있어 평균 실질금리가 과거대비 저금리 및 저성장 현상이 뚜렷이 나타난다고 해석할 있음. 비록 이러한 현상이 단기적인 현상인지 추세변화인지에 대해서는 좀 더 긴 시간을 두고 판단하여야 할 문제이나, 최근의 현상을 반영한다면 사회적 할인율의 결정에 미치는 모수들의 값들에 대하여 수정하여 적용할 필요성이 있음
  - 따라서 현재 적용하는 실질 할인율 5.5%는 다소 높은 것으로 판단할 수 있음. 물론 공공투자사업을 고려한 사회적 할인율의 적정 수준에 대해서는 단순한 수치상의 제시보다는 정성적인 판단도 고려해야 할 것임

• 우리나라 국고채 금리 추이

단위: %

구 분		2000	2001	2002	2003	2004	2005	2006
명목 금리	국고채 5년	8.67	6.21	6.26	4.76	4.35	4.52	4.96
	국고채 10년	7.76	6.86	6.59	5.05	4.73	4.95	5.15
	국고채 20년	–	–	–	–	–	–	5.37
실질 금리	국고채 5년	6.41	2.14	3.5	1.25	0.76	1.77	2.76
	국고채 10년	5.5	2.79	3.83	1.54	1.14	2.2	2.95
	국고채 20년	–	–	–	–	–	–	3.17
소비자물가상승률		2.26	4.07	2.76	3.51	3.59	2.75	2.2
할인율		7.5	7.5	7.5	7.5	6.5	6.5	6.5
구 분		2007	2008	2009	2010	2011	2012	평균
명목 금리	국고채 5년	5.28	5.36	4.64	4.31	3.9	3.24	5.11
	국고채 10년	5.35	5.57	5.17	4.77	4.2	3.45	5.35
	국고채 20년	5.44	5.6	5.39	4.98	4.34	3.53	4.95
실질 금리	국고채 5년	2.74	0.66	1.84	1.31	−0.1	1.04	2.01
	국고채 10년	2.81	0.87	2.37	1.77	0.2	1.25	2.25
	국고채 20년	2.9	0.9	2.59	1.98	0.34	1.33	1.89
소비자물가상승률		2.54	4.7	2.8	3	4	2.2	3.11
할인율		6.5	5.5	5.5	5.5	5.5	5.5	–

자료: 한국은행 경제통계시스템

12 교통측면에서 소비자잉여의 개념을 정의하고 소비자잉여 부분을 수식과 그래프로 표현하시오.

해설 소비자가 높은 가격을 지불하고라도 얻고 싶은 재화를 그보다 낮은 가격으로 구매한 경우 얻는 복지 또는 잉여 만족의 개념이다. 즉, 소비자가 그 재화 없이 지내는 것보다는 그것을 얻기 위해 기꺼이 지불할 용의가 있는 가격이 그가 실제로 지불하는 가격을 초과하는 부분을 말한다.

고정된 수요곡선의 단일구간일 경우 어느 구간에 어떤 교통수단을 이용하는 기종점 쌍이 있다고 하면, 이 구간의 개선되기 전의 통행비용을 C_1, 개선 후의 통행비용을 C_2라고 하면 개선 후의 이 구간의 통행량이 Q_1에서 Q_2로 증가하게 된다. 소비자잉여의 증가분은 편익이 된다. 수요곡선이 선형이므로 이용자 편익은 다음 식과 그래프로 표현된다.

$$UB = \frac{1}{2}(Q_1 + Q_2)(C_1 - C_2)$$

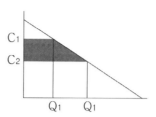

UB : 교통시설 개선으로 인한 편익

13 혼잡비용과 혼잡세에 대해 설명하시오.

해설 • **혼잡비용**

혼잡비용은 교통혼잡에 의해 증가하는 사회적 비용으로서 교통량이 일정수준 이상 늘어나면서 시간지체를 초래하고 시간지체는 한계비용으로 비용화 될 수 있는 개념이다. 즉, 혼잡비용은 도로에 있어서 추가되는 1대의 자동차가 수반하는 주행비용 및 시간비용의 증가분을 의미한다.

• **혼잡세**

혼잡세는 수요와 공급의 균형이론에 입각하여 사회적 편익을 극대화 시킨다는 관점에서 출발한다. 즉, 사회적 편익을 극대화 시키기 위해서 정부의 간섭으로 도로이용자에게 요금을 부과하는 것을 말한다.
여기서 요금의 부과는 반드시 구체적인 혼잡요금이나 세금을 징수하는 것만을 의미하는 것은 아니고 혼잡을 피하기 위해 시차제 출근, 주차요금, 주행세 등을 포함하는 포괄적인 개념이다.

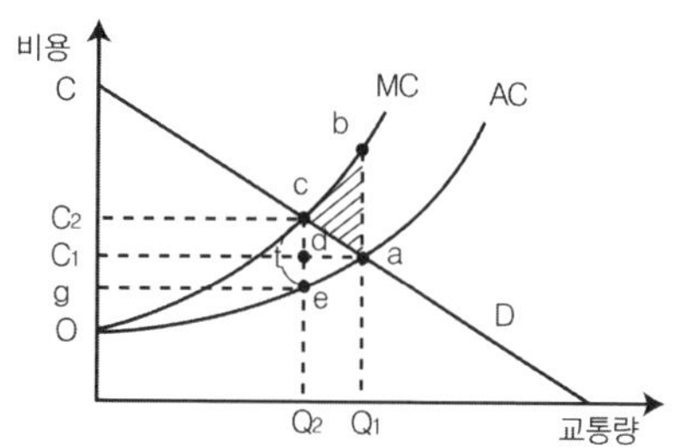

㉮ 정부의 간섭이 없는 경우(혼잡세 미징수시)
- 통행수요 : 비용곡선과 수요곡선이 만나는 a
- 교통량 : Q_1
- 총 소비자잉여 : $\triangle CC_1a$
- 혼잡비용 : $\triangle 0ac$
- 총 사회적 편익 : 총소비자잉여 − 혼잡비용=$\triangle CC_1a$ − $\triangle 0ac$

㉯ 정부의 간섭이 있는 경우(혼잡세 징수시)

- 통행수요 : a에서 c로 감소
- 교통량 : Q_1에서 Q_2로 감소
- 혼잡세 : $\overline{ce} = C_2 - g = t$
- 총 소비자잉여 감소(혼잡세 부과 후) :
  통행자 손실 + 노선, 수단 전환자 손실= $\square C_2C_1dc$ + $\triangle cda$
- 총 사회적 편익 : 총 소비자잉여 − 혼잡비용 =$\triangle CC_2c$ − 0
  (혼잡세 부과시 혼잡비용은 발생하지 않음)
- 혼잡세 수입액 : $\square C_2gec$

---

14 우리나라의 도로 · 철도사업의 추진절차에 대해 설명하시오.

해설 도로 · 철도사업 추진절차는 계획타당성평가, 예비타당성조사, 타당성평가, 기본계획, 기본설계, 실시설계, 시공, 사후평가 등의 정형화된 과정을 거친다. 필요한 경우 예비타당성조사 이전에 사전조사를 수행할 수 있으며, 총사업비 500억원 이상 사업에서 총사업비가 크게 증가하는 등 일정요건에 해당하는 사업 등에 대해 사업타당성을 원점에서 재조사하는 타당성 재조사가 있다.

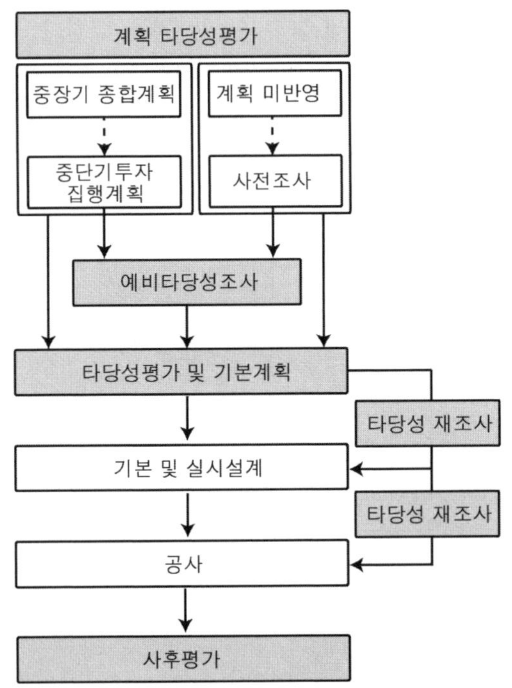

15 과거 교통영향평가제도와 현재 시행 중인 교통영향분석 · 개선대책 제도를 비교설명하시오

해설

구분	교통영향평가	교통영향분석 · 개선대책
근거법령	· 환경 · 교통 · 재해에 관한 영향	· 도시교통정비촉진법
수립대상지역	· 전국권	· 교통이 혼잡한 도시교통정비 지역과 그 교통권역에 한정
평가서 심의	· 중앙 또는 시도의 교통영향 심의위원회	· 사업계획 승인관청 소속의 교통영향분석 · 개선대책심의 위원회
심의대상이 건출물인 경우 심의	· 건축위원회 · 교통영향심의위원회	· 건축위원회(교통전문가참석)
심의절차	· 8단계(250일 소요) ① 평가서 초안작성 ② 주민의견수령 ③ 평가서 재작성 ④ 평가서 제출 ⑤ 평가서협의(심의)요청 ⑥ 평가서협의(심의) ⑦ 협의내용통보 ⑧ 사업승인	· 4단계(120일 소요) ① 교통영향분석 · 개선대책 수립 ② 교통개선대책 제출 ③ 교통개선대책 심의 ④ 사업승인
주민의견수렴	· 필요	· 불필요
허위 부실보고서 작성시	· 규정 없음	· 2년 이하 지역이나 2천만원 이하 벌금 또는 1천만원 이하 과태료
교통유발량이 적은시설	· 포함	· 제외

4 대중교통 및 주차

1 대중교통의 기능에 대해 설명하시오.

해설 승용차에 비해 에너지 효율이 높아 에너지를 절약할 수 있으며 승객 1인당 점유면적이 적어 승객을 대량 수송할 뿐 아니라 교통 혼잡과 주차수요를 감소시키는 기능을 발휘한다.

2 신교통시스템 유형에 대해 설명하시오.

해설
- **왕복·순환궤도시스템(Shuttle Loop Transit ; SLT)**
  - 차량이 하나의 궤도를 왕복하거나 환상형 형태의 노선을 왕복하는 시스템
  - 차량정원은 수명에서부터 100명 이상에 이르기까지 여러 유형이 있으며 배차간격은 1분 이상이 일반적임

- **집단고속전철시스템(Group Rapid Transit ; GRT)**
  - SLT와 GRT 간에는 큰 차이는 없지만 GRT쪽이 궤도에 분기를 많이 사용하기 때문에 노선 선택이 가능하다는 점과 배차간격이 수초에서 1분 정도로 짧아짐에 따라 기술적으로 보다 복잡한 시스템
  - 역은 측선에 설치하는 경우와 본선에 설치하는 경우가 있으며, 차량은 단독로도, 연결로도 주행 가능

- **개별궤도시스템(Personal Rapid Transit ; PRT)**
  - 기존의 Linear 개념 궤도 시스템과 달리 Network로 구성되어 수인용 차량이 수초의 간격으로 주행 가능한 시스템

- SRT, GRT는 합승제로 운영하는 대신 PRT는 1명 또는 같은 목적지로 가는 수명의 승객만으로 차량을 전용할 수 있는 시스템
- 이는 택시와 유사한 기능을 지니는 것으로 차량은 출발지에서 목적지까지 중간에서 정지하지 않는 시스템

3 대중교통 수단의 종류를 분류하는 방법을 나열하시오.

해설
- 통행료에 의한 분류
- 기술에 따른 분류
- 서비스 형태에 따른 분류

4 도시교통 문제의 유형을 설명하시오.

해설
- 도시구조와 교통체계간의 부조화
- 교통시설에 대한 운영 및 관리의 미숙
- 교통시설 공급의 부족
- 교통계획 및 행정의 미흡
- 대중교통 체계의 비효율성

5 도시교통의 특성 5가지를 열거하시오.

해설
- 단거리교통
- 대량수송
- 도심지 등 특정지역에 집중
- 통행로, 교통수단, 터미널에 의한 서비스 제공
- 첨두특성(오전, 오후 등 2회의 피크 현상)

6 버스공동배차제의 3가지 방법을 나열하시오.

해설 노선공동관리, 수입금 공동관리, 차량공동관리

【참고】① 노선공동관리 : 각 버스회사가 고유의 노선을 보유하고 있는 것이 아니라 노선을 각 회사별로 순환·운영하는 방법
② 수입금공동관리 : 버스회사가 운행결과 발생한 수입금을 어떤 일정한 기구에 입금시킨 후 협정에 따라 배분하는 방법
③ 차량공동관리 : 전체 대중교통차량을 공동으로 관리하는 것

---

7 대중교통의 요금 징수방법에 대해서 설명하시오.

해설

- 균일요금제
  - 승객의 통행거리에 관계없이 동일한 요금이 부과되는 요금구조
  - 운임체계가 간단하여 승객의 승하차 시간이 단축될 수 있음
  - 운송량이 많고 운행구역이 비교적 소범위인 지역에 적합
  - 장 · 단거리 승객의 통행거리가 고려되지 않음
- 거리비례요금제
  - 승객의 통행거리에 비례하여 요금을 설정
  - 형평성과 효율성 측면에서 유리
  - 장거리 승객이 단거리 승객보다 더 많은 운임을 지불
  - 균일요금제보다 더 많은 운임을 징수할 수 있어 업체의 수입증대로 인한 경영효율을 기할 수 있음
- 거리체감요금제
  - 운행구간이 멀어짐에 따라 체감율을 적용하는 요금구조
  - 장거리 승객에 대한 운임이 상대적으로 단거리 승객에 비해 저렴하게 지불하는 방식이므로 장거리 통행자에게 유리
  - 거리비례제에 비해 운송수입이 감소될 수 있음
- 구간요금제
  - 운임수준을 거리에 의해 결정하되 거리측정의 단위를 구간으로 요금을 정하는 방법
  - 서비스 대가원칙에 접근한 방식
  - 구간간에 걸치는 승객의 불만 제기
- 구역요금제
  - 전 노선을 몇 개의 구역(zone)으로 나누어 구역마다 단위운임을 정하는 요금제
  - 요금징수가 편리하며 서비스대가 원칙에 접근
  - 구간간에 걸치는 승객의 불만 제기와 구역설정 기준이 애매함

8 교통요금을 결정하는 제원칙을 4가지 이상 열거하시오.

해설 수입증대, 공평성(형평성), 간편성, 안전성, 비용의 최소화, 사회적 목표와 일치성, 요금징수 속도, 요금정보 이해 용이

9 대중교통의 서비스수준을 종합적으로 판단하기 위한 조사항목을 5가지 이상 열거하시오.

해설
- 노선의 현황조사
- 서비스빈도 및 규칙성
- 첨두시 재차인원
- 속도 및 지체
- 노선의 서비스범위 조사

10 대중교통 서비스수준 조사시 조사해야 할 항목 4가지 이상 쓰시오.

해설 배차간격, 운행속도, 통행시간, 혼잡률, 환승횟수

11 대중교통 이용객은 고정승객(Captive Rider)과 선택승객(Choice Rider)으로 분류할 수 있다. 그 이유에 대해 설명하시오.

해설 대중교통 이용자 형태에 따라 고정승객과 선택승객으로 분류한다. 고정승객은 승용차를 보유하지 않거나 승용차 이용이 불가능한 이용자로서 수단선택의 여지없이 대중교통만을 이용해야 하는 승객을 말한다. 선택승객은 승용차를 보유하거나 승용차 이용이 가능한 이용자로서 통행시간, 통행비용 등 일반화 통행비용에 따라 수단선택이 자유로운 승객을 말한다.
이런 차이점에 기인하여 대중교통수요 추정시 수단선택단계에서는 고정승객과 선택승객을 분류시켜 반영해야 한다.

12 대중교통 수요추정시 목적통행량을 예측한 뒤 수단통행량 대 목적통행량의 비율(수단통행량/목적통행량)을 보정시켜 수단통행량을 예측한다. 여기서 수단통행량 대 목적통행량의 비율을 산정하는 이유를 설명하시오.

해설 목적통행량과 수단통행량은 반드시 일치하지 않는다. 왜냐하면 대중교통 특성상 환승 존재하기 때문이다. 따라서 환승조건(지하철역 유무, 환승센터 유무, 대중교통노선, 대기시간 등)에 따라 지역간 수단/목적비는 서로 다르며, 이를 목적통행량에 보정시켜 수단통행량을 예측한다.

---

13 도시활동에 관한 조사의 종류를 3가지 이상 설명하시오.

해설 인구지표에 관한 조사, 시설지표에 관한 조사, 경제지표에 관한 조사

---

14 도시철도 건설시 고려사항을 열거하시오.

해설 승객수요, 도시규모, 도시형태, 인구 및 고용밀도, 자동차보유대수와 전철수요

---

15 도시고속철도 노선망 종류를 나열하시오.

해설
- Petersen System : 도심지(장방형), 교외(방사형)
- Petersen 개량형 : 교차점 추가
- Cauer System : 환승횟수↓, 외부방사형
- Schimpff System : 중심(직각교차), 주변부(방사형)
- Turner System : 반원형(중심-평행선, 관통선)

---

16 주차정책의 주요목적에 대해 설명하시오.

해설 주차공간 확보, 교통안전 향상, 교통류의 원활화, 주차수요 억제

17 주차수요를 추정하는 방법의 종류를 설명하시오.

해설

- 과거추세연장법 : 과거 주차수요의 증가 경향을 토대로 장래의 주차수요를 예측하는 방법
- 주차원단위법 : 주차수요산정시 기존의 자료를 이용하여 원단위를 구한 후 주차수요를 추정(주차원단위법은 주차발생 원단위법, 건물연면적 원단위법, 교통량 원단위법)
- 자동차 기·종점에 의한 방법
- 사람통행실태에 의한 방법

【참고】• **과거추세연장법**

과거의 주차수요의 패턴과 증가경향을 토대로 하여 장래까지 연장시켜 장래 발생될 주차수요를 분석하는 방법

• **주차원단위법**

① 주차발생원단위법－현재 가장 널리 이용됨

주차수요 추정시 기존의 자료를 사용하여 원단위를 구한 후 주차 수요를 추정하는 방법

$$P = \frac{U \times F}{1{,}000 \times e}$$

P : 주차수요(대), U : 피크시 건물연면적 1,000㎡당 주차발생량(대/1,000㎡)

F : 계획건물상면적(㎡), e : 주차이용효율

② 건물연면적원단위법

두 가지 방법으로 분류된다.

㉠ 현재의 토지이용의 용도별 연면적과 총 주차대수 이용방법(회귀분석을 통행)

$$Y = a_0 + a_1 X_1 + a_2 X_2 + \cdots + a_i X_i$$

Y : 총 주차대수

a_i : i 용도별 연면적 원단위(파라미터)

X_i : 용도별 연면적

㉡ 용도에 따른 연면적당 주차발생량을 구해 장래 용도별 연면적을 곱하여 이용하는 방법

$$Y = a_0^{\spadesuit} + a_1^{\spadesuit} X_1 + a_2^{\spadesuit} X_2 + \cdots + a_i^{\spadesuit} X_i$$

Y : 총 주차대수

$a_i^{\spadesuit}$: i 용도별 연면적 원단위당 주차발생량

X_i : 장래 용도별 연면적

③ 교통량 원단위법

사람통행실태조사에 의한 승용차의 통행량패턴과 기종점 조사에 의한 승용차통행을 도심지 내, 도시 내, 도시 내 지구간으로 구분하여 총 주차대수와 관련시켜 일정한 지구의 주차수요를 구한다. 일단 차량통행에 의한 주차대수 원단위가 구해지면 장래 목표연도의 증가된 통행량에 이 주차원 단위를 적용하면 주차수요가 추정될 수 있다.

이 방법은 교통여건이 비교적 안정되어 있는 지역과, 지역 혹은 지구의 경계가 분명하여 동질적인 토지이용을 지닌 곳에 적합

• 자동차 기종점에 의한 방법

승용차의 기종점을 분석하여 주차수요를 추정하는 방법으로 두 가지 유형이 있다.

① 교통량원단위법과 같이 승용차의 기종점과 총 주차대수와의 상관관계에 따라 주차수요를 분석하는 방법

② 도심지 등과 같은 특정한 지구로 진입하는 모든 도로의 출입지점을 기점으로 설정하여 차량번호판을 기록한 후 승용차 주차장소에서 조사원이 기록한 차량번호와 비교하여 주차수요를 분석하는 방법

이 방법은 일정한 시간에 도심지나 지구로 진입하는 차량의 수와 주차대수를 파악함으로써 차량유입대수와 주차대수간의 관계식이 성립되어 장래 차량 유입대수에 의해 장래 주차수요과 추정되는 방법

$\text{주차수요} = \dfrac{\text{주차차량}}{\text{진입차량}}$ 의 비율을 검토하는 것이다.

• 사람통행에 의한 수요추정

① P 요소법

주차수요는 피크시 승용차 도착통행량과 주차장 용적률 및 이용효율 등의 변수에 따라 변화한다는 전제 하에 정립된 방법

$$P = \frac{d \cdot s \cdot c}{o \cdot e} \times (t \cdot r \cdot p \cdot pr)$$

P : 주차수요(면수), d : 주간(07:00~19:00)통행집중률(%)

s : 계절주차집중계수, c : 지역주차조정계수, o : 평균승차인원(인/대)

e : 주차이용효율(%), t : 1일 이용인구(인), r : 피크시 주차집중률(%)
p : 건물이용자 중 승용차이용률(%)
pr : 승용차이용자 중 주차차량비율(%)

② 사람통행실태조사에 의한 수요추정
이 방법은 사람통행에 의한 주차수요추정법은 가구설문조사와 같은 방법에 의해 얻어진 기종점조사표에 의해 통행발생량을 예측하고 이를 각 교통수단으로 분류하여 승용차의 유입통행량을 토대로 하여 추정하는 방법이다. 이러한 과정을 거쳐 일단 주차수요가 추정되면 주차원단위에 의한 건물용도별로 추정된 주차수요와 비교해 본다. 비교 후 합리적인 수준의 주차수요가 도출되었다고 판단되었다면 이를 최종주차수요추정치로 확정짓는 방법이다.

18 도심지보행교통 문제진단 준거를 열거하시오.

해설
- 통행안전성
- 접근의 체계성
- 보행의 기능성
- 보행시설 이용의 형평성
- 보행의 쾌적성

19 주차수요추정 방법별 장·단점을 설명하시오.

해설

추정방식	장점	단점
과거추세연장법	이해가 쉽고, 적용 편리	·신뢰성 부족 ·장래의 불확실성에 대한 고려가 불가능함
주차발생원단위법	단기적 주차수요예측에 높은 신뢰성 제공함	·주차이용효율 산출이 어려움 ·발생원단위 변화의 융통성 부족
건물연상면적 원단위법	총체적 수요추정에 비교적 높은 신뢰성 제공	자료수집 곤란
P 요소법	·여러 가지 지역특성의 포괄적 고려 가능 ·특정장소의 수요추정에 적합	각 계수에 대한 자료수집 어려움
자동차 기종점에 의한 방법	특정지역에 대해서는 정확한 수요 추정이 가능	·조사곤란 ·시간 및 비용소요과다
누적주차수요추정법	·시간에 대한 고려 가능 ·특정용도의 수요추정에 적용이 쉽다.	추정시 각 용도별로 각각 추정함으로써 비용이 많이 소요됨

20 지속적인 환경적 문제를 개선하기 위한 교통측면에서의 거시적 정책목표 세 가지를 설명하시오. or 지속 가능한 개발에 있어 환경 친화적인 교통정책의 목표 세 가지를 설명하시오.

해설

- 통행자의 기동성을 감소시키는 도시개발정책 : 직주근접, 도중교통수단과 자전거의 연계화
- 승용차 교통수요를 대체할 교통수단 정비 : 대중교통서비스의 개선, 자전거 통행체계의 개선
- 환경의 보전 : 무공해자동차의 개발지원, 배기가스배출기준의 강화 및 단속
- 무공해 교통장려 : 근거리걷기운동, 자전거타기 홍보 및 저가보급, 자전거도로망 확충

21 환승센터의 효과를 공공기관, 버스, 택시, 이용자 측면에서 나누어 설명하시오.

해설

구분	내용
공공기관	· 지가상승과 상업 · 업무시설의 증가로 재산세 등 세원 확보 · 주민수의 증가로 각종 세원의 증대
버스	· 환승지점에서 버스베이 등 정차공간 확보 · 승객증가로 운영수입 증대 · 승객불편감소로 버스 이미지 향상 · 정시성 확보
택시	· 승객증가로 수입증대 · 주행시간의 절약
이용자	· 시간 단축 · 환승의 편리성, 안전성, 쾌적성 확보 · 상업시설의 집중으로 구매행위 편리 · 휴식공간에서 휴식 가능

실전문제

실전시험과 같이 문제지에 답을 볼펜으로 작성해 보세요.

1 사람통행실태조사 방법의 종류를 4가지로 나열하시오.

2 교통존 설정시 4가지 유의사항을 열거하시오.

3 폐쇄선 선정시 3가지 고려사항을 기술하시오.

4 교통수요조사 방법 중 가구방문조사 결과로 습득할 수 있는 사항을 4가지로 나열하시오.

5 교통계획의 기능에 대해 3가지로 설명하시오.

6 장기교통계획과 단기교통계획을 서로 비교하시오.

7 카테고리분석법의 장점에 대해 3가지로 설명하시오.

8 개별형태모형의 장점에 대해 3가지로 설명하시오.

9 4단계 수요추정의 장·단점을 각각 2가지씩 설명하시오.

10 4단계 추정모형의 종류와 각 모형의 추정법을 각각 2가지씩 설명하시오.

11 ALL-OR-NOTHING법의 장·단점을 각각 2가지씩 설명하시오.

12 비용-편익 분석법 대해 서술하시오.

13 경제성 평가기법의 장·단점을 2가지씩 설명하시오.

14 도시교통 문제의 유형을 3가지만 열거하시오.

15 도시교통의 특성 5가지를 설명하시오.

16 주차수요추정 방법별 장·단점을 설명하시오.

제2부

교통계획(계산문제)

1 교통계획 과정

1 현재의 인구가 73,086인이고, 자동차보유대수가 6,710대인 A지역에서 통행량을 조사한 결과 125,300통행으로 나타났다. 장래 10년 후 A지역의 인구는 82,420인, 자동차보유대수는 14,892대로 예측되었다. 증감율법을 이용하여 장래 10년 후의 A지역 통행발생량을 산정하시오.

해설

$$F_i = \frac{P_i'}{P_i} \times \frac{M_i'}{M_i} = \frac{82,420}{73,086} \times \frac{14,892}{6,710} = 2.5$$

$$T_i = t_i \cdot F_i = 125,300 \times 2.5 = 313,250 \text{ 통행}$$

【참고】 • **증감률법(rate of change model)**

현재의 통행유출, 유입량에 장래의 인구, 자동차 보유대수 등 사회경제적 지표의 증감률을 곱하여 장래의 교통량 추정식은

$$T_i = t_i \cdot F_i$$

여기서 F_i를 구하는 식 $F_i = \frac{P_i'}{P_i}$ or $F_i = \frac{M_i'}{M_i}$

T_i : 장래년도 i 존의 추정교통량	t_i : 기준년도 i 존의 교통량
i : 대상 존	F_i : 사회경제적 지표에 의한 증감률
P_i' : 장래 추정인구	P_i : 기준년도 인구수(지표)
M_i' : 장래 추정 자동차수	M_i : 기준년도 자동차수(지표)

2 $A \rightarrow B$ 간 현재 통행량은 150이며 장래 통행량은 220으로 추정되고, $B \rightarrow A$ 간 현재 통행량은 200이며 장래 통행량은 700으로 예상된다. $A-B$ 간 장래 통행량에 대한 균일 성장률을 산출하시오.(단, 존내 통행량은 없다)

해설

현재의 OD표

O \ D	A	B	계
A	0	150	150
B	200	0	200
계	200	150	350

장래의 OD표

O \ D	A	B	계
A	0	220	220
B	700	0	700
계	700	220	920

$$F = \frac{T'_{AB}}{T_{AB}} = \frac{220+700}{150+200} = \frac{920}{350} = 2.63$$

3 다음 자료는 통행발생량과 자동차 보유대수와의 관계를 나타낸 것이다.

자동차보유대수(X)	12	10	14	11	12	9
통행발생량(Y)	18	17	23	19	20	15

(1) 위의 관계식을 선형회귀식으로 산출하시오.

해설 선형회귀식 $Y=\alpha+\beta X$

$$\beta = \frac{n\sum XY - \sum X \sum Y}{n\sum X^2 - (\sum X)^2}, \quad \alpha = \frac{\sum Y}{n} - \beta\frac{\sum X}{n}$$

$$\sum X = 68, \ \sum Y = 112, \ \sum X^2 = 786, \ \sum Y^2 = 2,128, \sum XY = 1,292$$

$$\beta = \frac{n\sum XY - \sum X \sum Y}{n\sum X^2 - (\sum X)^2} = \frac{(6\times 1292)-(68\times 112)}{(6\times 786)-68^2} = 1.48$$

$$\alpha = \frac{\sum Y}{n} - \beta\frac{\sum X}{n} = \frac{112}{6} - 1.48\times\frac{68}{6} = 1.89 \Rightarrow \therefore \ Y = 1.89 + 1.48X$$

(2) R^2(상관계수)를 산출하시오.

해설 $$R^2 = \frac{n\sum XY - \sum X \sum Y}{\sqrt{[n\sum X^2 - (\sum X)^2][n\sum Y^2 - (\sum Y)^2]}}$$

$$\frac{6\times 1,292 - 68\times 112}{\sqrt{(6\times 786 - 68^2)(6\times 2,128 - 112^2)}} = 0.95$$

(3) 자동차 보유대수(X)=22대일 때, 통행발생량을 산출하시오.

해설 $1.89 + 1.48 \times 22 = 34.45$

∴ 자동차 보유대수가 22대일 때 35통행

---

4 장래자동차 보유대수가 5만대일 경우 회귀식을 이용하여 통행발생량을 산출하시오.

(단위 : 1,000대, 1,000통행)

	존1	존2	존3	존4
자동차 보유대수(X)	5	7	14	12
통행발생량(Y)	20	40	90	60

해설 선형회귀식$=\alpha + \beta X$

$$\beta = \frac{n\sum XY - \sum X\sum Y}{n\sum X^2 - (\sum X)^2},\ \alpha = \frac{\sum Y}{n} - \beta\frac{\sum X}{n}$$

$n=4$, $\sum X = 38$, $\sum Y = 210$, $\sum X^2 = 414$, $\sum Y^2 = 44,100$, $\sum XY = 2,360$

$$\beta = \frac{n\sum XY - \sum X\sum Y}{n\sum X^2 - (\sum X)^2} = \frac{(4\times 2,360) - (38\times 210)}{(4\times 414) - 38^2} = 6.89$$

$$\alpha = \frac{\sum Y}{n} - \beta\frac{\sum X}{n} = \frac{210}{4} - 6.89\times\frac{38}{4} = -12.96$$

$Y = -12.96 + 6.89X$

∴ 자동차 보유대수가 5만대일 경우 331,540 통행

5 직업별 통행발생 원단위 및 장래 통행지수가 다음과 같다. 원단위법을 이용하여 1일 총통행 유입량을 구하시오.

구 분	통행발생 원단위	장래 통행지수
대학생	0.9	50명
중고생	1.2	800명
초등학교	0.9	1,800명
사무직고용자	0.9	200명
도매업고용자	1.3	100명
소매업고용자	1.1	50명

해설 ① 주거지(출근통행유입량)

0.9×사무직고용자수+1.3×도매업고용자수+1.1×소매업고용자수
$0.9 \times 200 + 1.3 \times 100 + 1.1 \times 50 = 365$

② 주거지(등교통행유입량)

0.9×대학생수+1.2×중고학생수+0.9×초등학생수
$0.9 \times 50 + 1.2 \times 800 + 0.9 \times 1,800 = 2,625$

③ 1일 총통행 유입량

①+② = 2,990통행/일

【참고】• 원단위법(rate of change model)

해당지역의 특성을 나타내는 여러 가지 지표(사회경제적, 토지이용적 지표)간의 상관관계를 구하여 이것으로부터 목표년도의 장래교통량을 예측하는 방법. 원단위는 일정한 단위시간(일반적으로 24시간)과 단위지표(단위인구, 단위면적, 단위통행자)를 토대로 통행량을 추정함

$$T_i = X_i \cdot a_i$$

T_i : 장래년도 추정통행량
X_i : 그 존에서 가장 중요한 지표
a_i : 평균 원단위

6

다음은 어느 한 존의 총 통행발생량을 구하기 위해서 카테고리분석법을 이용하여 분석하고자 한다. 아래와 같은 자료가 수집되었다면 이 지역의 통행발생량을 산출하시오.

- 저소득, 버스, 3인 이하 가구규모=500
- 중소득, 택시, 4인 이상 가구규모=500
- 고소득, 택시, 4인 이상 가구규모=300
- 저소득, 버스, 4인 이상 가구규모=800
- 중소득, 버스, 4인 이상 가구규모=300
- 고소득, 승용차, 3인 이하 가구규모=50

구 분	가구당 월평균 소득수준					
	하		중		상	
	3인 이하	4인 이상	3인 이하	4인 이상	3인 이하	4인 이상
버 스	2.6	3.3	2.9	3.5	3.2	4.0
택 시	0.4	0.7	1.8	2.2	2.3	2.7
승용차					2.3	3.5

해설 $(500 \times 2.6) + (800 \times 3.3) + (500 \times 2.2) + (300 \times 3.5)$

$+ (300 \times 2.7) + (50 \times 2.3) = 7{,}015$

∴ 통행발생량은 7,015 통행

【참고】• 카테고리분석법에서 총 통행발생량

총 통행발생량=평균통행발생량×유형별가구수

7

다음은 어느 한 존의 총 통행발생량을 구하기 위해서 카테고리분석법을 이용하여 분석하고자 한다. 아래와 같은 자료가 수집되었다면 이 지역의 통행발생량을 산출하시오.

	저소득	중소득	고소득
버스	3.0	3.5	1.8
택시	0.7	2.2	3.7
승용차	0.8	0.4	2.5

- 저소득, 버스, 가구규모=450
- 저소득, 승용차, 가구규모=60
- 중소득, 버스, 가구규모=1,100
- 고소득, 승용차 가구규모=150

해설 $(450 \times 3.0)+(60 \times 0.8)+(1,100 \times 3.5)+(150 \times 2.5)=5,623$

$\therefore$ 통행발생량은 5,623 통행

---

8 현재의 존 간 통행량과 장래의 존별 통행유출량이 아래와 같을 때 균일 성장률법으로 배분하시오.

현재 OD표

O \ D	1	2	3	계
1	4	7	4	15
2	5	7	6	18
3	8	10	14	32
계	17	24	24	65

장래의 OD표

O \ D	1	2	3	계
1				22
2				24
3				48
계	21	32	35	87

해설 $T_{ij}=t_{ij} \cdot F$

F=장래의 총 통행량/현재의 총 통행량, $F=\dfrac{\sum T_{ij}}{\sum t_{ij}}=\dfrac{87}{65}=1.34$

$T_{11}=4 \times 1.34=5$ $T_{12}=7 \times 1.34=9$ $T_{13}=4 \times 1.34=5$

$T_{21}=5 \times 1.34=7$ $T_{22}=7 \times 1.34=9$ $T_{23}=6 \times 1.34=8$

$T_{31}=8 \times 1.34=11$ $T_{32}=10 \times 1.34=14$ $T_{33}=14 \times 1.34=19$

O \ D	1	2	3	계
1	5	9	5	19
2	7	9	8	24
3	11	14	19	44
계	23	33	32	87

9 평균성장률법으로 존 간 통행배분을 하시오.(Interation 2회까지)

<현재의 OD표>

O \ D	1	2	3	계
1	4	7	4	15
2	5	7	6	18
3	8	10	14	32
계	17	24	24	65

<장래의 OD표>

O \ D	1	2	3	계
1				22
2				24
3				42
계	21	32	35	88

해설 P_i=존 i의 현재 통행 유출량, A_j=존 j의 현재 통행 유입량

P'_i=존 i의 장래 통행 유출량, A'_j=존 j의 장래 통행 유입량

유출량의 성장률$(E_i)=P'_i/P_i$, 유입량의 성장률$(F_j)=A'_j/A_j$

장래의 통행량(T'_{ij})=현재의 통행량$(T_{ij})\times(E_{i+}F_j)/2$

<1차 배분과정>

$E_1=22/15=1.47$, $E_2=24/18=1.33$, $E_3=42/32=1.31$

$F_1=21/17=1.24$, $F_2=32/24=1.33$, $F_3=35/24=1.46$

$T_{11}=4\times(1.47+1.24)/2=5.42$, $T_{12}=7\times(1.47+1.33)/2=9.8$,

$T_{13}=4\times(1.47+1.46)/2=5.86$

$T_{21}=5\times(1.33+1.24)/2=6.43$, $T_{22}=7\times(1.33+1.33)/2=9.31$,

$T_{23}=6\times(1.33+1.46)/2=8.37$

$T_{31}=8\times(1.31+1.24)/2=10.2$, $T_{32}=10\times(1.31+1.33)/2=13.2$,

$T_{33}=14\times(1.31+1.46)/2\ =19.39$

<장래의 OD표>

O \ D	1	2	3	계
1	5.42→5→6	9.8→10	5.86→6	22→21→22
2	6.43→6→7	9.31→9	8.37→8	24→23→24
3	10.2→10	13.2→13	19.39→19	42
계	21→23	32	35→33	88→86→88

<최종 장래의 OD표>

O \ D	1	2	3	계
1	6	10	6	22
2	7	9	8	24
3	10	13	19	42
계	23	32	33	88

<2차 배분과정>

$E_1=22/22=1$, $E_2=24/24=1$, $E_3=42/42=1$

$F_1=21/23=0.91$, $F_2=32/32=1$, $F_3=35/33=1.06$

$T_{11}=6\times(1+0.91)/2=5.73$, $T_{12}=10\times(1+1)/2=10$,

$T_{13}=6\times(1+1.06)/2=6.18$, $T_{21}=7\times(1+0.91)/2=6.69$,

$T_{22}=9\times(1+1)/2=9$, $T_{23}=8\times(1+1.06)/2=8.24$

$T_{31}=10\times(1+0.91)/2=9.55$, $T_{32}=13\times(1+1)/2=13$,

$T_{33}=19\times(1+1.06)/2=19.57$

<장래의 OD표>

O \ D	1	2	3	계
1	5.73→6	10	6.18→6	22
2	6.69→7	9	8.24→8	24
3	9.55→10	13	19.57→20	42
계	22	32	34	88

<최종 장래의 OD표>

O \ D	1	2	3	계
1	6	10	6	22
2	7	9	8	24
3	10	13	19	42
계	23	32	33	88

10 프라타법(Frata model)을 이용하여 존별 통행분포를 추정하여라.

<현재의 OD표>

O \ D	1	2	계
1	8	3	11
2	5	4	9
계	13	7	20

<장래의 OD표>

O \ D	1	2	계
1			19
2			14
계	18	15	33

해설 ① 각존별 유출 유입량의 성장률 계산

	1	2
E_i	19/11=1.73	14/9=1.56
E_j	18/13=1.38	15/7=2.14

② 보정식 계산

	1	2
L_i(유출)	8+3/(8×1.38+3×2.14)=0.63	5+4/(5×1.38+4×2.14)=0.58
L_j(유입)	8+5/(8×1.73+5×1.56)=0.60	3+4/(3×1.73+4×1.56)=0.61

③ 각 존 간 통행량 계산

$T_{11}=8\times1.73\times1.38\times(01.63+0.6)/2=11.75=12$

$T_{12}=3\times1.73\times2.14\times(0.63+0.61)/2=6.89=7$

$T_{21}=5\times1.56\times1.38\times(0.58+0.6)/2=6.35=6$

$T_{22}=4\times1.56\times2.14\times(0.58+0.61)/2=7.9=8$

④ 최종배분결과

O/D	1	2	계
1	12	7	19
2	6	8	14
계	18	15	33

【참고】 • Fratar 모형

존 i와 존 j 사이의 통행량은 E_i와 F_j에 비례하여 증가한다는 것이다. 현재 통행량을 이와 같은 두 개의 성장률로 곱하면 존 i에서 유출되는 통행량이 장래추정량보다 많아지므로 아래와 같은 절차에 의해 보정하여 배분통행량을 예측하는 방법

$$t'_{ij}(i) = t_{ij} \times E_i \times F_j \times \frac{\sum t_{ij}}{\sum t_{ij} \cdot E_j} L_i = \frac{\sum t_{ij}}{\sum t_{ij} \cdot E_j} \text{ 로 간략화}$$

$$t'_{ij}(i) = t_{ij} \times E_i \times F_j \times \frac{\sum t_{ij}}{\sum t_{ij} \cdot F_j} L_i = \frac{\sum t_{ij}}{\sum t_{ij} \cdot F_j} \text{ 로 간략화}$$

여기서, 과다추정을 보정하기 위한 수단으로서 L_i와 L_j의 합을 2로 나눈 값을 성장률과 현재교통량에 적용하여 장래통행량을 계산하면 다음과 같다.

$$t'_{ij} = \{t'_{ij(i)} + t'_{ij(j)}\}/2$$

$$t'_{ij}(j) = t_{ij} \times E_i \times F_j \times \frac{L_i + L_j}{2}$$

---

11 다음의 기존 O/D 통행량과 장래 추정통행량을 단일제약 중력모형(유출제약모형)을 이용하여 배분하시오.(여기서, 통행저항함수는 존 간 거리를 이용한다)

기존			
O \ D	1	2	계
1	6	6	12
2	4	2	6
계	10	8	18

장래			
O \ D	1	2	계
1			20
2			10
계	18	12	30

존 간 거리		
O \ D	1	2
1	5	21
2	15	10

해설 • **단일제약 모형(통행유출량 제약모형)**

– 통행유출량만 일치시키도록 통행의 기종점을 연결

– 존 i의 총통행유출량을 조사된 존 i의 총 통행량과 일치시킴

① 보정치 K_i값 계산

$$K_1 = [\frac{10}{5}]^{-1} = 0.5, \qquad K_2 = [\frac{8}{15}]^{-1} = 1.875$$

② 존 간 통행량 계산

$$T_{11} = \frac{0.5 \times 12 \times 10}{5} = 12, \quad T_{12} = \frac{0.5 \times 12 \times 8}{21} = 2.28 \fallingdotseq 2$$

③ 장래 통행량 분포

$$T_{21} = \frac{1.875 \times 6 \times 10}{15} = 7.5 \fallingdotseq 7, \quad T_{22} = \frac{1.875 \times 6 \times 8}{10} = 9$$

∴ 통행유출량이 같으므로 최종 통행배정 결과는 아래와 같다.

O \ D	1	2	계
1	12	2	14
2	7	9	16
계	19	11	30

---

12 O/D표가 다음과 같을 때 다음을 계산하시오.

O \ D	1	2	3	4	5	6
1	1,107	1	5	37	45	69
2	1	237	23	42	13	21
3	5	23	365	50	19	8
4	37	42	50	104	10	3
5	45	13	19	10	236	9
6	69	21	8	3	9	31

(1) 존내통행을 산출하시오.

해설 1,107+237+365+104+236+31=2,080(대각선의 합)

(2) 존유출량을 산출하시오.

해설 710(대각선을 제외한 합)

(3) 총 통행량을 산출하시오.

해설 2,790(존유출량+존내통행)

13 어느 지역의 노선망을 나타낸 그림이다. 노선망 간에 유입되는 통행량 All-or-nothing 배정과 Incremental Assignment(분할배정)을 이용하여 link 별 배정통행량을 계산하시오.(단, 분할배정 시행시에 각각 50%, 50%로 분할하여 배정한다. $T_{14}=100,\quad T_{24}=100$)

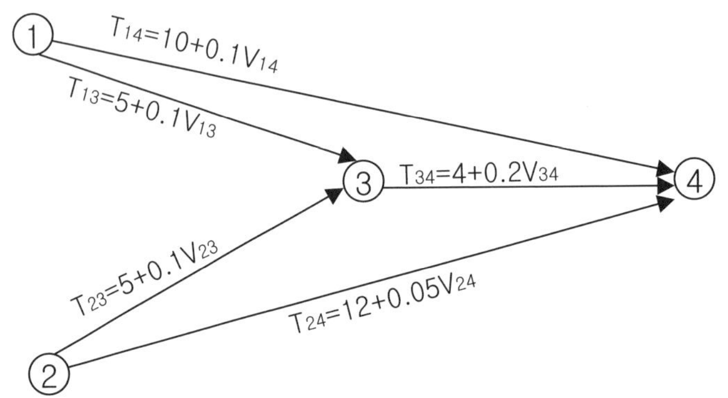

해설 ① All-or-noting 배정기법

$V=0$일 때,

①→④ $= T_{14}=10$, ①→③→④ $= T_{13}+T_{34}=9$

∴ ①→③→④에 100대 전량배정

②→④ $= T_{24}=12$, ②→③→④ $= T_{23}+T_{34}=9$

∴ ②→③→④에 100대 전량배정

경로	① → ③	① → ④	② → ③	② → ④	③ → ④
배정교통량	100	0	100	0	200

② Incremental Assignment(분할배정기법)

1) 50%인 50대를 배정 : 처음 배정할 때는 All-or-nothing 법과 같은 방법 적용

①→④ = $T_{14}=10$, ①→③→④ = $T_{13}+T_{34}=9$

∴ ①→③→④에 50대 배정

②→④ = $T_{24}=12$, ②→③→④ = $T_{23}+T_{34}=9$

∴ ②→③→④에 50대 배정

경로	① → ③	① → ④	② → ③	② → ④	③ → ④
배정교통량	50	0	50	0	100

2) 50%인 50대를 먼저 배정 : 나머지 50대를 배정할 때는 첫 번째 배정한 경로에 배정된 교통량이 있다는 가정 하에 교통량을 배정한다.

①→④ = $T_{14}=10$,

①→③→④ = $T_{13}+T_{34}=[5+(0.1\times 50)]+[4+(0.2\times 50)]=19$

∴ ①→④에 50대 배정

②→④ = $T_{24}=12$,

②→③→④ = $T_{23}+T_{34}=[5+(0.1\times 50)]+[4+(0.2\times 50)]=19$

∴ ②→④에 50대 배정

경로	① → ③	① → ④	② → ③	② → ④	③ → ④
배정교통량	50	50	50	50	100

14 그림과 같은 노선망 간에 통행량을 All-or-nothing 배정과 Incremental Assignment를 이용하여 link 통행량을 배정하시오.(단, ①→④의 통행량은 30대)

a : $T=10+2V$, b : $T=10+3V$, c : $T=10+V$, d : $T=15+5V$, e : $T=20+V$,

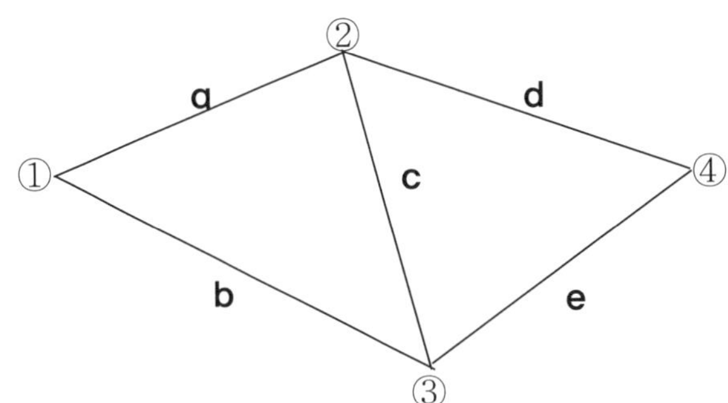

(1) All-or-nothing 배정기법을 이용하여 link의 통행량을 배정하시오.

해설 $V=0$일 때, ①→②→④ : $a+d=25$

①→②→③→④ : $a+c+e=40$

①→③→②→④ : $b+c+d=35$

①→③→④ : $b+e=30$

∴①→②→④에 30대 전량 배정

(2) Incremental Assignment(분할배정)을 이용하여 link의 통행량을 배정하시오.(단, 20%, 30%, 50% 점진적 배정)

해설 1) 20%인 6대를 먼저 배정

$V=0$일 때, ①→②→④ : $a+d=25$

①→②→③→④ : $a+c+e=40$

①→③→②→④ : $b+c+d=35$

①→③→④ : $b+e=30$

∴①→②→④에 6대 배정

2) 30%인 9대를 먼저 배정

①→②→④ : $a+d=[10+(2\times6)]+[15+(5\times6)]=77$

①→②→③→④ : $a+c+e=[10+(2\times6)]+10+20=52$

①→③→②→④ : $b+c+d=10+10+[15+(5\times6)]=65$

①→③→④ : $b+e=10+20=30$

∴①→③→④에 9대 배정

3) 나머지 50%인 15대를 배정

①→②→④ : $a+d=[10+(2\times6)]+[15+(5\times6)]=77$

①→②→③→④ : $a+c+e=[10+(2\times6)]+10+[20+(1\times9)]=61$

①→③→②→④ : $b+c+d=[10+(3\times9)]+10+[15+(5\times6)]=92$

①→③→④ : $b+e=[10+(3\times9)]+[20+(1\times9)]=66$

∴①→②→③→④에 15대 배정

【참고】• **전량배정(All-or-nothing)**

- Free Flow Speed($V=0$)에서 최단경로를 찾아 최단경로상에 통행량을 전량 배정하는 방법

• **분할배정(Incremental Assignment)**

- 배정교통량을 n등분하여 각 단계에서 최단경로에 전량 배정함
- 최단경로는 각 단계에서 동일하지 않음

• **반복배정(Iterative Assignment)**

- 배정교통량을 전량 최단경로에 배정, 다시 최단경로 구하여 전량배정, 다시 최단경로 구하여 전량배정을 반복함
- 균형상태에 도달할 때까지 계속된 반복과정을 거친 후 도출된 최종구간교통량을 반복횟수 N으로 나눈 값이 구간교통량

---

15 출발지 R과 도착지 S 간 2개의 경로가 있다. 이용자 평형 배정기법(User Equilibrium Assignment)과 체계최적 배정기법(System Optimum Assignment)의 가정을 설명하고 각 배정기법을 이용하여 경로별 통행량을 산출하시오.(단, 전체통행량은 5대)

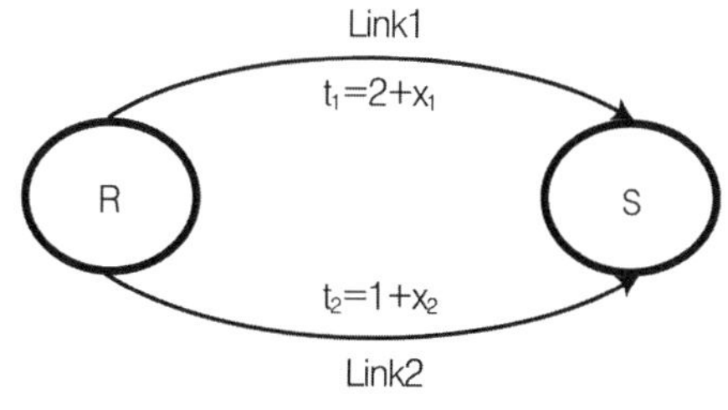

해설 1. 이용자 평형배정의 가정(Wardrop Rule Ⅰ)

① 각 통행자는 통행시간이 최소인 경로를 통행한다.

② 모든 통행자는 모든 링크 통행시간을 알고 있다.

③ 이용된 경로의 통행시간은 동일하고 사용되지 않는 경로의 통행시간보다 작거나 같다.

④ 각 통행자의 평균통행비용이 최소로 된다.

⑤ 각 통행자의 경로선택은 타운전자에게 영향을 준다.

위의 이용자 평행원리의 조건에 따르면, 식 1)과 같이 성립

$2 + x_1 = 1 + 2x_2$ · · · · · · · · · · · 1)

전체통행량은 5대이므로 식 2) 성립

$x_1 + x_2 = 5$ · · · · · · · · · · · · · · 2)

식 1)과 식 2)를 연립방정식을 통해 풀이하면,

$\therefore\ x_1 = 3$대, $x_2 = 2$대

2. 체계최적 배정의 가정(Wardrop Rule Ⅱ)

① 각 통행자 개인의 통행비용 최소화가 아닌 사회 전체적 통행비용을 최소화함으로써 사회적 후생이 극대화된 상태를 말함

② 이용되는 모든 경로의 총 통행시간과 통행비용은 최소이다.

③ 통행자는 한계통행비용이 최소가 되는 경로를 이용한다.

④ 운전자의 경로선택이 타운전자에게 영향을 주지 않는다.

총 통행비용을 산출하려면,

평균통행비용 × 차량대수 = 총통행비용

$tc_1 = (2 + x_1)x_1 = 2x_1 + x_1^2, \quad tc_2 = (1 + 2x_2)x_2 = x_2 + 2x_2^2$

총비용함수를 미분한 것이 한계비용함수이므로,

$MC_1 = 2 + 2x_1\ , \quad MC_2 = 1 + 4x_2$

위의 체계최적원리의 제약조건에 따르면,

$MC_1 = MC_2$, $x_1 + x_2 = 5$이 성립되고 이 제약조건을 연립방정식으로 풀이하면,

$\therefore\ x_1 = 3.17$대, $x_2 = 1.83$대

【참고】• 평형배정모형(User Equilibrium)

노선배정의 기본 가정은 통행자가 자신의 목적지까지 이동할 때 자신의 통행비용을 최소화할 수 있는 경로를 선택한다는 것이다. 그러나 통행자는 자신의 통행비용을 최소화하는 경로를 쉽게 결정 못하는데 이는 통행비용은 고정되어 있는 것이 아니라 통행량에 의해 결정되기 때문이다.

평행배정모형은 모든 통행자가 자신의 통행비용을 최소화하려고 새로운 최소비용경로를 찾아 이동할 것이라는 가정을 바탕으로 하고, 그러기 위해서는 통행자는 통행비용에 대한 모든 정보를 공유한 상태여야 한다. 최종적으로 더 이상 빠른 경로가 존재하지 않는 상태를 평행(Equilibrium)상태라 한다.

이러한 평행상태를 교통망에 적용하여 도해하면 아래 [그림]과 같다. 이 그림에서 보는 바와 같이 두 지역 간 경로 a, b를 갖는 교통망을 가정하고 두 통행비용함수를 $t_a(w)$, $t_b(w)$라고 하면 교통망 평행배정은 두 지역 간 통행수요를 충족시키면서 a, b경로의 통행비용은 균등한 상태이며 이때 두 경로에 배정된 통행량은 x_a, x_b로 $x = x_a + x_b$가 된다. 이때의 이 두 경로를 이용하는 통행자는 모두 동일한 통행비용 x^*를 지불해야 한다.

즉, $x^* = x_a^* = x_b^*$가 되는데 이 상태의 통행배정을 교통망평형이라고 한다.

교통망 평형배정모형은 교통지구간 분포 통행수요가 고정(Fixed demand)되어 있고 통행배정은 Wardrop의 원리 I 에 따라 이루어진다고 가정하면 통행량배정에서 평형상태는 아래의 [그림]의 빗금친 부분의 면적을 최소화하는 다음과 같은 수리모 형식으로 나타낼 수 있다.

$$Z(x_a,\ x_b) = \int_0^{x_a} t_a(w)dx + \int_0^{x_b} t_b(w)dw$$

$$s.t \quad x_a + x_b = x$$
$$x_a + x_b \geq 0$$

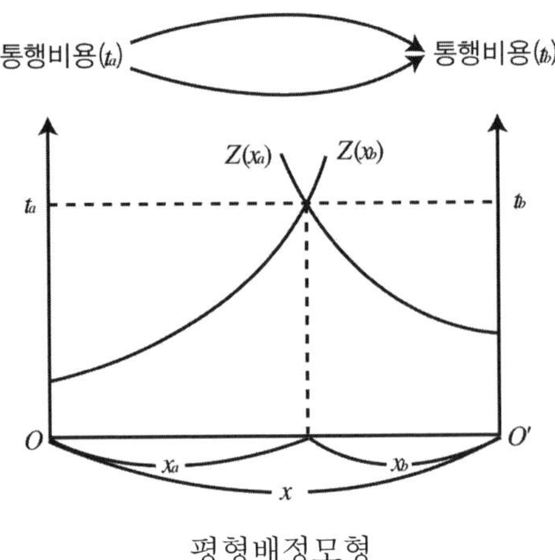

평형배정모형

이 수리모 형식을 대상지역 전체를 연결하는 다수의 경로를 가정하고, 각 경로가 여러 구간인 교통망에 대해 일반화시켜 재구성하면 다음과 같다.

$$Min \sum_a \int_0^{x_a} t_a(w)dw$$

$$s.t \quad \sum_k f_k^{rs} = q_{rs} \qquad \forall r, s$$

$$f_k^{rs} \geq 0 \qquad \forall k, r, s$$

여기서, $x_a = \sum_r \sum_s \sum_k f_k^{rs} \delta_{ak}^{rs} \quad \forall a$

단,

$x_a =$ 링크a의 통행량

$t_a =$ 링크a의 통행시간

$f_k^{rs} =$ 출발지 r와 목적지 s간의 통행경로 k의 통행량

$q_{rs} =$ 출발지 r와 목적지 s간의 통행분포량

$\delta_{ak}^{r} = \begin{cases} 1 : & \text{만약 링크 } a\text{가 출발지 } r\text{와 목적지 } s\text{간의 통행경로 } k\text{상에 있으면} \\ 0 : & \text{그렇지 않으면} \end{cases}$

교통망 평형배정 모형식은 비선형식으로 이를 풀 수 있는 방법은 여러 가지가 있으나 범용되고 있는 것은 LeBlanc(1975) 등이 Frank-Wolfe 알고리즘을 이용한 해법을 개발하여 제시했으며 해법의 각 과정을 정리해보면 다음과 같다.

[단계 1]: 방향발견(direction finding)

다음의 극소화문제의 해 $Y^n = (y_1^n, y_2^n \ldots\ldots, y_i^n)$을 발견한다.

$$Min\ Z^n(Y) = \nabla Z(X^n)\cdot Y = \sum_i (\frac{\partial Z(X^n)}{\partial x_i}) y_i \quad \cdots\cdots\cdots\cdots \ 1)$$

$$s.t \quad \sum_i h_{ij} y_i \geqq b_j$$

단, $Y^n = (y_1^n, y_2^n \cdots, y_i^n)$ = 새로이 정의된 결정변수
h_{ij}, b_j = 상수
n = 반복계산단계

[단계 2]: 이동크기결정(step-size determination)
다음의 극소화문제의 해 α_n을 발견한다.

$$Min\ Z[X^n + \alpha(Y^n - X^n)]$$

$$s.t \quad 0 \leqq \alpha \leqq 1$$

[단계 3]: 이동(move)
X^{n+1}을 다음과 같이 계산한다.

$$X^{n+1} = X^n + \alpha_n(Y^n - X^n)]$$

[단계 4]: 수렴여부 검사단계
만약 통행량의 변화가 유의하지 않다면 반복수행을 끝내고, 현재의 구간교통량이 해가 된다. 그렇지 않으면 $n=n+1$로 하여 단계1 돌아가 반복과정을 수행한다.
이 방법은 Wardrop의 평형원리를 이전 방법에 비해 빠르게 수렴케 하는 특성을 가지고 있으나 최적 해에 접근하면서 수렴속도가 떨어지는 문제점을 가지고 있어, 이를 개선한 기법들도 개발되어 있다.

- **체계최적(System Optimum)**

체계최적은 통행자 개인의 통행비용 최소화가 아닌 사회 전체적 통행비용을 최소화함으로서 사회적 복지가 극대화된 상태를 말한다.
체계최적 배정기법으로 교통망에 배정된 통행량을 통해서 교통망의 총 통행비용을 계산할 수 있다. 총 통행비용은 교통망별 교통량의 함수로 정의되므로 총 통행비용을 최소가 되도록 하는 해가 존재하게 된다. 이러한 해는 통행량-통행비용 관계식을 통해서 한계통행비용을 도출할 수 있다.

통행배정은 WardropⅡ 원리에 따라 이루어지며, 다음과 같은 수리모 형식으로 나타낼 수 있다.

$$Min\ \tilde{Z}(X) = \sum_a x_a t_a(x_a)$$

$$s.t \qquad \sum_k f_k^{rs} = q_{rs} \qquad \forall r, s$$

$$f_k^{rs} \geq 0 \qquad \forall k, r, s$$

여기서, $x_a = \sum_r \sum_s \sum_k f_k^{rs} \delta_{ak}^{rs} \qquad \forall\ a$

단 ,

$x_a =$ 링크a의 통행량
$t_a =$ 링크a의 통행시간
$f_k^{rs} =$ 출발지 r와 목적지 s간의 통행경로 k의 통행량
$q_{rs} =$ 출발지 r와 목적지 s간의 통행분포량
$\delta_{ak}^{r} = \begin{cases} 1 : \text{만약 링크 } a\text{가 출발지 } r\text{와 목적지 } s\text{간의 통행경로 } k\text{상에 있으면} \\ 0 : \text{그렇지 않으면} \end{cases}$

체계최적의 목적함수는 링크 통행량의 측면에서 표현되며, 이용자 균형의 목적함수와 달리 링크 통행시간의 적분함수를 포함하지 않는다. 한편 체계최적 모형의 제약조건은 이용자 평형 모형과 동일하다.

체계최적 모형은 체계최적 통행패턴을 위해 통행자들이 통행경로를 바꿈으로써 자신의 통행시간을 감소시킬 수 있는 소지가 있다. 결과적으로 체계최적 통행 패턴은 안정적이지 못하고, 통행자의 실제적인 통행경로 선택 형태를 설명하지 못한다.

체계최적모형이 통행자의 통행경로 선택 형태를 정확하게 묘사하지 못함에도 구하고 체계최적 모형의 해는 사회적으로 가장 바람직한 통행배정을 보여준다는 점에서 교통계획의 표준척도로서의 기능을 한다고 볼 수 있다. 특히 체계최적 통행량은 이용자균형 통행량과의 비교를 위해 주로 이용된다.

16 출발지 A와 도착지 B 간 그림과 같은 경로가 존재한다. 이용자 평형 배정기법(User Equilibrium Assignment)과 체계최적 배정기법(System Optimum Assignment)을 이용하여 각 링크별 배정된 통행량과 평균통행비용 그리고 전체 링크에서 발생되는 총 통행비용을 계산하시오.(단, 총 통행량은 100대)

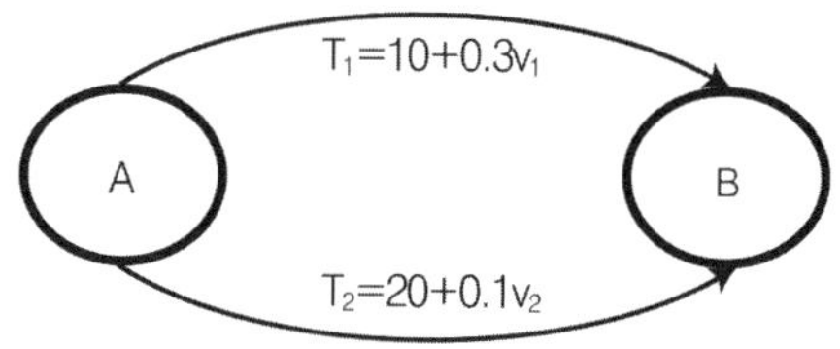

해설

- **통행량 산정**

  – UE(이용자 평형)

  $10 + 0.3\,V_1 = 20 + 0.1\,V_2$ · · · · · · · · · · · 식 1)

  총 통행량은 100대이므로 식 2) 성립

  $V_1 + V_2 = 100$ · · · · · · · · · · · · · 식 2)

  식 1)과 식 2)를 연립방정식을 통해 풀이하면,

  $\therefore\ V_1 = 50$대, $V_2 = 50$대

  – SO(체계최적)

  총 통행비용을 산출하려면,

  평균통행비용 × 차량대수 = 총통행비용

  $TC_1 = (10 + 0.3\,V_1)\,V_1 = 10\,V_1 + 0.3\,V_1^2,$

  $TC_2 = (20 + 0.1\,V_2)\,V_2 = 20\,V_2 + 0.1\,V_2^2$

  총비용함수를 미분한 것이 한계비용함수이고

  $MC_1 = 10 + 0.6\,V_1$, $MC_2 = 20 + 0.2\,V_2$

체계최적원리의 제약조건에 따르면,

$MC_1 = MC_2$, $V_1 + V_2 = 100$이 성립되고 이 제약조건을 연립방정식으로 풀이하면,

$\therefore\ V_1 = 37.5$대, $V_2 = 62.5$대

• **평균통행비용 산정**

– UE(이용자 평형)

$AC_1 = 10 + (0.3 \times 50) = 25$, $AC_2 = 20 + (0.1 \times 50) = 25$

– SO(체계최적)

$AC_1 = 10 + (0.3 \times 37.5) = 21.5$, $AC_2 = 20 + (0.1 \times 62.5) = 26.25$

• **총 통행비용 산정**

– UE(이용자 평형)

$STC = V_1 \cdot AC_1 + V_2 \cdot AC_2 = (50 \times 25) + (50 \times 25) = 2{,}500$

– SO(체계최적)

$STC = V_1 \cdot AC_1 + V_2 \cdot AC_2 = (37.5 \times 21.25) + (62.5 \times 26.25) = 2{,}437.5$

---

17 어느 노선의 용량이 시간당 6,000대이고 자유통행시간이 1시간 30분이다. BPR의 통행량-속도 함수식을 이용하여 통행량이 8,000대일 경우의 통행시간을 산출하시오.

해설 $T_o = 1.5$, $T = 1.5[1 + 0.15(\frac{8{,}000}{6{,}000})^4] = 2.21$시간

【참고】 BPR식 $\Rightarrow T = T_0[1 + 0.15(v/c)^4]$

18 링크의 길이 1km, 도로용량 1,500대/시간/차로, 2차로, 통행량이 없을 때 주행속도는 20km/h, V=5,500vph일 때 주행시간을 산출하시오.

해설 $\frac{1km}{20km/h} = 0.05$시간, $T = 0.05[1+0.15(\frac{5500}{3000})^4] = 0.135$시간

19 출발지 A와 도착지 B 간 그림과 같은 경로가 존재한다. 이용자 평형 배정기법(User Equilibrium Assignment)을 이용하여 경로별 평균통행비용과 통행량을 산출하시오.(단, 총 통행량은 1,000대이고 통행경로별 통행저항함수(BPR)식을 아래와 같이 제시한다)

- path 1 : $t_1 = 10[1+0.15(V_1/700)^4]$
- path 2 : $t_2 = 8[1+0.15(V_2/500)^4]$

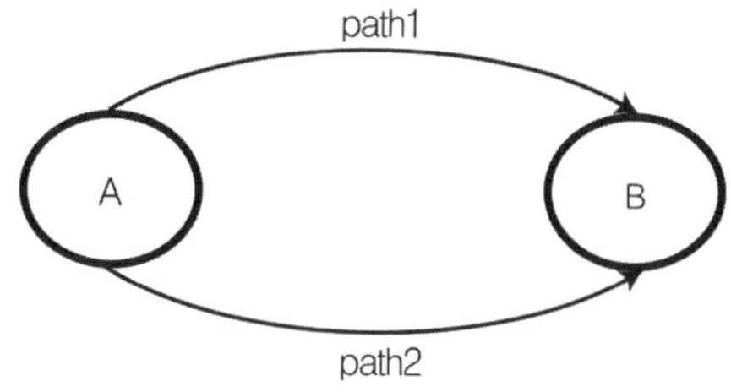

해설 이용자 최적조건함수는 평균통행비용이 같아지는 해이므로 평형상태 통행량을 산출하다. 즉, $t_1 = t_2 = t_e$가 되는 점에서 통행량을 구한다.

$10[1+0.15(V_1/700)^4] = 8[1+0.15((V_2/500)^4]$, $V_1 + V_2 = 1,000$

위의 식을 연립방정식을 통해 풀이하면 근사해를 도출하게 된다.

∴ 경로별 통행량 : $V_1 = 419$대, $V_2 = 581$대

∴ 경로별 통행비용 : $t_1 = 10.195$, $t_2 = 10.188$

20 출발지 A와 도착지 B 간 그림과 같은 경로가 존재한다. 체계최적 배정기법(System Optimum Assignment)을 이용하여 경로별 통행량을 산출하시오.(단, 총 통행량은 1,000대이고 통행경로별 통행저항함수(BPR)식을 아래와 같이 제시한다)

- path 1 : $t_1 = 10 + 0.003(V_1)^2$
- path 2 : $t_2 = 20 + 0.0007(V_2)^2$

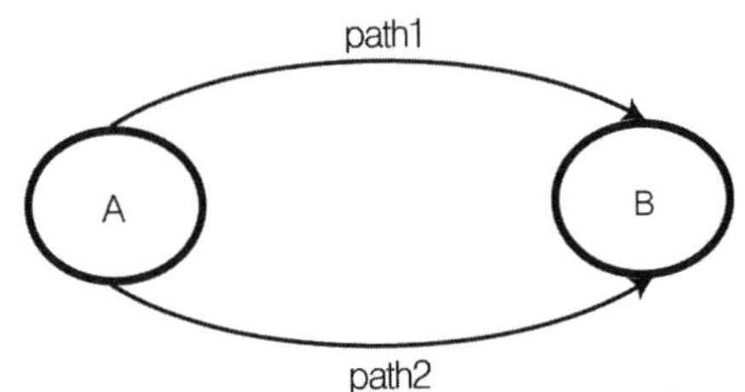

해설 체계최적 조건은 총 통행비용이 최소화되는 해이므로 다음의 연립방정식 해와 같다.

$$\min TC = \min [V_1 \times (10 + 0.003\,V_1^2) + V_2 \times (20 + 0.007\,V_2^2)]$$

$V_1 + V_2 = 1{,}000$이므로 위 식을 V_1으로 정리하면 다음과 같다.

$$\min TC = \min [0.0023\,V_1^3 + 2.1\,V_1^2 - 2{,}110\,V_1 + 720{,}000]$$

위 식에서 총 통행비용의 최소값을 구하기 위해서 한계비용 0이 되는 해를 찾기 위해 위 식을 미분하여 0이 되는 근을 구한다.

$$TC' = 0.0069\,V_1^2 + 4.2\,V_1 - 2{,}110 = 0$$

∴ 경로별 통행량 : $V_1 = 326.86$대, $V_2 = 673.14$대

---

21 다음 그림의 네트워크를 보고 이용자 평형 배정기법(User Equilibrium Assignment)을 이용하여 각 링크상의 통행시간과 통행량을 산정하시오.(단, ①→③ 사이의 통행량은 4대)

$t_1 = 2 + x_1^2,\quad t_2 = 1 + 3x_2,\quad t_3 = 3 + x_3$

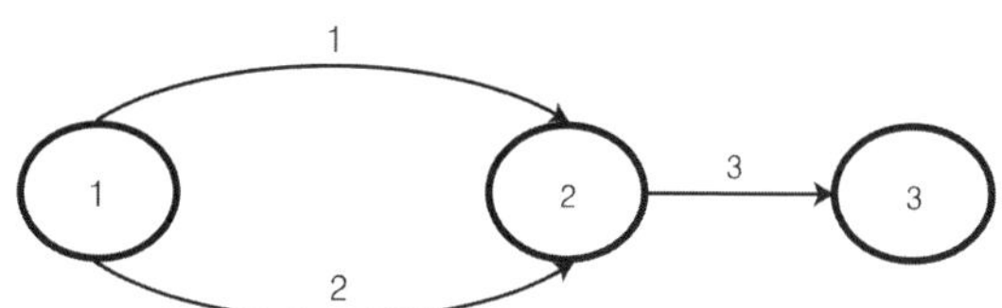

해설 2번 노드에서 3번 노드로 가는 링크는 하나이므로 링크 1과 링크 2에서 이용자 평형이 이루는 x_1과 x_2를 구하면 된다.

이용자 평행배정 원칙에 따라 ①→②에서 $t_1 = t_2$, $x_1 + x_2 = 4$가 성립된다. 이를 이용하여 연립방정식을 풀면

$2 + x_1^2 = 1 + 3x_2$, $x_1 + x_2 = 4$ 이고,

$x_1 = 2.14$, $x_2 = 1.86$, $t_1 = t_2 = 6.58$

②→③에서 $x_3 = 4$에 의해 $t_3 = 7$

---

22 다음 그림의 네트워크를 보고 이용자 평형 배정기법(User Equilibrium Assignment)을 이용하여 각 링크상의 통행시간과 통행량을 산정하시오.(단, ①→③ 사이의 통행량은 4대)

$t_1 = 2 + x_1^2,\quad t_2 = 3 + x_2,\quad t_3 = 1 + 2x_3^2,\quad t_4 = 2 + 4x_4$

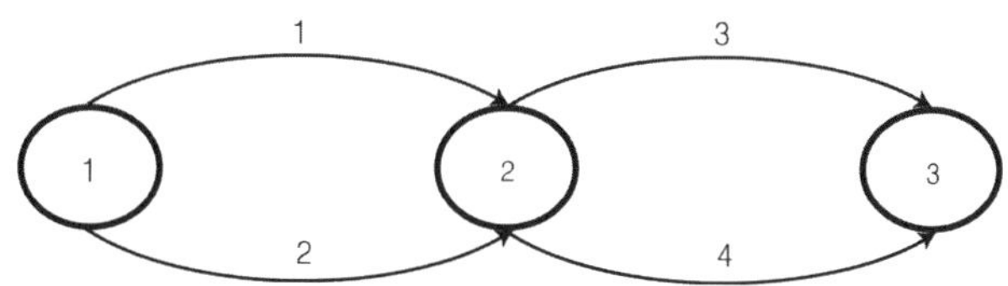

해설 이용자 평행배정 원칙에 따라 ①→②에서 $t_1 = t_2$, $x_1 + x_2 = 4$가 성립된다. 이를 이용하여 연립방정식을 풀면

$2 + x_1^2 = 3 + x_2$, $x_1 + x_2 = 4$ 이고,

$x_1 = 1.8$, $x_2 = 2.2$, $t_1 = t_2 = 5$

②→③에서 $t_3 = t_4$, $x_3 + x_4 = 4$에 의해

$x_3 = 2.1,\ x_4 = 1.9,\ t_1 = t_2 = 9.6$

---

23 자유교통류 도로구간의 현장에서 발견할 수 있는 교통량과 통행시간의 관계를 식으로 쓰고 이를 그래프로 도시하시오.

[해설]

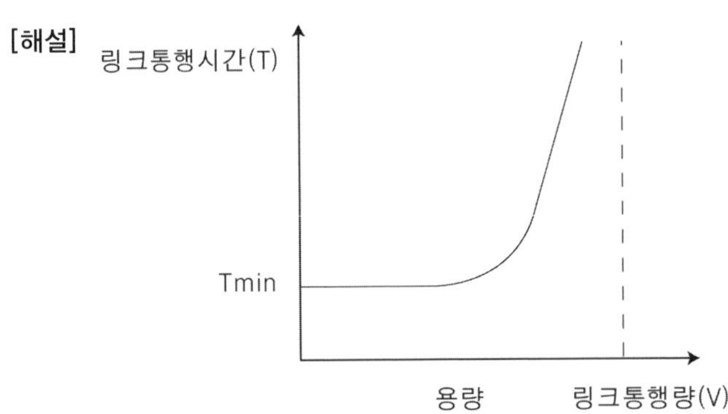

통행함수의 식 : $T = T_{\min}\left[(1 + \alpha\left(\frac{V}{C}\right)^{\beta}\right]$

여기서, $T_{\min}$: 자유교통류 링크 통행시간

$\alpha,\ \beta$: 매개변수(BPR식에서는 $\alpha = 0.15,\ \beta = 4$)

---

24 시간함수가 다음과 같을 때 평형상태일 때의 1시간 동안의 통행량을 산출하시오.

$T = 5 + 0.01V$ (서비스함수), $V = 13{,}000 - 260T$ (통행량)

해설 $V = 13{,}000 - 260(5 + 0.01V)$

$V = 3{,}250$(대/시)

25 서비스함수 $T=m+nV$에서 $m=5$분, $n=0.005$분/대/시간, 통행량 $V=a+bT$에서 $a=10,000$대/시간, $b=-300$대/시간/분이라고 주어졌다면 평형상태의 통행량과 주행시간을 산출하시오.

해설 $V=10,000-300T$, $T=5+0.005V \rightarrow V=10,000-300(5+0.005V)$
$V=3400$(대/시), $T=22$(분)

26 어느 로짓모형을 정산한 결과표와 같은 파라미터를 얻었다. 통행자의 분당 시간가치를 계산하여라.

<차내시간, 차외시간 및 통행비용>

구분	차내시간(IVTT)	차외시간(OVTT)	통행비용(COST)
파라미터	0.08972	0.19345	0.00363

해설 로짓모형으로부터 시간가치를 도출하려면 시간의 파라미터를 비용의 파라미터로 나누면 얻어지므로

차내시간 가치 $=\dfrac{0.08972}{0.00363}=24.7$원/분

차외시간 가치 $=\dfrac{0.19345}{0.00363}=53.3$원/분

27 다음과 같은 효용함수식을 이용하여 통행 시간가치를 산출하시오.

U =−0.006T−0.0009C(T : 통행시간(분), C : 통행비용(원))

해설 통행 시간가치 = −0.006/−0.0009=6.67(원/분)
∴ 약 7원이다.

28 $A-B$(5km 거리)까지 통행하는 버스 이용자의 차외시간은 출발지에서 정류장까지 2분, 대기시간 5분, 정류장에서 목적지까지 2분이다. 버스요금 250원, 버스 통행속도 30km/h이며, 버스정류장 간 거리는 4km이다. 승용차 이용자의 경우 주차비 1,000원, 통행료 200원, 주행비 1km당 50원, 속도 40km/h일 때, 각각 이용자의 일반화 비용(general cost)을 산출하시오.(도로 이용자의 시간가치는 3,000원)

해설

분당 시간가치$=\dfrac{3,000}{60}=50$원/분

버스이용자 general cost

$(2\times50)+(5\times50)+(2\times50)+250+(\dfrac{4\times60\times50}{30})=1,100$원

승용차이용자 general cost

$1,000+200+(50\times5)+(\dfrac{5\times60\times50}{40})=1,825$원

---

29 아래와 같은 효용함수를 일반적으로 시간가치는 시간의 파라미터를 비용의 파라미터로 나누면 (α/β)를 구할 수 있다고 한다. 이를 증명하시오.

$U=\alpha IVTT+\beta COST$(서비스함수)

해설

각각 편미분하면, $\dfrac{\partial U}{\partial IVTT}=\alpha$ $\dfrac{\partial U}{\partial COST}=\beta$

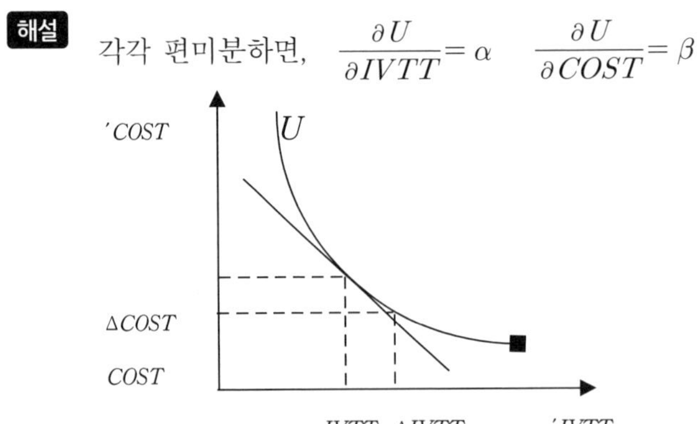

효용이 같기 때문에, $\frac{\partial U}{\partial IVTT} \cdot IVTT = \frac{\partial U}{\partial COST} \cdot COST$

$$\frac{COST}{IVTT} = \frac{\frac{\partial U}{\partial IVTT}}{\frac{\partial U}{\partial COST}} = \frac{\alpha}{\beta}$$

---

30 로짓모형 U=−0.0005X_1 −0.0007X_2일 경우 (X_1 : 비용, X_2 : 시간, 택시비용 2,000원, 시간 20분, 버스비용 340원, 시간 35분)일 경우 택시를 이용할 확률을 산출하시오.

해설 $U_t = -0.0005 \times 2000 - 0.0007 \times 20 = -1.014$

$U_b = -0.0005 \times 340 - 0.0007 \times 35 = -0.1945$

$$P_t = \frac{e^{-1.014}}{e^{-1.014} + e^{-0.1945}} = 0.3$$

---

31 버스와 지하철의 선택확률을 산출하시오. 효용함수는 다음과 같다.

$U_B = -0.04\,T_B - 0.1X_B - 0.0036\,C_B \quad U_S = 0.7 - 0.04\,T_S - 0.1X_S - 0.0036\,C_S$

	버스	지하철
차내통행시간(T)	30	20
차외통행시간(X)	5	10
비용(C)	170	250

해설 $U_B = -0.04\,T_B - 0.1X_B - 0.0036\,C_B$

$= -(0.04 \times 30) - (0.1 \times 5) - (0.0036 \times 170) = -2.31$

$U_S = 0.7 - 0.04\,T_S - 0.1X_S - 0.0036\,C_S$

$= 0.7 - (0.04 \times 20) - (0.1 \times 10) - (0.0036 \times 250) = -2$

$e^{U_b} = e^{-2.31} = 0.1 \qquad e^{U_s} = e^{-2} = 0.14 \qquad \sum e^{U_i} = 0.24$

$$\text{대안별 선택확률}(Pi) = \frac{e^{Ui}}{\sum e^{Ui}}$$

$$P_b = \frac{e^{U_b}}{\sum e^{Ui}} = \frac{0.10}{0.24} = 0.42$$

$$P_s = \frac{e^{U_s}}{\sum e^{Ui}} = \frac{0.14}{0.24} = 0.58$$

---

32 어느 도시통행에서 승용차와 버스 두 수단만 있다. 승용차의 효용함수 (U_c)=−0.52, 버스의 효용함수(U_b)=−0.95이다. 어떤 통행자가 버스를 통행할 확률을 산출하시오.

해설 $e^{U_c} = e^{-0.52} = 0.59, \quad e^{U_b} = e^{0.95} = 0.39 \quad \therefore \sum e^{Ui} = 0.98$

$$\text{대안별 선택확률}(P_i) = \frac{e^{Ui}}{\sum e^{Ui}}$$

$$P_b = \frac{e^{U_b}}{\sum e^{U_i}} = \frac{e^{U_b}}{e^{U_c} + e^{U_b}} = \frac{e^{-0.95}}{e^{-0.95} + e^{-0.52}} = 0.4$$

---

33 버스(B)와 지하철(S) 간의 선택행태를 분석하고자 자료를 수집하여 계산한 결과 U_B(버스의 효용함수)는 −0.18, U_S(지하철의 효용함수)는 −1.15가 산출되었다. Logit 모형을 이용하여 각 교통수단의 선택할 확률을 산출하시오.

해설 $$P_B = \frac{e^{U_B}}{e^{U_B} + e^{U_S}} = \frac{0.835}{0.835 + 0.317} = \frac{e^{-0.18}}{e^{-0.18} + e^{-1.15}} = 0.72$$

$$P_S = \frac{e^{U_S}}{e^{U_{B+}} e^{U_S}} = \frac{0.317}{0.835+0.317} = \frac{e^{-0.18}}{e^{-0.18}+e^{-1.15}} = 0.28$$

$$\therefore\ P_B = 72\%,\ P_S = 28\%$$

---

34 지하철, 버스, 택시의 효용함수가 각 −0.47, −0.98, −0.88일 경우 Logit Model을 이용하여 수단별 선택확률을 산출하시오.

해설

$$P_s = \frac{e^{-0.47}}{e^{-0.47}+e^{-0.98}+e^{-0.52}} = 0.44$$

$$P_b = \frac{e^{-0.98}}{e^{-0.47}+e^{-0.98}+e^{-0.52}} = 0.26$$

$$P_t = \frac{e^{-0.88}}{e^{-0.47}+e^{-0.98}+e^{-0.52}} = 0.29$$

$$\therefore\ P_s = 44\%,\ P_b = 26\%,\ P_t = 29\%$$

---

35 각 수단별 선택할 확률을 산출하시오. 이때 효용함수 $U = -0.04T - (0.12/D) \cdot X$ 이다. 로짓모형을 이용하여 대안별 선택확률을 산출하시오.

변수	지하철	버스	택시
차내통행시간(T)	20분	40분	10분
차외통행시간(X)	10분	8분	5분
거리(D)	15km	15km	15km

해설 효용함수$(U) = -0.04T - (0.12/D)X$

$$U_s = -0.04 \times 20 - (0.12/15) \times 10 = -0.88$$

$$U_b = -0.04 \times 40 - (0.12/15) \times 8 = -1.664$$

$$U_t = -0.04 \times 10 - (0.12/15) \times 5 = -0.44$$

$$e^{U_s} = e^{-0.88} = 0.41,\ e^{U_b} = e^{-1.664} = 0.19,\ e^{U_t} = e^{-0.44} = 0.64$$

$\therefore \sum e^{U_i} = 1.24$

대안별 선택확률$(Pi) = \dfrac{e^{U_i}}{\sum e^{U_i}}$

$P_s = \dfrac{e^{U_s}}{\sum e^{U_i}} = \dfrac{0.41}{1.24} = 0.33$

$P_b = \dfrac{e^{U_b}}{\sum e^{U_i}} = \dfrac{0.19}{1.24} = 0.15$

$P_t = \dfrac{e^{U_t}}{\sum e^{U}} = \dfrac{0.64}{1.24} \equiv 0.52$

---

36 교통수단 K에 대하여 다음과 같은 Utility 함수와 속성이 주어져있다. 1일 총 통행량이 40,000명일 때 Logit Model을 사용하여 수단별 통행량을 산정하고 지하철요금이 2배로 인상되었을 때 지하철 수입변화를 구하시오.

$U_K = \alpha_K - 0.25X_1 - 0.04X_2 - 0.02X_3 - 0.002X_4$

(X_1: 접근시간(분), X_2: 대기시간(분), X_3: 주행시간(분), X_4: 요금(원)
$\alpha_{승용차} = -0.15$, $\alpha_{버스} = 0.50$, $\alpha_{지하철} = -0.45$)

속성	X_1	X_2	X_3	X_4
승용차	0	0	20	100
버스	7	15	40	50
지하철	10	5	30	75

해설 • **수단별 효용**

$U_a = -0.15 - (0.02 \times 20) - (0.002 \times 100) = -0.75$

$U_b = 0.5 - (0.25 \times 7) - (0.04 \times 15) - (0.02 \times 40) - (0.002 \times 50) = -2.75$

$U_s = -0.45 - (0.25 \times 10) - (0.04 \times 5) - (0.02 \times 30) - (0.002 \times 75) = -3.9$

$e^{U_a} = e^{-0.75} = 0.4724$, $e^{U_b} = e^{-2.75} = 0.0639$, $e^{U_s} = e^{-3.9} = 0.0202$

$\therefore \sum e^{U_i} = 0.5565$

• **수단별 선택확률**

$$P_a = \frac{e^{U_a}}{\sum e^{Ui}} = \frac{0.4724}{0.5565} = 0.8488$$

$$P_b = \frac{e^{U_b}}{\sum e^{Ui}} = \frac{0.0639}{0.5565} = 0.1149$$

$$P_s = \frac{e^{U_s}}{\sum e^{Ui}} = \frac{0.0202}{0.5565} = 0.0363$$

• **수단별 통행량**

$T_a = 0.8488 \times 40{,}000 = 33{,}952$

$T_b = 0.1149 \times 40{,}000 = 4{,}596$

$T_s = 0.0363 \times 40{,}000 = 1{,}452$

여기서, 지하철요금이 2배로 인상 되었을 때

$U_s = -0.45 - (0.25 \times 10) - (0.04 \times 5) - (0.02 \times 30) - (0.002 \times 150) = -4.05$

$e^{U_a} = e^{-0.75} = 0.4724$, $e^{U_b} = e^{-2.75} = 0.0639$, $e^{U_s} = e^{-4.05} = 0.0174$

$\therefore \sum e^{U_i} = 0.5537$

• **수단별 선택확률**

$$P_a = \frac{e^{U_a}}{\sum e^{Ui}} = \frac{0.4724}{0.5537} = 0.8532$$

$$P_b = \frac{e^{U_b}}{\sum e^{Ui}} = \frac{0.0639}{0.5537} = 0.1154$$

$$P_s = \frac{e^{U_s}}{\sum e^{Ui}} = \frac{0.0174}{0.5537} = 0.0314$$

• **수단별 통행량**

$T_a = 0.8532 \times 40{,}000 = 34{,}128$

$T_b = 0.1154 \times 40{,}000 = 4{,}616$

$T_s = 0.0314 \times 40{,}000 = 1{,}256$

• **지하철요금 수입 변화**

75원일 때 $75 \times 1,452 = 108,900$원

150원일 때 $150 \times 1,452 = 188,400$원

∴ 지하철요금을 2배로 인상하면, 지하철수입은 79,500원 증대

---

37 인구 100만인 도시의 사람통행실태조사(PT survey)를 실시하였다. 1일발생량을 승용차로 수송할 경우 승용차 trip수를 산출하시오.

① 표본수 : 5%
② 평균통행발생원단위 : 2.0 trip/인
③ 승용차 평균승차인원 : 2.0인/대세대수

해설 $\dfrac{1,000,000\text{인} \times 0.05 \times 2(trip/\text{인})}{2(\text{인}/\text{대})} = 50,000\ trip$

---

38 어느 시에서 새로운 아파트단지의 건설계획을 수립 중에 있다. 아파트건설 후 단지주변가로망에 얼마만큼의 교통량이 나타날지 궁금하여 귀하에게 교통유발량을 추정 의뢰하였다고 하자. 아래 자료를 토대로 주변 가로망에 부하될 차량통행량과 첨두시 1시간 교통량을 산출하시오.

인구1인당 통행횟수 : 1.7회	버스평균재차인원 : 45인
세대수 : 1,000세대	자가용분담률 : 25%
가구당 인구 : 4인	택시분담률 : 10%
피크시 1시간 집중률=13%	버스분담률 : 35%
자가용 평균재차인원=1.3인	지하철분담률 : 30%
택시 평균재차인원=1.8인	버스의 승용차환산계수 : 2

해설 1,000세대×4인/가구×1.7회/인=6,800통행

각 수단별 분담률 : 자가용 6,800×0.25=1,700

택시 6,800×0.1=680

버스 6,800×0.35=2,380

지하철 6,800×0.3=2,040

차량대수 : 자가용 1,700/1.3인=1,308

택시 680/1.8인=378

버스 2,380/45인=53

∴ 총 통행량=1308+378+(53×2)=1,792대

∴ 첨두시 1시간 교통량=1792대×0.13=233대

---

39 아래 제시된 자료를 토대로 이 지역의 발생될 차량통행량과 첨두시 1시간 교통량을 계산하시오.

인구1인당 평균통행량 : 1.8 trip	버스평균재차인원 : 45인
세대수 : 1,000세대	자가용분담률 : 35%
가구당인구 : 3.5인/가구	택시분담률 : 10%
가구당 자가용 보유대수 : 0.4대	버스분담률 : 20%
피크시 1시간집중률=65%	지하철분담률 : 35%
자가용평균재차인원=1.2인	버스의 승용차환산계수 : 2
택시평균재차인원=1.9인	

해설 1,000세대×3.5인/가구×1.8회/인=6,300통행

각 수단별 분담률 : 자가용 6,300×0.35=2,205통행

택시 6,300×0.1=6,300통행

버스 6,300×0.2=1,260통행

지하철 6,300×0.35=2,205통행

차량대수 : 자가용 2,205/1.2인=1,838대

택시 630/1.9인=332대

버스 1,260/45인=28대

∴ 총 통행량=539+156+(28×2)=2,226대

∴ 첨두시 1시간 교통량=2,226대×0.65=1,447대

40 다음은 기종점 간 관측통행량과 예측통행량을 비교한 자료이다. 관측치와 예측치에 대한 RMSE를 산출하시오.

관측통행량/예측통행량

O/D	1	2
1	782/694	1,125/1,075
2	325/310	695/650
3	1,300/1,290	1,050/995

해설

$$\sqrt{\frac{(782-694)^2+(1125-1075)^2+(325-310)^2+(695-650)^2+(1300-1290)^2+(1050-995)^2}{6}}$$

$= 51.021$

【참고】

$$\text{RMSE(Root Means Square Error)} = \sqrt{\frac{\Sigma(f_i^{est}-f_i^{obs})^2}{N}}$$

f_i^{est} : 링크 i의 배정교통량

f_i^{obs} : 링크 i의 관측교통량

N : 링크수

41 지하철요금이 1,000원일 때 수요가 10,000명이라면 요금이 1,100원으로 인상될 경우의 수요를 산정하시오.(단, 수요의 탄력성은 −0.3으로 가정하시오)

해설

$$\text{수요탄력성} = \frac{\text{수요변화율}}{\text{가격변화율}} = \frac{\frac{\Delta V}{V}}{\frac{\Delta P}{P}} = \frac{\Delta V}{\Delta P} \cdot \frac{P}{V}$$

$$-0.3 = \frac{\frac{\Delta V}{10,000}}{\frac{100}{1,000}} \Rightarrow \frac{\Delta V}{1,000} = -0.3 \Rightarrow \Delta V = -300$$

∴ 지하철요금이 100원으로 인상될 경우 지하철수요는 10,000−300=9,700명 감소한다.

【참고】 수요탄력성이란 어떤 재화나 서비스 가격 변화에 대한 수요의 변화를 의미한다.

---

42 V_1=1,200−2P_1+7P_2와 같은 수요모형에 대해 물음에 답하여라.

V_1 : 택시의 수요	P_1, P_2 : 택시, 지하철의 가격

(1) P_1이 1,000원이고 P_2가 250원일 때 택시의 수요는 얼마인가?

해설 $V_1 = 1,200 - (2 \times 1,000) + (7 \times 250) = 950$대

(2) 지하철요금에 대한 택시수요의 탄력성은 얼마인가?

해설 $= \frac{\Delta V_1}{\Delta P_2} \times \frac{P_2}{V_1} = \frac{7P_2}{1,200 - 2P_1 + 7P_2} = \frac{7 \times 250}{950} = 1.84$

(3) 택시요금에 대한 택시수요의 탄력성은 얼마인가?

해설 위 (2)번 문제와 같은 방법으로 V_1을 P_1에 대해 미분하면 −2가 된다.

$= \frac{\Delta V_1}{\Delta P_1} \times \frac{P_1}{V_1} = \frac{-2P_1}{1,200 - 2P_1 + 7P_2} = \frac{-2 \times 1,000}{950} = -2.1$

(4) 가격이 300원으로 인상되었을 때 택시의 수요는 얼마인가?

해설 지하철 가격이 20%가 인상되었으므로 택시의 수요는 20×(1.84)=36.8%가 증가한다. 가격인상 후 택시의 수요는 950(1+0.368)=1,300이 된다.

43 $V_1 = 10 - 7P_1 + 4P_2$와 같은 수요모형이 있다고 가정하자. 여기서 V와 P의 1과 2는 교통수단을 나타내는 부호로서 1은 택시, 2를 지하철이라고 하자. P_1은 일반화된 통행비용이다. 여기서 지하철의 통행비용에 대한 택시의 승객수요의 교차탄력성을 산출하시오.

해설

$$V_1 = 10 - 7P_1 + 4P_2, \quad \frac{\Delta V_1}{\Delta P_2} = 4$$

$$\mu = \frac{\Delta V_1}{\Delta P_2} \cdot \frac{P_2}{V_1} = \frac{4P_2}{(10 - 7P_1 + 4P_2)}$$

【참고】

$$\mu\,(\text{교차탄력성}) = \frac{\dfrac{\Delta V}{V_0}}{\dfrac{\Delta P}{P_0}} = \frac{\Delta V}{\Delta P} \cdot \frac{P_0}{V_0}\ (\text{가격변화분에 수요변화분})$$

ΔV_1은 V_1을 P_2에 편미분한 값으로 나머지는 상수로 없어지고 $4P_2$는 4가 된다.

- **탄력성의 특성**

직접탄력성		교차탄력성	
산출결과	의미	산출결과	의미
$\eta > 1$	탄력	$\eta_{xy} > 1$	x, y는 경쟁관계
$\eta = 1$	단위 탄력	$\eta_{xy} = 0$	x, y는 독립
$\eta < 1$	비탄력	$\eta_{xy} < 1$	x, y는 보완관계

$$\eta_{xx} = \frac{\Delta Q_x}{\Delta P_x}, \qquad \eta_{xy} = \frac{\Delta Q_y}{\Delta P_x}$$

η_{xx} = 직접탄력성

η_{xy} = 간접탄력성

Q_x, Q_y = x, y의 수요량

P_x = x의 가격

44 지하철공사의 경험에 의하면 그림과 같은 지하철요금과 승객수요 간의 관계가 도출된다고 한다. 이와 같은 관계를 이용하여 수요탄력성을 산출하시오.

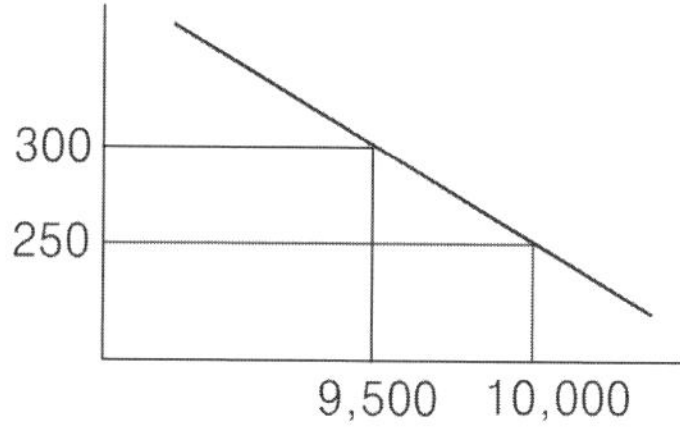

해설

$$\mu = (\frac{\Delta V}{\Delta P} \cdot \frac{P_0}{V_0})$$

$$\mu_1 = (\frac{10,000-9,500}{250-300}) \cdot \frac{250}{10,000} = -0.25$$

$$\mu_2 = (\frac{9,500-10,000}{300-250}) \cdot \frac{300}{9,500} = -0.315$$

45 버스요금과 승객수요 간의 관계를 다음 그래프와 같이 나타난다고 할 때 수요탄력성을 산출하시오. 또한 버스요금이 500원으로 인상되는 경우 승객수요를 산출하시오.

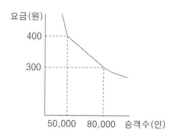

해설

$$\mu = (\frac{\Delta V}{\Delta P} \cdot \frac{P_0}{V_0}) \quad P_0 = 300,\ V_0 = 80,000,\ \Delta P = (300-400) = -100$$

$$\Delta V = (80,000-50,000) = 30,000$$

$$\mu = (\frac{80,000-50,000}{300-400} \times \frac{300}{80,000}) = -1.125$$

• **버스요금이 500원으로 인상될 경우**

$\Delta V = \mu \times \Delta P \times \frac{V_0}{P_0}$ =이므로

$$-1.125 \times (500-400) \times \frac{50,000}{400} = -14,063$$

∴ 수요는 50,000−14,063=35,937(인)

---

46 비용 1% 증가하면 수요는 2%는 감소하는 비용(P)과 수요(Q)의 관계 곡선을 참고로 할 때 비용(P)이 1,000원에서 1,050원으로 증가하였을 경우 수요(Q)는 100,000명에서 얼마만큼 변하는가?

해설

$$\mu = (\frac{\Delta Q}{\Delta P} \cdot \frac{P_0}{Q_0}) = \frac{-2\%}{1\%} = -2$$

$\Delta Q = \mu \times \Delta P \times \frac{Q_0}{P_0}$ 이므로

$$-2 \times (1,050-1,000) \times \frac{100,000}{1,000} = -10,000(\text{인})$$

∴ 수요는 10,000(인) 감소하여 90,000(인)

---

47 다음과 같은 수요함수가 있을 때 다음을 답하여라.

$V = 100 \times P^{-0.5}$

(1) P=0.25일 때 수요를 산출하시오.

해설 $V = 100 \times 0.25^{-0.5} = 200$

(2) 위의 식에서 탄력성을 산출하시오.

해설

$$\mu = \frac{\Delta V}{\Delta P} \times \frac{P}{V} = -0.5$$

(3) 가격이 20%가 증가하는 경우에 수요는 얼마만큼 변하는가?

해설 $\Delta V = -0.5 \times 20 = -10$이 변한다.(10%가 감소한다)

∴ 수요는 $200 \times 0.9 = 180$이 된다.

---

48 요금과 수요에 대하여 조사하여 $V_1 = 100P_1^{-0.2} \cdot P_2^{0.5}$($V_1$: 택시의 수요, P_1, P_2 : 택시, 지하철의 가격)와 같은 결과가 나왔다.

(1) 택시요금에 대한 택시수요의 탄력성을 산출하시오.

해설

$$\mu = \frac{\Delta V}{\Delta P} \times \frac{P}{V} = -0.2$$

(2) 지하철요금에 대한 택시수요의 탄력성을 산출하시오.

해설

$$\mu = \frac{\Delta V}{\Delta P} \times \frac{P}{V} = 0.5$$

(3) 택시요금이 1,000원, 지하철요금이 250원일 때 지하철요금이 300원으로 인상된다면 택시수요를 산출하시오.

해설 $V_1 = 100 \cdot 1{,}000^{-0.2} \cdot 250^{0.5} = 397$대

지하철의 수요탄력성 $\mu = 0.5$이고, $\frac{\Delta P}{P_2} = \frac{(300-250)}{250} = 0.2$이므로

지하철요금이 20% 증가되고 택시수요는 $\frac{\Delta V}{V_1} = \mu \times \frac{\Delta P}{P_2} = 0.5 \times 20\% = 10\%$ 증가한다.

∴ 새로운 택시수요는 $397 \times (1+0.1) = 437$대

2 교통계획 평가방법

1 초기년도 기준으로 순현재가치(NPV)를 계산하여라.(할인율은 7.5%)

	초기	1년 후	2년 후	3년 후	4년 후	5년 후
비용	1000억원					
편익		100억원	200억원	300억원	400억원	500억원

해설

$$NPV = -1,000 + \frac{100}{(1+0.075)} + \frac{200}{(1+0.075)^2} + \frac{300}{(1+0.075)^3}$$

$$+ \frac{400}{(1+0.075)^4} + \frac{500}{(1+0.075)^5} = 155.377\text{억 원}$$

2 현재 100만원 이자율 10%인 경우, 1년 후에 110만원이 된다. 1년 후에 100만원이 필요하다면 현재 얼마를 투자하면 되는가?

해설 투자액을 X라 하면 $X(1+0.1)=100$만원

$$X = \frac{1,000,000}{(1+0.1)} = 909,091\text{원}$$

즉, 909,901원이 1년 후 100만원의 현재가치이다.

3 어떤 교통관련 사업을 실시한 결과 초기년도에 총 1,000만원의 비용이 소요되고 완공 후 5년간 연차적으로 다음과 같은 편익이 발생한다고 할 때 순현재가치를 산정하시오. 할인율을 13%로 가정한다.(단위 : 원)

연수	1	2	3	4	5
편익	6,000,000	5,000,000	4,000,000	3,000,000	2,000,000

해설

$$NPV = -10,000,000 + \frac{6,000,000}{1.13} + \frac{5,000,000}{(1.13)^2} + \frac{4,000,000}{(1.13)^3}$$

$$+ \frac{3,000,000}{(1.13)^4} + \frac{2,000,000}{(1.04)^5} = 4,923,145\text{원}$$

4 다음 표와 같이 편익과 비용이 발생하였다면 과연 이 도로건설 사업은 타당성이 있는가를 분석하시오.(단, 할인율은 10%)

내역	연도					
	0	1	2	3	4	5
건설비	−1.0					
총수입−운영비 및 관리비		+0.3	+0.3	+0.3	+0.3	
재포장공사						−0.3
도로주변 대지 매각						+0.1
합계	−1.0	+0.3	+0.3	+0.3	+0.3	−0.2

해설 여기서는 순현재가치로 타당성을 분석한다.

$$NPV = -1.0 + \frac{0.3}{(1+0.1)} + \frac{0.3}{(1+0.1)^2} + \frac{0.3}{(1+0.1)^3} + \frac{0.3}{(1+0.1)^4} - \frac{0.2}{(1+0.1)^5}$$

$$= -0.1732 < 0$$

∴ 따라서 이 도로건설 사업은 타당성이 없다고 할 수 있다.

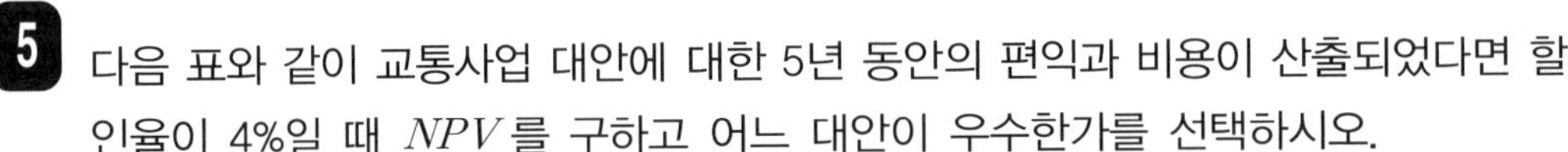

5 다음 표와 같이 교통사업 대안에 대한 5년 동안의 편익과 비용이 산출되었다면 할인율이 4%일 때 NPV를 구하고 어느 대안이 우수한가를 선택하시오.

(단위 : 백만원)

연수	0	1	2	3	4	5
대안 Ⅰ	−10	5	4	3	2	1
대안 Ⅱ	−10	−5	6	6	6	6

해설

$$NPV_I = -10 + \frac{5}{1.04} + \frac{4}{(1.04)^2} + \frac{3}{(1.04)^3} + \frac{2}{(1.04)^4} + \frac{1}{(1.04)^5} = 3.70\text{백만원}$$

$$NPV_{\text{II}} = -10 - \frac{5}{1.04} + \frac{6}{(1.04)^2} + \frac{6}{(1.04)^3} + \frac{6}{(1.04)^4} + \frac{6}{(1.04)^5} = 6.13\text{백만원}$$

∴ 대안Ⅱ를 선택한다.

6 어떤 교통관련 사업을 실시한 결과 초기년도에 총 1억 4천만원의 비용이 소요되고 완공 후 5년간 연차적으로 다음과 같은 편익이 발생한다고 할 때 순현재가치를 산정하시오. 할인율을 11.5%로 가정한다.(백만원 단위까지 계산하시오)

1차년도 편익비 6천 4백만원	2차년도 편익비 5천 8백만원
3차년도 편익비 4천 4백만원	4차년도 편익비 3천 9백만원
5차년도 편익비 3천 2백만원	

해설

$$NPV = -14 + \frac{6.4}{(1+0.115)} + \frac{5.8}{(1+0.115)^2} + \frac{4.4}{(1+0.115)^3}$$

$$+ \frac{3.9}{(1+0.115)^4} + \frac{3.2}{(1+0.115)^5} = 3.96\text{천만원}$$

7 시간당 교통량과 비용의 변화에 따른 소비자 잉여를 산출하시오.(교통량: Q_1 =3,000, Q_2=3,200, 비용 C_1=2,000, C_2=1,900)

해설

$$UB = \frac{1}{2}(Q_1 + Q_2)(C_1 - C_2) = \frac{1}{2}(3{,}000 + 3{,}200)(2{,}000 - 1{,}900)$$
$$= 310{,}000 \text{ 대 · 원/시간}$$

【참고】 소비자가 높은 가격을 지불하고라도 얻고 싶은 재화를 그보다 낮은 가격으로 구매한 경우 얻는 복지 또는 잉여 만족의 개념이다. 즉, 소비자가 그 재화 없이 지내는 것보다는 그것을 얻기 위해 기꺼이 지불할 용의가 있는 가격이 그가 실제로 지불하는 가격을 초과하는 부분을 말한다.

고정된 수요곡선의 단일구간일 경우 어느 구간에 어떤 교통수단을 이용하는 기종점 쌍이 있다고 하면, 이 구간의 개선되기 전의 통행비용을 C_1, 개선 후의 통행비용을 C_2라고 하면 개선 후의 이 구간의 통행량이 Q_1에서 Q_2로 증가하게 된다. 소비자잉여의 증가분은 편익이 된다. 수요곡선이 선형이므로 이용자 편익은 다음 식과 그래프로 표현된다.

$$UB = \frac{1}{2}(Q_1 + Q_2)(C_1 - C_2)$$

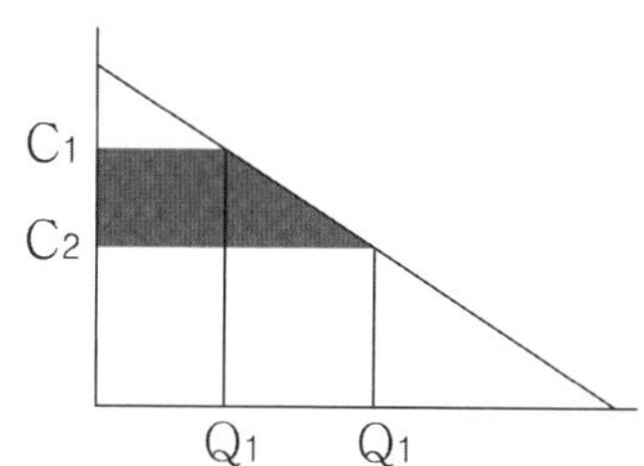

UB : 도로 개선으로 인한 편익

8 비용과 시간당 교통량 관계식이 $C = 5{,}000 - 0.1Q$이고, 비용이 1,000원에서 500원으로 인하 될 때 소비자 잉여를 산출하시오.

해설 $C = 5,000 - 0.1Q$을 $C_1 = 1,000$, $C_2 = 500$로 대입하면

$Q_1 = 40,000$, $Q_2 = 45,000$이므로

$$UB = \frac{1}{2}(Q_1 + Q_2)(C_1 - C_2) = \frac{1}{2}(40,000 + 4,500)(1,000 - 500)$$

$= 21,250,000$ 대 · 원/시간

3 대중교통 및 주차

1 평균운행속도가 40km/h로서 15km의 노선을 운행하는 버스가 40명을 최대로 나를 수 있다. 시간당 최대승객수를 산출하시오.(단, 배차간격은 5분)

해설

$$Q = \frac{60nP}{h} = \frac{60 \times 1 \times 40}{5} = 480\text{명/시간}(\text{버스의 대수에 상관없는 경우})$$

【참고】 • **수송인원 산정식**

– 차량의 규모에 제약을 받지 않는 경우

$$Q = \frac{60nP}{h} \Rightarrow \text{승객수} = 60 \times \text{객차수} \times \frac{\text{객차당승객수}}{\text{배차간격}}$$

– 차량의 규모에 제약을 받는 경우

$$Q = \frac{NVP}{2L} \Rightarrow \text{총차량대수}$$

$$= \frac{\text{차량규모} \times \text{평균운행속도} \times \text{차량당승객수}}{2 \times \text{노선길이}}$$

• **노선에 필요한 차량수**

$$n = \frac{120 \cdot N \cdot L}{h \cdot v} \Rightarrow \text{총차량대수}$$

$$= \frac{120 \times \text{객차수} \times \text{노선의길이}}{\text{배차간격} \times \text{평균운행속도}}$$

2 평균속도가 30km/h, 20km 노선을 운행하는 버스가 40명을 최대로 수송, 만약 버스회사가 10대의 버스만 보유하고 있다면 시간당 수송 가능한 승객수를 산출하시오.

해설 $$Q=\frac{P\cdot V\cdot N}{2L}=\frac{40\times30\times10}{2\times20}=300\text{명/시간}$$

3 평균속도가 30km/h로서 15km의 노선을 운행하는 버스가 50명을 최대로 나를 수 있다. 만약 버스회사가 10대의 버스만 보유하고 있다면 승객수를 산출하시오.

해설 $$Q=\frac{P\cdot V\cdot N}{2L}=\frac{50\times30\times10}{2\times15}=500\text{명/시간}$$

4 평균운행속도 60km/h로서 30km의 노선을 운행하는 버스가 50명을 최대로 실어 나를 수 있다. 이때 배차간격이 5분이라면 필요한 차량대수를 산출하시오.

해설 $$n=\frac{120\cdot N\cdot L}{h\cdot v}=\frac{120\times1\times30}{5\times60}=12\text{대}$$

5 어느 버스노선의 길이가 편도 35km이고 평균운행속도가 18km/h이면 5분 간격으로 배차시키기 위해서는 최소 몇 대의 차량이 준비되어야 하는가?(소수점 이하는 반올림하시오)

해설 $n=\frac{120\cdot N\cdot L}{h\cdot v}=\frac{120\times1\times35}{5\times18}=47$대

---

6 평균운행속도는 26km/h로서 16km의 노선을 운행하는 버스가 50명을 최대로 나를 수 있다. 배차간격이 7분이면, 필요한 차량규모를 산출하시오.

해설 $n=\frac{120\cdot N\cdot L}{h\cdot v}=\frac{120\times1\times16}{7\times26}=11$대

---

7 노선길이 30㎞, 배차간격 3분, 속도 40㎞/h, 평균재차율 40명일 경우 시간당 최대수송인원과 버스대수를 산출하시오.

해설 $Q=\frac{60nP}{h}=\frac{60\times1\times40}{3}=800$명/시간

$n=\frac{120\cdot N\cdot L}{h\cdot v}=\frac{120\times1\times30}{3\times40}=30$대

---

8 다음의 조건에서 지하철의 적정 배차간격을 산출하시오.

> ① 지하철 이용수요 = 51,200 인/시
> ② 지하철혼잡률 = 200%
> ③ 지하철 한 량의 승객용량 = 160인/량, 지하철은 모두 8량으로 구성

해설 $\text{혼잡률}(\%)=\frac{\text{차량당 재차인원}}{\text{차량의 용량}}\times100$

혼잡률 200%는 차량당 재차인원의 2배를 뜻한다.

$h=\frac{60nP}{Q}=\frac{60\times8\times320}{51200}=3$분

9 10량으로 구성된 지하철이 5분 간격으로 운행되며 한량 당 250명의 승객이 탈 수 있다. 하루 이용인원이 100,000명이며 첨두시간 집중률이 17%일 때 첨두시간의 지하철 이용률을 산출하시오.

해설 1시간당 가능 이용객수=10량×250명×12=30,000명/시간

첨두시간 이용객수=100,000×0.17=17,000명

지하철 이용률=(17,000/30,000)×100=56.7%

10 다음 표를 보고 물음에 답하시오.(단위 : 만인)

KM	사람(승객)
0 ~ 10	200
10 ~ 20	180
20 ~ 40	160
40 ~ 100	140

(1) 총승객-km는?

해설 $(200 \times 5) + (15 \times 180) + (30 \times 160) + (70 \times 140) = 18,300\text{만} - km$

(2) 평균운행거리는?

해설 $\frac{183,000\text{만} - km}{680\text{만}} = 26.91km$

11 어느 버스노선의 총운행시간이 1시간이고, 총노선거리가 25km/h일 때 평균운행속도를 산출하시오.

해설 $$평균운행속도 = \frac{총주행거리}{총운행시간} = \frac{25 \times 60}{60} = 25km/h$$

---

12 다음과 같이 운행하는 버스노선에 대해서 총 운행거리, 최소필요대수, 운행당 km당 승객수를 산출하시오.

> 노선거리 : 왕복 30km, 노선운행회수 : 6회, 첨두시 배차간격 : 5분
> 총수송인 : 600인, 운행시간 : 120분

해설 · 총 운행거리=노선거리 × 노선운행회수 $= 30 \times 6 = 180km$

· $최소필요버스대수 = \frac{운행시간}{피크시배차간격} = \frac{120}{5} = 24대$

· $운행당\ km당\ 승객수 = \frac{총수송인}{총운행거리} = \frac{600}{180} = 3.3명/km$

---

13 주차효율이 0.8, 주차발생량 1,000㎡당 5대, 계획건물연면적 3,000㎡일 경우 주차수요를 산출하시오.

해설 $$P = \frac{U \cdot F}{1,000 \cdot e} = \frac{5 \times 3,000}{1,000 \times 0.8} = 18.75 ≒ 19대$$

【참고】

$$P = \frac{U \times F}{1,000 \times e}$$

P : 주차수요(대)

U : 피크시건물연면적1000㎡당 주차발생량(대/1000㎡)

F : 계획건물상면적(㎡)

e : 주차이용효율계수

14 시내 백화점들의 주차특성을 조사한 결과 주차발생원 단위가 5.24(대/1000㎡/h) 주차이용효율이 80%, 신축 후 주차대수의 연평균증가율이 5%도 나타났다. 신축예정인 어느 백화점의 건물연면적이 45,000㎡일 때 목표연도(5년 후)의 주차수요를 원단위법에 의해 산출하여라.

해설

$$P = \frac{U \cdot F}{1,000 \cdot e} = \frac{5.24 \times 45000}{1000 \times 0.8} = 294.75$$

5년 후 주차수요 $= 294.75(1+0.05)^5 = 376.18 \fallingdotseq 377$대

15 시내 백화점들의 주차특성을 조사한 결과 주차발생 원단위가 4.72대/1,000㎡/시, 주차이용효율이 80.5%, 신축 후 주차대수의 연평균 증가율이 3%로 나타났다. 신축 예정인 어느 백화점의 건물연면적(상면적)이 22,350㎡일 때 목표연도(3년 후)의 주차수요를 원단위법에 의해 산출하여라.

해설

$$P = \frac{U \cdot F}{1,000 \cdot e} = \frac{4.72 \times 22,350}{1,000 \times 0.805} = 130.05$$

3년 후 주차수요 $= 130.05(1+0.03)^3 = 143.20 \fallingdotseq 144$대

16 시내 백화점의 주차특성을 조사한 결과 주차장발생 원단위가 4.5(대/1,000㎡/시), 주차이용효율이 80.5%, 신축 후 주차대수의 연평균 증가율이 4%로 나타났다. 신축예정인 어느 백화점의 건물 연면적 14,000㎡일 때 목표연도(5년 후)의 주차수요를 원단위법으로 산출하시오.

해설

$$P = \frac{U \cdot F}{1,000 \cdot e} = \frac{4.5 \times 14,000}{1,000 \times 0.805} = 78.26$$

5년 후 주차수요 $= 78.26(1+0.04)^5 = 96.70 \fallingdotseq 97$대

17

시내스포츠센터들의 주차특성을 회귀분석을 이용하여 원단위를 조사한 결과 다음과 같은 결과가 나왔다. 새로 신축하는 건물이 수영장 8,000㎡, 체력단력장 2,000㎡, 볼링장 4,000㎡, 기타오락시설 2,000㎡일 때 주차발생량을 산출하시오.(단위 : 연면적 1,000㎡)

용도	수영장	체력단력장	볼링장	기타오락시설	content
원단위	4.24	3.27	7.41	2.54	17.5

해설 총주차대수=17.5+(4.24×8.0)+(3.27×2.0)+(7.41×4.0)+(2.54×2.0)=92.68

∴ 93대

【참고】• 건물연면적 원단위법

$Y = a_0 + a_1 X_1 + a_2 X_2 + ... + a_i X_i$

Y : 총주차대수

ai : i 용도별연면적원단위(파라미터)

X_i : 용도별연면적

18

도심지의 어느 한 주차장의 이용형태를 10시간동안 조사하였더니 첨두시간 교통량 34대, 10시간 총 교통량은 150대, 주차장 효율계수는 0.85를 나타냈다.

조사시간	주차대수	조사시간	주차대수
08:00~09:00	4	01:00~02:00	45
09:00~10:00	10	02:00~03:00	35
10:00~11:00	20	03:00~04:00	22
11:00~12:00	30	04:00~05:00	14
12:00~01:00	42	05:00~06:00	3

(1) 첨두시간대를 산출하시오.

해설 01:00~02:00

(2) 주차부하를 산출하시오.

해설 45면-시간(표에 가장 많이 주차된 주차대수를 선택)

(3) 이 첨두수요를 만족시키기 위한 주차면수를 산출하시오.

해설 $$소요주차면수=\frac{주차부하}{효율계수}=\frac{45}{0.85}=53면$$

(4) 첨두시간대의 주차시간길이를 산출하시오.

해설 $$주차시간길이=\frac{주차부하}{첨두시간교통량}=\frac{45}{34}=1.32시간$$

(5) 첨두시간대의 주차회전수를 산출하시오.

해설 $$주차회전수=\frac{첨두시간대주차량}{소요주차면수}=\frac{34}{53}=0.64회/시간$$

(6) 하루의 평균주차시간길이를 산출하시오.

해설 $$평균주차시간길이=\frac{전시간의주차부하}{10시간교통량}=\frac{225}{150}=1.5시간$$

(7) 하루의 시간당 평균주차회전수를 산출하시오.

해설 $$평균주차회전수=\frac{10시간교통량}{10\times 주차소요면수}=\frac{150}{10\times 53}=0.28회/시간$$

【참고】

- $주차효율=\frac{주차이용대수\times 평균주차시간}{주차용량\times 운영시간}$ (%)
- $소요주차면수=\frac{주차부하}{효율계수}$
- 효율계수 : 실용주차면수-시간과 가용주차면-시간비를 나타내는 첨두주차시간에 대한 것으로 최대값(0.8~0.95)
- $주차시간길이=\frac{주차부하}{첨두시간}$
- 주차부하 : 어느 기간동안 주차에 이용된 총 주차면-시간

- 첨두시간대 주차회전수$=\frac{\text{첨두시간대주차량}}{\text{소요주차면수}}$

---

19 임시주차장으로 사용하고 있는 넓은 공지에 평균주차장을 설치하고자 한다. 첨두3시간 동안 매30분마다 한 번씩 조사한 주차대수는 아래 표와 같다. 첨두시간 동안의 주차량은 60대이었고 주차장 효율계수를 0.85로 계획하고자 할 때 다음을 산출하시오.

조사시간	주차대수
13:00~13:30	40
13:30~14:00	43
14:00~14:30	42
14:30~15:00	42
15:00~15:30	42
15:30~16:00	41
합 계	250

(1) 첨두시간을 산출하시오.

해설 13:30~14:30

(2) 첨두시간 주차부하를 산출하시오.

해설 $\frac{(43+42)}{2}=42.5$대-시

(3) 주차소유면수를 산출하시오.

해설 $\frac{42.5}{0.85}=50$면

(4) 첨두시간의 회전수를 산출하시오.

해설 $\frac{60}{50}=1.2$회/시간

(5) 첨두시간의 평균주차길이를 산출하시오.

해설 $\frac{42.5}{60}$=0.71시간

---

20 임시주차장으로 사용되고 있는 넓은 공지에 평면주차장을 설치하고자 한다. 첨두3시간 동안 매 30분마다 1번씩 조사한 주차대수는 다음의 표와 같다. 첨두3시간의 주차량은 88대이었고, 주차장 효율계수를 0.85로 계획하고자 한다.

시간	주차대수/30분
13:00~13:30	40
13:30~14:00	43
14:00~14:30	42
14:30~15:00	42
15:00~15:30	42
15:30~16:00	41
계	250

(1) 첨두3시간대의 주차부하를 산출하시오.

해설

$$\text{주차부하} = \text{첨두시간대주차대수} \times 3\text{시간} = 250 \times \frac{30}{60} = 125\text{면} - 3\text{시간}$$

(2) 소요주차면수를 산출하시오.

해설 $$\text{소요주차면} = \frac{\text{주차부하량}}{\text{주차이용효율} \times 3\text{시간}} = \frac{125}{3 \times 0.85} = 49\text{면}$$

(3) 첨두시간대의 회전수를 산출하시오.

해설 $$\text{회전수} = \frac{\text{실주차대수}}{\text{소요주차면수} \times \text{주차시간}} = \frac{88}{49 \times 3} = 0.598\text{회/시간}$$

(4) 첨두시간대의 평균주차시간길이를 산출하시오.

해설 첨두시간길이 $= \dfrac{\text{주차부하량}}{\text{실주차대수}} = \dfrac{128}{88} = 1.42$시간

---

21 노상주차장 길이가 120m인 노상주차에서 10분 간격으로 4시간 동안 연속주차 조사결과 다음의 결과를 얻었다. 평균주차대수, peak시 및 평균주차지수, 평균 회전율, 평균주차시간을 산출하시오.(단 주차1면 길이는 6.0m)

연주차대수 : 134대, 피크시주차대수 : 9대, 실주차대수 : 37대

(1) 평균주차대수를 산출하시오.

해설 $\text{평균주차대수} = \dfrac{\text{연주차}}{\text{조사시간}} = \dfrac{134\text{대}}{4\text{시간}} = 33.5(\text{대/시간})$

(2) peak시 평균주차지수를 산출하시오.

해설 $\text{peak시 주차지수}(K) = \dfrac{\text{peak시 주차대수}}{\text{주차가능대수}} = \dfrac{9\text{대}}{20\text{대}} = 0.45(\text{대/시간})$

(3) 평균회전율를 산출하시오.

해설 $\text{평균회전율} = \dfrac{\text{실주차대수}}{\text{주차가능대수}} = \dfrac{37\text{대}}{20\text{대}} = 1.85(\text{대/시간})$

(4) 평균주차시간를 산출하시오.

해설

$$\text{평균주차시간} = \frac{\text{연주차시간}}{\text{실주차대수}} = \frac{134\text{대} \times \frac{10}{60} \times 60\text{분}}{37\text{대}} = 36.22\text{분}$$

【참고】 · **주차량**(V) : 어느 특정시간 동안에 주차장을 이용한 또는 이용하고 나눈 값이다.(대) (일본의 경우 실주차대수)

· **주차부하**(L) : 특정시간대에서 각 차량의 주차시간을 누적한 값으로서, 관측 주차대수를 누적한 값에다 관측시간간격을 곱해서 얻는다.(대/시간)

· **가용용량**(C) : 주차 가능한 주차면수(면)

조사대상구간에서 물리적으로 주차가능하다고 추정되는 mesh수 (일본의 경우 주차가능대수)

- **회전수(T)** : 어느 시간동안 한 주차면을 이용하는 평균차량대수 (일본의 경우 회전율)
- **평균주차시간(D)** : 어느 측정시간대의 주차 차량당 평균 주차시간 길이(시간/대) (일본의 경우 평균주차시간)
- **점유율(O)** : 어느 특정시간대의 주차장 평균이용률. 주차수요가 용량보다 클 때의 이 값을 그 주차장의 효율계수라 한다.(일본의 경우 주차지수)
- **가능주차량(V_m)** : 어느 특정시간 동안에 주차장을 이용했다가 나갈 수 있는 최대 차량대수(일본의 주차가능대수와 혼동하기 쉬우므로 주의를 요함)
- V(실주차대수) $= CT$(가용용량)(회전수)
- L(연, 총주차대수) $= VD$(평균주차시간)

  $= CHO$(주차가능주차면수)(특정시간대의길이)(점유율)

---

22 50면 주차장에 첨두3시간 주차대수가 90대일 때 시간당 회전수를 산출하시오.

해설 $\text{주차회전수} = \dfrac{\text{실주차대수}}{\text{가용용량}} = \dfrac{90}{50 \times 3} = 0.6\text{회/시간}$

---

23 임시주차장으로 사용되고 있는 넓은 공지에 평면주차장을 설치하고자 한다. 07:00~19:00까지 매 1시간마다 한 번씩 조사한 주차대수는 다음 표와 같다. 또 이주차장에서 12시간 동안의 주차량을 198대이었으며 첨두3시간 동안의 주차량은 104대였다. 주차장효율계수를 0.65로 계획하고자 한다면 다음의 주차자료를 산출하시오.

조사기간	주차대수
07:00~08:00	0
08:00~09:00	12
09:00~10:00	34
10:00~11:00	38
11:00~12:00	36
12:00~03:00	40
13:00~14:00	42
14:00~15:00	44
15:00~16:00	43
16:00~17:00	37
17:00~18:00	30
18:00~19:00	4
계	360

(1) 첨두3시간대는 언제부터 언제까지인가?

해설 13:00 ~ 16:00

(2) 첨두3시간대의 주차부하를 산출하시오.

해설 42+43+43=129면−3시간(위 첨두시간대의 주차대수를 합함)

(3) 이 첨두수요를 만족시키기 위한 주차면수를 산출하시오.

해설 $$소요주차면수=\frac{주차부하량}{주차이용효율\times 3시간}=\frac{129}{0.65\times 3}=67면$$

(4) 시설이 완공되었을 때 첨두3시간대의 시간당 평균주차대수를 산출하시오.

해설 $$평균주차회전수=\frac{실주차대수}{소요주차면수\times 주차시간}=\frac{104}{67\times 3}=0.52회/시간$$

(5) 시설이 완공되었을 때 첨두3시간대의 평균주차시간 길이는?

해설 $$평균주차시간=\frac{주차부하}{실주차대수}=\frac{129}{104}=1.24시간$$

(6) 하루의 평균주차시간 길이는 얼마이며, 하루시간당 평균주차회전수를 산출하시오.

해설 하루 평균주차시간$=\frac{360}{198}=1.82$시간

하루시간당 평균주차회전수$=\frac{198}{66\times12}=0.25$회/시간

(7) 이 주차장의 첨두1시간의 점유율를 산출하시오.

해설 점유율$=\frac{\text{주차부하}}{\text{주차면수}}=\frac{44}{67}=0.66$

---

24 첨두3시간 동안의 주차대수이다.

조사기간	주차대수
12:00~13:00	41
13:00~14:00	42
15:00~16:00	43
계	126

(1) 첨두3시간 동안 주차대수 100대, 점유율 0.75일 때, 주차면수를 산출하시오.

해설
- 첨두3시간 주차부하 $=\frac{41+42+43}{3}=126$면-3시간
- 주차면수 $=\frac{\text{주차부하}}{\text{점유율}\times\text{시간}}=\frac{126}{0.75\times3}=56$면

(2) 첨두3시간 동안 주차대수 100대, 이용효율계수 0.9일 때, 소요주차면수와 주차회전수를 산출하시오.

해설
- 소요주차면수 $=\frac{\text{주차부하량}}{\text{주차이용효율}\times3\text{시간}}=\frac{126}{0.9\times3}=47$면
- 주차회전수 $=\frac{\text{실주차대수}}{\text{소요주차면수}\times\text{주차시간}}=\frac{100}{47\times3}=0.7$회/시간

[팁] 점유율의 최대값은 이용효율계수(e)이고 주차면수와 소요주차면수는 같은 개념이다.

25 A백화점 주차장의 시간대별 유출입교통량이다. 누적주차 수요예측방법을 이용하여 주차수요를 산정하시오.(단, 오전 10시 이전에 주차장에 주차 중인 차량대수는 37대로 조사되었다)

조사기간	유입	유출
10:00~11:00	140	14
11:00~12:00	332	229
12:00~13:00	437	391
13:00~14:00	571	499
14:00~15:00	704	588
15:00~16:00	908	804
16:00~17:00	972	862
17:00~18:00	985	943
18:00~19:00	775	896
19:00~20:00	671	798

해설 가장 많은 주차대수를 나타내는 시간대는 17:00 ~ 18:00이므로
누적주차대수 = 주차유입대수 − 주차유출대수
=(140+332+437+571+704+908+972+985)
−(14+229+391+499+588+804+862+943)=719대
조사시간 이전의 주차된 주차대수 37대를 합해준다. ⇒ 719+37=756대

[팁] 누적주차 수용추정방식은 각 시간대 별 유입과 유출대수를 뺀 값을 누적하여 가장 많은 주차대수를 나타내는 시간대의 주차수요를 추정하는 방식이다.

26 어느 대도시에 위치한 호텔들의 주차특성을 조사한 결과가 아래 표와 같다. 신축예정인 A호텔의 일 이용인구가 12,500명이고 피크시 주차집중률이 10.1%로 예측되었다면 이 호텔이 확보되어야 할 주차대수를 산출하시오.

구분	특성치
주간통행집중률	60%
계절주차집중계수	1.1
지역 주차집중계수	1.1
평균승차인원(인/대)	1.8
주차이용효율	80%
건물이용자 중 승용차이용효율	45%
승용차 이용자 중 주차차량비율	95%

해설

$$P(\text{주차수요}) = \frac{d \cdot c \cdot s}{o \cdot e} \cdot t \cdot r \cdot p \cdot pr$$

$$= \frac{0.6 \times 1.1 \times 1.1}{1.8 \times 0.8} \times 0.45 \times 0.95 \times 12{,}500 \times 0.101 = 272$$

모든 비율은 %(백분율)값으로 계산되어야 함

【참고】• 사람통행실태조사에 의한 방법(P 요소법)

$$P(\text{주차수요}) = \frac{d \cdot c \cdot s}{o \cdot e} \cdot t \cdot r \cdot p \cdot pr$$

d : 통행집중률　　s : 계절주차　　c : 지역주차
o : 평균승차인원　　e : 주차효율　　t : 인구
r : 첨두시주차집중률　　p : 승용차이용률　　pr : 주차차량비율

---

27 어느 지역의 주간집중률이 80%, 계절계수 1.1, 지역주차집중계수 1, 평균재차인원 1.45인, 이용효율 85%, 1일 이용인구 26,000인, 피크시 주차 집중률 25%, 승용차 이용률 20%, 이용자 중 주차차량비율 98%의 경우 P 요소법을 이용하여 주차수요를 추정하여라.

해설

$$P(\text{주차수요}) = \frac{0.8 \times 1.1 \times 1.0}{1.45 \times 0.85} \times (26{,}000 \times 0.25 \times 0.2 \times 0.98) = 910\text{대}$$

28 어느 대도시에 위치한 호텔들의 주차특성을 조사한 결과가 아래 표와 같다. 신축예정인 A호텔의 일 이용인구가 12,500명이고 피크시 주차집중률이 10%로 예측되었다면 이 호텔이 확보해야 할 주차대수를 산출하시오.

구분	특성치
주간통행집중율	70%
계절주차집중계수	1.1
지역 주차집중계수	1.1
평균승차인원(인/대)	1.6
주차이용효율	80%
건물이용자중 승용차이용효율	45%
승용차 이용자중 주차차량비율	90%

해설 **주차수요**

$$P(\text{주차수요}) = \frac{0.7 \times 1.1 \times 1.1}{1.6 \times 0.8} \times 0.45 \times 0.90 \times 12{,}500 \times 0.1 = 335\text{대}$$

실전문제

실전시험과 같이 문제지에 답을 볼펜으로 작성해 보세요.

1 다음은 어느 한 존의 총 통행발생량을 구하기 위해서 카테고리 분석법을 이용하여 분석하고자 한다. 아래와 같은 자료가 수집되었다면, 이 지역의 통행 발생량을 산출하시오.

	저소득	중소득	고소득
버스	3.0	3.4	1.8
택시	0.7	2.3	3.8
승용차	0.4	1.1	2.5

· 저소득, 버스, 가구규모=700
· 저소득, 승용차, 가구규모=60
· 중소득, 버스, 가구규모=1,000
· 고소득, 승용차 가구규모=200

2 요금과 수요에 대하여 조사하여 $V_1=100P_1^{-0.3}P_2^{0.4}$ (V_1 : 택시의 수요, P_1, P_2 : 택시, 지하철의 가격)와 같은 결과가 나왔다.

(1) 택시요금에 대한 택시 수요의 탄력성은 얼마인가?

(2) 지하철요금에 대한 택시 수요의 탄력성은 얼마인가?

(3) 택시 요금이 1,600원, 지하철 요금이 600원 일 때 지하철 요금이 700원으로 인상된다면 택시수요는 얼마가 되는가?

3 어느 지역의 노선망을 나타낸 그림이다. 노선망 간에 유입되는 통행량 All-or- nothing 배정과 Incremental assignment(분할배정)을 이용하여 link별 배정통행량을 계산하시오.(단, 분할배정 시행시 단계별 50%씩 분할하여 배정한다. T_{12}=200)

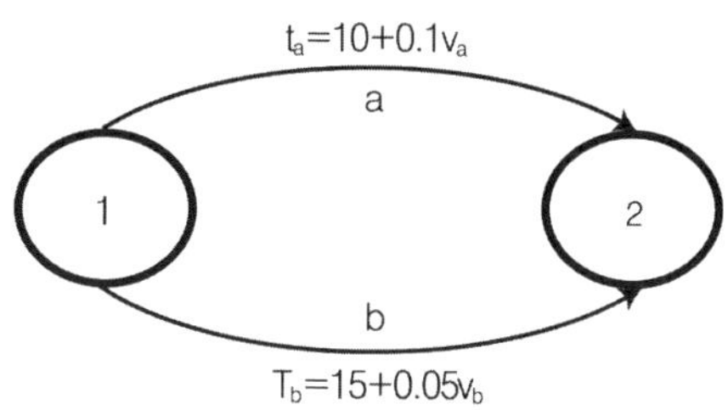

4 다음 그림에 나타난 네트워크에 대한 사용자 평형 배정기법과 체계최적 배정기법을 이용하여 교통량과 통행시간을 구하시오. 여기서, t_a와 x_a는 링크 $a(a=1,\ 2,\ 3)$상에서의 통행시간과 교통량을 나타낸다. 노드 1에서 노드 3으로 가는 O-D 통행량은 4단위이다.

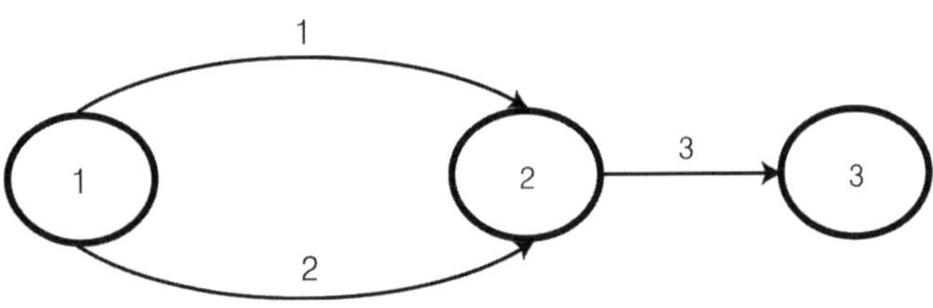

$$t_1 = 2 + x_1^2$$

$$t_2 = 1 + 3x_2$$

$$t_3 = 3 + x_3$$

5 대안별·연도별 편익 및 비용에 관한 다음의 표를 보고 순현재가치를 구하고 어느 대안이 우수한가를 선택하시오.(단위 : 백만원, 할인율=8%)

연수	0	1	2	3	4	5
대안 I	−10	7	5	3	2	1
대안 II	−10	5	5	6	6	6

6 평균속도가 40km/h로서 20km의 노선을 운행하는 버스가 50명을 최대로 나를 수 있다. 만약 버스회사가 10대의 버스만 보유하고 있다면 승객수를 산출하시오.

7 임시주차장으로 사용하고 있는 넓은 공지에 평균주차장을 설치하고자 한다. 첨두3시간 동안 매30분마다 한 번씩 조사한 주차대수는 아래 표와 같다. 첨두시간 동안의 주차량은 70대이었고 주차장 효율계수를 0.85로 계획하고자 할 때 다음의 물음에 답하시오.

조사시간	주차대수
13:00~13:30	50
13:30~14:00	53
14:00~14:30	54
14:30~15:00	52
15:00~15:30	45
15:30~16:00	46
합계	300

(1) 첨두시간은 언제인가?

(2) 첨두시간 주차부하를 산출하시오.

(3) 주차소유면수를 산출하시오.

(4) 첨두시간의 회전수를 산출하시오.

(5) 첨두시간의 평균주차길이를 산출하시오.

8 어느 대도시에 위치한 호텔들의 주차특성을 조사한 결과가 아래 표와 같다. 신축예정인 A호텔의 일 이용인구가 15,000명이고 피크시 주차집중률이 10%로 예측되었다면 이 호텔이 5년 후에 확보되어야 할 주차대수는 얼마인가?(연평균 증가율5%)

구분	특성치
주간통행집중률	60%
계절주차집중계수	1.1
지역 주차집중계수	1.1
평균승차인원(인/대)	1.8
주차이용효율	85%
건물이용자중 승용차이용효율	45%
승용차 이용자 중 주차차량비율	90%

9 로짓모형 $U=-0.0005X_1-0.0003X_2$일 경우(X_1 : 비용, X_2 : 시간, 택시비용 2,000원, 시간 20분, 버스비용 500원, 시간 30분)일 경우 택시를 이용할 확률은?

10 현재의 존간 통행량과 장래의 존별 통행유출량이 아래와 같을 때 균일 성장률법으로 배분하시오.

현재OD표

O \ D	1	2	3	계
1	6	8	6	20
2	5	7	10	22
3	9	10	14	33
계	20	25	30	75

장래의 OD표

O \ D	1	2	3	계
1				22
2				24
3				48
계	21	32	37	90

11 어느 시에서 새로운 아파트단지의 건설계획을 수립 중에 있다. 아파트건설 후 단지주변가로망에 얼마만큼의 교통량이 나타날지 궁금하여 귀하에게 교통유발량을 추정 의뢰하였다고 하자. 아래 자료를 토대로 주변 가로망에 부하될 차량통행량과 첨두시 1시간 교통량을 산출하시오.

인구1인당 통행횟수 : 1.8	버스평균재차인원 : 45인
세대수 : 1,000세대	자가용분담률 : 25%
가구당인구 : 4인	택시분담률 : 10%
가구당 자가용 보유대수 : 0.5대	지하철분담률 : 40%
피크시 1시간 집중률=15%	버스분담률 : 25%
자가용 평균재차인원=1.2인	버스의 승용차환산계수 : 2
택시 평균재차인원=1.8인	

제3부

교통공학(이론문제)

1 교통류 조사기법

1 지점속도가 사용되는 용도를 4가지 설명하시오.

해설 사고조사, 속도제한구역 설정, 교통단속, 황색시간 계산, 교통개선 대책의 효과 측정

[참고] • 지점속도가 필요한 이유

- 교통통제 설비운영 및 적절한 교통법규의 결정
- 사고다발지점조사에서 적절한 대책 방안 결정
- 도로기하구조 설계
- 교통개선 사업들의 사전 · 사후 평가시 효과 측정
- 애로구간의 문제 파악

2 속도조사의 방법에 대해 설명하시오.

해설 수동적 조사 : stop watch 조사, 차량번호판 조사
기계적 조사 : 자동감응검지기, 스피드건 사용법

3 속도조사 및 표본선정시 유의 사항에 대해 기술하시오.

해설
- 장비와 관찰자는 운전자들에게 보이지 않도록 한다.
- 충분한 수의 표본이 수집될 수 있도록 하며 최소 표본수는 30대 이상으로 한다.
- 차량군에서 첫 번째로 주행하는 차량을 표본으로 한다.

- 무작위로 추출하되 전체 교통류를 대표할 수 있어야 한다.
- 대형차량은 전체 혼입률에 준하여 조사한다.
- 속도조사가 인근사람들에게 띄어 구경꾼이 모여들지 않도록 한다.

---

4 차량 간의 상대속도를 줄임으로써 얻는 3가지 이점을 설명하시오.

해설
- 용량을 증대시킨다.
- 운전자의 판단시간이 길어진다.
- 교통사고 피해정도를 감소시킨다.

---

5 차량속도 자료의 용도를 기술하시오.

해설
- 제한속도의 설정
- 도로의 기하구조 설계시 사용
- 교통신호등의 황색시간 산정
- 교통개선사업의 효과 판단
- 교통안전표지의 설치위치 산정
- 차종별 주행속도의 차이점 조사 및 교통운영상 대책에 반영

---

6 문제되는 도로구간이나 교차점의 교통류개선을 위한 교통조사의 종류를 5가지만 설명하시오.

해설 교통량조사, 밀도조사, 속도조사, 교통용량조사, 교통류의 영향원인조사, 사고등의 발생상황조사

---

7 속도제한이 실시되는 일반적인 사례를 기술하시오.

해설
- 도로공사구간 또는 학교 앞과 같은 곳
- 교차로 접근로, 특히 시계에 장애를 받는 부분
- 부근의 다른 도로보다 설계기준이 아주 높거나 낮은 도로

- 지방부에서 도시부로 연결되는 도로부분
- 비정상적인 도로조건, 예를 들어 도로의 골곡부, 급커브, 급한 내리막길, 시거에 제약을 받는 부분, 좁은 측방여유폭을 가진 부분, 노면상태가 극히 나쁜 곳, 기타 위험한 부분

8 주행시간을 조사하는 방법에 대해서 설명하시오.

해설
- 시험차량을 이용하는 방법 : 교통류 적응법, 평균속도운행법, 주행차량 이용법
- 시험차량을 이용하지 않는 방법 : 번호판 판독법, 노측면접조사

9 주행시간 및 지체도조사의 용도를 4가지 이상 설명하시오.

해설
- 교통혼잡 및 서비스 수준의 지표로 사용
- 개선안의 경제성 평가 및 환경에 미치는 영향 평가시 사용
- TSM의 개선안에 대한 효율성 판단시
- 문제지점 파악 및 해결방안 제시시 사용
- 교통운영개선 사업의 사전
- 사후조사에 의한 개선안 효율성 판단시

10 교통류모형의 3대 특성을 나타내는 지표를 쓰시오.

해설
- 교통량(q) : 일정시간에 일정지점을 통과하는 차량대수(단위 : 대/시, vph)
- 속도(u) : 일정시간 동안 차량의 공간 변화량을 시간평균속도와 공간평균속도로 구분(단위 : km/시, kph)
- 밀도(k) : 일정시간에 어떠한 구간에 존재하는 차량대수(단위 : 대/km, 대/km/차로)

11 교통류에 대해 설명하시오.

해설
- 한 방향으로 주행하는 연속적인 차량의 흐름

- 차량의 흐름을 유체의 흐름에 비유하여 수학적 공식에 적용
- 차량의 흐름이 갖는 특징 파악이 주목적

12 속도의 유형 및 개념을 설명하시오.

해설
- 주행속도 : 구간거리/(통행시간-정지시간)
- 통행속도 : 구간거리/총통행시간
- 지점속도 : 일정도로구간의 한 지점에서 측정한 차량속도
- 자유속도 : 주행시 다른 차량의 영향을 받지 않고 자유롭게 낼 수 있는 속도
- 설계속도 : 차량의 안전한 주행과 도로의 구조, 설계조건 등을 감안하여 설정한 속도
- 운영속도 : 도로의 설계속도를 초과하지 않는 범위 내에서 차량이 낼 수 있는 최대속도

【참고】• 속도의 분류

① 주행속도(running speed) : 어느 구간의 거리를 통행시간(travel time)에서 정지시간을 뺀 시간으로 나눈 값, 즉 구간거리(통행시간-정지시간)

② 통행속도(travel speed) : 어느 구간의 거리를 차량정지시간(교차로, 역, 정류장)이나 정체시간을 모두 포함한 시간으로 나눈 값

③ 지점속도(spot speed) : 어느 구간상의 지점에서 속도검출기에 의해 or 직접 사람에 의해 측정된 속도로서 평균지점속도는 특정지점을 통과한 전 차량에의 지점속도를 구하여 평균한 값
이 속도는 속도제한, 사고조사, 교통개선효과측정, 교통단속, 교통시설설계, 황색신호시간 계산 등에 중요한 역할을 수행한다.

④ 자유속도(free speed) : 다른 차량의 영향을 받지 않고 자유롭게 주행하는 속도로서 운전자가 선택할 수 있는 속도

⑤ 설계속도(design speed) : 차량의 안전한 주행과 도로의 구조 및 설계조건 등을 감안하여 설정한 속도로서 도로구조령에 규정된 속도

⑥ 임계속도(critical speed) : 교통용량이 최대로 되었을 때의 속도로서 이론적 교통용량의 산정자료가 된다.

⑦ 85%속도 : 전체차량의 85%가 이 속도 이하로 주행하는 경계점으로서 속도제한 등이 교통규제시에 기준치로 쓰이는 경우가 많다.

13 도로구간에 대한 관측의 종류를 3가지만 열거하시오.

해설
- 차두시간의 관측
- 차두간격의 관측
- 차로이용률의 관측
- 추월횟수의 관측

14 시간평균속도(*TMS*)와 공간평균속도(*SMS*)의 관계를 설명하시오.

해설 시간평균속도(*TMS*)는 "도로상의 한 지점에서 일정 시간동안 통과하는 차량의 속도들의 산술 평균" 을 시간평균속도라 하고, 반면 "특정시점의 한 순간에 도로의 일정구간을 점유하고 있는 차량들의 속도들의 조화평균" 을 공간평균속도(*SMS*)라 한다. 즉, 시간평균속도(*TMS*)는 한 특정지점을 통과하는 차량들의 속도를 교통량에 대해 가중평균한 결과이며 공간평균속(*SMS*)는 한 시점에서 도로의 일정구간을 점유하고 있는 차량들의 속도를 밀도에 대해 가중평균한 결과로 볼 수 있다.

15 시간평균속도(*TMS*)는 공간평균속도(*SMS*)보다 크거나 같은 이유를 설명하시오.

해설 시간평균속도(*TMS*)는 공간평균속도(*SMS*)와는 달리 속도측정이 시작될 때 대상구간에 진입 못한 고속 차량이 속도측정에 포함되거나 대상구간에 주행하고 있었으나 저속 차량은 속도측정에서 제외되는 경우가 발생되기 때문에 시간평균속도가 공간평균속도 보다 크다. 또한 짧은 시간동안 움직인 거리를 측정하여 각 차량의 속도를 구할 때 시간평균속도와 공간평균속도가 같다.

16 Single-Regime 모형 중 Greenshield와 Greenberg 모형의 차이점을 기술하시오.

해설 • **Greenshield 모형**

- 실제 관측치에 따라 자료들을 ploting하여 그 중 선형이 되는 부분만을 선별해 간단한 일차식으로 만들어낸 것으로 수학적으로 단순함
- 반면 현실적으로 밀도가 매우 높거나 낮으면 비직선 관계인 혼잡밀도를 나타내기 어려움

• **Greenberg 모형**

- 교통류 흐름이 고밀도에서 유체이론을 따른다는 가정 → Logarithm 관계식을 유도
- 혼잡밀도에서는 잘 맞으나 밀도가 낮은 경우에 속도를 밀도로 설명하기가 부적절

---

17 교통류의 주요 확률분포에 대해 설명하시오.

해설 • **이산확률분포**

- Poisson분포($\frac{\sigma^2}{m} \fallingdotseq 1$)

  완전히 무작위로 드물게 발생하는 이산형 사상-교통량이 적은 임의 교통류

  $$P(x) = \frac{m^x e^{-m}}{x!} \qquad \lambda \text{ : 평균도착률(v/sec)}$$

  $m = \lambda t$ (t시간 동안 평균도착차량대수)

- 이항(Binomial)분포($\frac{\text{분산}}{\text{평균}} < 1.0$)

  교통량이 많은 교통류에 사용

  $$B(x) = {}_nC_x\, p^x q^{n-x} \qquad m = np,\ s^2 = npq$$

- 음이항(Negative binomial)분포

  k번 성공을 위해 x번 실패할 확률

  $$NB(x) = {}_{x+k-1}C_x\, p^k q^x$$

- 기하(Geometric)분포

  NB에서 $k = 1$일 경우

$$G(x) = p \cdot q^x$$

- **연속확률분포**

– Negative exponential분포

간격분포의 가장 기본적 형태로 포아송분포에서 나온 것 평균도착대수 λ인 포아송분포에서 t 시간 사이에 차량이 한 대도 도착하지 않을 확률

$$P(h \le t) = \int_h^t \frac{1}{\mu} e^{-\frac{t}{\mu}} dt$$

– Shifted Negative Exponential분포

허용차두시간 h만큼 오른쪽으로 이동

$$P(h \le t) = \int_h^t \frac{1}{\mu - h} e^{-\frac{t-h}{\mu - h}} dt$$

– Erlang 분포

편의된 음지수(Shifted Negative Exponential)분포와 달리 최소허용시간보다 적을 확률을 0이 아닌 아주 작은 값으로 보는 분포

$$P(h \le t) = 1 - e^{-\lambda t} \sum_{n=0}^{k-1} \frac{(\lambda t)^n}{n!}$$

---

18 추종이론(Car–Following Theory)에 대해 설명하시오. or 선형추종모형과 교통류모형과의 관계에 대해 설명하시오.

해설 • **기본개념**

– 자극 · 반응의 관계로부터 나온 것으로서, 뒤따를 운전자(추종운전자)는 시간 t일 때의 자극의 크기에 비례하여 가속 혹은 감속을 하되 그 반응시간 T만큼 지체시간을 갖는다. 이를 식으로 표시하면 다음과 같다.

$$\text{반응}\,(t+T) = \text{민감도} \times \text{자극}\,(t)$$

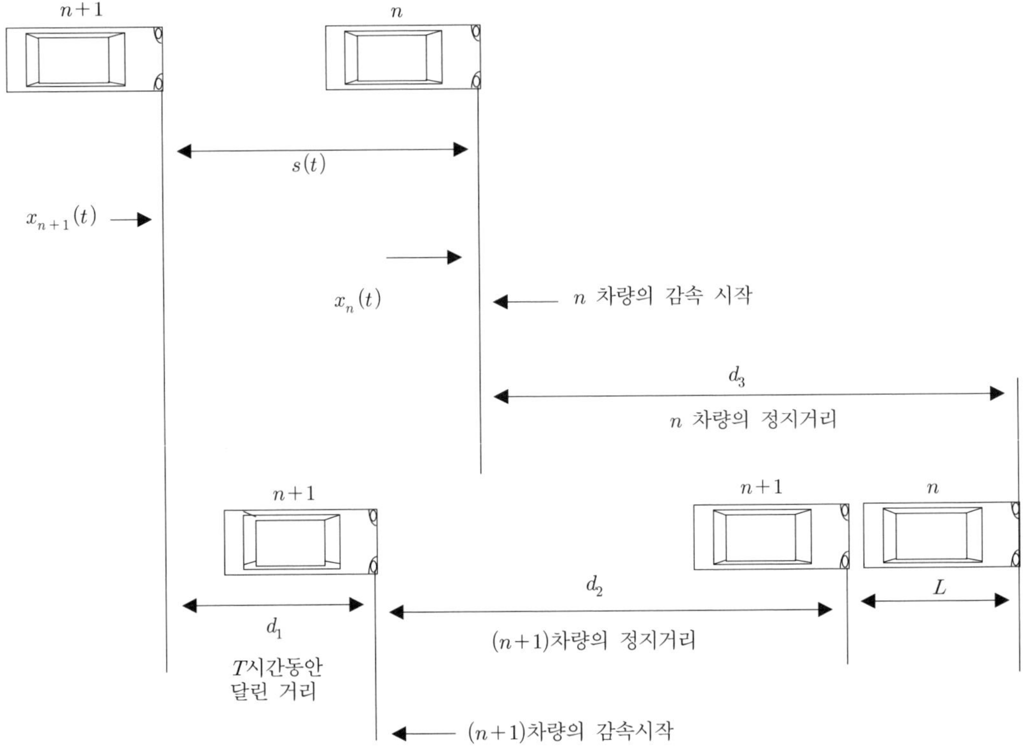

[그림] 추종이론의 기본개념도

여기서,

$x_n(t)$ = 시각 t에서의 n 차량의 위치

$s(t)$ = 시각 t일 때 두 차량의 간격

$= x_n(t) - x_{n+1}(t)$

d_1 = 반응시간 T동안 $(n+1)$차량이 움직인 거리 $= Tu_{n+1}(t)$

d_2 = 감속하는 동안 $(n+1)$차량이 움직인 거리

$= [u_{n+1}(t+T)]^2 / 2a_{n+1}(t+T)$

d_3 = 감속하는 동안 n차량이 움직인 거리 $= [u_n(t)]^2 / 2a_n(t)$

L = 정지해있을 때 두 차량간의 차두거리

$u_i(t)$ = 시각 t일 때 i차량의 속도

$a_i(t)$ = 시각 t일 때 i차량의 가속도

- **추종이론 모형의 유도**

$$s(t) = x_n(t) - x_{n+1}(t) = d_1 + d_2 + L - d_3$$
$$= Tu_{n+1}(t) + \frac{u_{n+1}^2(t+T)}{2a_{n+1}(t+T)} + L - \frac{u_n^2(t)}{2a_n(t)}$$

만약 두 차량의 정지거리가 같다면 $d_2 = d_3$이므로,

$$x_n(t) - x_{n+1}(t) = T \cdot u_{n+1}(t) + L$$

여기서 반응시간(T)동안 뒷차량의 속도변화는 없으므로,

$$u_{n+1}(t) = u_{n+1}(t+T)$$

이다. 따라서

$$x_n(t) - x_{n+1}(t) = T \cdot u_{n+1}(t+T) + L$$

양변을 t에 관해서 미분하면,

$$u_n(t) - u_{n+1}(t) = T \cdot a_{n+1}(t+T)$$
$$\therefore \quad a_{n+1}(t+T) = T^{-1}[u_n(t) - u_{n+1}(t)]$$

즉, $(t+T)$ 시각일 때$(n+1)$ 차량의 반응은 t시각일 때의 앞 차량(n차량)과의 상대속도에 비례하며 그 비례상수, 즉 민감도는 T^{-1} 이다.
한편 이 식을 좀 더 일반화시키면 다음과 같다.

$$a_{n+1}(t+T) = \alpha[u_n(t) - u_{n+1}(t)]$$

여기서 α는 민감도계수이다. 이 모형은 반응이 자극에 직접 비례하기 때문에 선형추종모형이라 할 수 있다.

- **교통류 모형도출**

$$a_{n+1}(t+T) = \frac{\alpha_0}{x_n(t) - x_{n+1}(t)]} \cdot [u_n(t) - u_{n+1}(t)]$$

여기서 α_0의 단위는 거리/시간이다.
이 추종모형을 교통류 모형으로 변환시키는 방법은 다음과 같다. 위 식을 적분하면,

$$u_{n+1}(t+T) = \alpha_0 \ln[x_n(t) - x_{n+1}(t)]$$

교통류 모형은 안정상태(steady state)의 교통류 조건을 표현하는 것이므로 앞에서도 언급한 바 있지만,

$u_{n+1}(t)=u_{n+1}(t+T)=u$이며, $[x_n(t)-x_{n+1}(t)]$는 평균차두시간, 즉, $1/k$을 나타내기 때문에 다음과 같이 고쳐 쓸 수 있다.

$$u=\alpha_0 \ln\left(\frac{1}{k}\right)+C_0$$

교통류에서 $k=k_j$ 일 때 $u=0$이므로,

$$C_0=-\alpha_0 \ln\left(\frac{1}{k_j}\right)$$

이며, 이를 다시 정리하면 다음과 같다.

$$u=\alpha_0 \ln\left(\frac{k_j}{k}\right)$$

또 $q=uk$이므로,

$$q=\alpha_0 \ln\left(\frac{k_j}{k}\right)$$이다.

$q-k$ 곡선에서 q가 최대일 때의 K값은 $dq/dk=0$에서 구할 수 있다. 즉,

$$\left(\frac{dq}{dk}\right)=\alpha_0 \ln\left(\frac{k_j}{ke}\right)$$

여기서 $\alpha_0 \neq 0$이므로 $K=\dfrac{k_j}{e}$일 때 q가 최대값q_m을 가지며, 또 이때u는 u_m이다. 따라서,

$$u_m=\alpha_0 \ln(e)=\alpha_0$$이다.

따라서 최종 정리된 식은 다음과 같이 된다.

$$u=u_m \ln\left(\frac{k_j}{k}\right)$$

이 식은 Greenberg의 모형과 일치하므로 Greenberg의 교통류 모형은 추종모형의 이론과 같이 근거를 가진 모형이라 할 수 있다.

뒤 차량의 반응민감도를 일반식으로 나타내면 다음과 같다.

$$a_{n+1}(t+T)=\alpha_0 \frac{u_{n+1}^2(t+T)}{[x_n(t)-x_{n+1}(t)]^l}[u_n(t)-u_{n+1}(t)]$$

여기서 l과 m의 값에 따라 여러 가지 추종모형과 이에 따른 교통류 모형을 얻을 수 있다.

2 교통용량

1 서비스수준(LOS)에 대해 설명하시오.

해설 교통류 내에서의 운영상태를 나타내는 것으로서 운전자나 승객이 느끼는 정상적인 평가기준, 서비스수준은 통행속도, 통행시간, 통행자유도, 교통안전 등 도로로의 운행상태를 나타내는 개념으로서 A-F까지 6등급으로 나뉨

• **도로유형별 서비스수준 효과척도**

서비스수준	교통류 상태
A(자유교통류)	사용자 개개인들은 교통류 내의 다른 사용자의 출현에 실질적으로 영향을 받지 않는다. 교통류내에서 원하는 속도 선택 및 방향 조작 자유도는 아주 높고, 운전자와 승객이 느끼는 안락감이 매우 우수하다.
B(안정교통류)	교통류 내에서 다른 사용자가 나타나면 주위를 기울이게 된다. 원하는 속도 선택의 자유도는 비교적 높으나 통행 자유도는 서비스수준 A보다 어느 정도 떨어진다. 이는 교통류 내의 다른 사용자의 출현으로 각 개인의 행동이 다소 영향을 받기 때문이다.
C(안정교통류)	교통류 내의 다른 차량과의 상호작용으로 인하여 통행에 상당한 영향을 받기 시작한다. 속도의 선택도 다른 차량의 출현에 영향을 받으며, 교통류 내의 운전자가 주위를 기울여야 한다. 이 수준에서 안락감은 상당히 떨어진다.

서비스수준	교통류 상태
D(안정교통류, 높은 밀도)	속도 및 방향 조작 자유도 모두 상당히 제한되며, 운전자가 느끼는 안락감은 일반적으로 나쁜 수준으로 떨어진다. 이 수준에서는 교통량이 조금만 증가하여도 운행 상태에 문제가 발생한다.
E(용량 상태, 불안정 교통류)	교통류 내의 방향 조작 자유도는 매우 제한되며, 방향을 바꾸기 위해서는 차량이 길을 양보하는 강제적인 방법을 필요로 한다. 교통량이 조금 증가하거나 작은 혼란이 발생하여도 와해 상태가 발생한다.
F(와해 상태, 강제류)	도착 교통량이 그 지점 또는 구간 용량을 넘어선 상태이다. 이러한 상태에서 차량은 자주 멈추며 도로의 기능은 거의 상실된 상태이다.

그러나, 현재 우리나라 도시부 도로시설에서 용량을 초과하는 경우가 빈번하여 서비스수준 F를 나타내는 경우가 많다. 그리고 이 경우, 같은 서비스수준 F를 나타낸다 하여도, 질적으로는 상당히 다른 형태를 나타낼 수 있다. 예를 들어, 신호교차로의 경우, 평균 접근지체가 신호 1주기를 초과하는 경우에서부터 3~4주기 이상에 이르는 경우까지 다양하다. 이러한 경우, 같은 서비스수준 F를 나타낸다 하여도, 이를 개선하기 위한 대책은 전혀 다를 수 있으므로, 서비스수준 F인 경우에도 교통류 상황에 대한 질적인 구별이 가능하도록 할 필요가 있다. 따라서 도시 및 교외간선도로 등 일부 도로유형에 대하여서는 서비스수준을 F, FF, FFF로 구분하여 제시할 수 있는데. 서비스수준 F를 3단계로 구분할 경우, 각 단계별 교통류 상태는 아래와 같다.

- **서비스수준 F의 구분**

서비스수준	교통류 상태
F	평균통행속도가 자유속도의 1/3~1/4 이하인 상태이다. 교차로 혼잡은 접근지체가 매우 큰 주요 신호교차로에서 일어나기 쉽다. 이런 경우는 주로 나쁜 신호연동 때문에 발생한다.
FF	과도한 교통수요로 혼잡이 심각한 상태이다. 차량이 대상구간의 전방 신호교차로를 통과하는데 평균적으로 2주기 이상 3주기 이내의 시간이 소요된다.
FFF	극도로 혼잡한 상황으로, 차량이 대상구간의 전방 신호교차로를 통과하는데 3주기 이상 소요되는 상태이다. 평상시에는 거의 발생하지 않으며, 상습정체지역이나 기상조건의 악화 시 관측될 수 있는 혼잡상황이다.

2 도로의 효과척도(MOE)대해 설명하시오.

해설 효과척도(Measurement Of Effect)란 도로의 질적 운행상태를 나타내는 척도로서 서비스수준을 나타내는 데 사용하며 도로의 유형별로 차이가 있다.
효과척도는 명확하고 계량적이어야 하며 현장에서 측정이 가능하고 도로용량에 영향을 주는 제 요인에 민감하게 변화되어야 한다.

• 도로유형별 서비스수준 효과척도

<table>
<tr><th colspan="3">구분</th><th>효과척도</th></tr>
<tr><td rowspan="5">연속류</td><td rowspan="3">고속도로</td><td>기본구간</td><td>밀도, V/C</td></tr>
<tr><td>엇갈림구간</td><td>평균밀도</td></tr>
<tr><td>연결로, 접속부</td><td>밀도</td></tr>
<tr><td colspan="2">다차로도로</td><td>평균통행속도(km/h), V/C</td></tr>
<tr><td colspan="2">2차로도로</td><td>총지체율(%), 평균통행속도(km/h)</td></tr>
<tr><td rowspan="4">단속류</td><td colspan="2">신호교차로</td><td>평균제어지체</td></tr>
<tr><td rowspan="2">비신호교차로</td><td>양방향정지</td><td>평균운영지체</td></tr>
<tr><td>무통제</td><td>방향별 교차로 진입 교통량, 시간당 상충횟수</td></tr>
<tr><td colspan="2">도시 및 교외 간선도로</td><td>평균통행속도(km/h)</td></tr>
<tr><td rowspan="4">대중교통</td><td colspan="2">버스 차내용량</td><td>차량당 승객의 좌석수 또는 면적</td></tr>
<tr><td colspan="2">버스 운행간격 및 운행시간</td><td>운행회수/시, 운행시간/1일</td></tr>
<tr><td colspan="2">버스정류장 정차면 용량</td><td>시간당 최대 버스수(대/시)</td></tr>
<tr><td colspan="2">버스 정류장 용량</td><td>시간당 버스정류장당 최대버스대수(대/시)</td></tr>
<tr><td rowspan="4">보행자</td><td colspan="2">보행자도로</td><td>보행자점유공간(㎡/인), 보행교통류율(인/분/m), 보행밀도, 보행속도</td></tr>
<tr><td colspan="2">계단</td><td>보행교통류율</td></tr>
<tr><td colspan="2">대기공간</td><td>보행자점유공간(㎡/인)</td></tr>
<tr><td colspan="2">횡단보도</td><td>보행자평균지체, 보행자점유공간(㎡/인)</td></tr>
<tr><td rowspan="5">자전거</td><td colspan="2">자전거전용도로</td><td>상충횟수(회/시)</td></tr>
<tr><td colspan="2">자전거 · 보행자 겸용</td><td>상충횟수(회/시)</td></tr>
<tr><td colspan="2">노상자전거도로</td><td>상충횟수(회/시)</td></tr>
<tr><td colspan="2">신호교차로</td><td>정지지체(회/시)</td></tr>
<tr><td colspan="2">도시가로상의 자전거도로</td><td>평균 통행속도(km/h)</td></tr>
</table>

3 2차로도로의 효과척도(MOE)를 설명하시오.

해설 2차로도로를 운행하는 운전자에게 제공할 수 있는 서비스수준을 나타내는 지표로 “총지체율”과 “평균 통행속도”를 사용한다.

2차로도로에서는 차량들이 도로를 운행하는 동안 저속 차량으로 인하여 차량군이 형성되며, 차량군내의 차량들은 운행이 자유롭지 못하여 지체하게 된다. 총지체율이란, 일정구간을 주행하는 차량군 내에서 차량이 평균적으로 지체하는 비율을 말한다. 다시 말해서, 총지체율이란 운전자가 희망하는 속도에 대한 지체정도를 표현하는 척도이다. 교통량이 적을 때에는 차량들은 거의 지체되지 않으며, 평균 차두간격도 커지므로 앞지르기 가능성이 높아진다. 교통량이 적은 조건에서 총지체율은 낮지만, 용량에 가까워질 수록 앞지르기기회가 줄어들어 거의 모든 차량들이 차량군을 형성하게 되고 총지체율은 높아진다.

(식 1)은 현장자료를 사용하여 총지체율을 산정하는 식이며, (식 2)는 이론적 식을 이용하여 총지체율을 산정하는 것이다. 현장관측이 어려울 경우 이론적 식을 적용하여 총지체율을 산정한다.

$$TDR = 100 \times \frac{\sum_{i=1}^{n}\left(\frac{TT_{ai} - TT_d}{TT_{ai}}\right)}{n} \qquad \text{(식 1)}$$

여기서, TDR = 총지체율(%)

$TTai$ = 실제통행시간

TTd = 희망통행시간

n = 교통량(대)

$$TDR = 100 \times \left(1 - e^{(a \times V_d^b)}\right) \qquad \text{(식 2)}$$

여기서, TDR = 총지체율(%)

V_d = 진행방향교통량(승용차/시)

a, b = 매개값

평균 통행속도는 주어진 도로 · 교통 조건에서 일정구간을 주행하는 차량의 평균 속도를 말한다. 이상조건을 가지는 2차로도로에 대해 자유속도 100kph~60kph로 4개 유형으로 구분된다.

도로를 운행하는 차량의 운행상태를 나타내는 서비스수준은 A~F까지 모두 여섯 단계로 구분된다. 2차로도로의 서비스수준을 나타내는 효과척도는 총지체율이며, 교통량에 따른 각 서비스수준은 아래와 같다.

• **서비스수준**

LOS	도로유형 I				교통량 (pcph)	도로유형 II		
	총지체율 (%)	통행속도(kph)				총지체율 (%)	통행속도(kph)	
		100	90	80			100	90
A	≤11	≥95	≥85	≥75	≤650	≤11	≥95	≥85
B	≤21	≥85	≥75	≥65	≤1,300	≤21	≥85	≥75
C	≤30	≥80	≥70	≥60	≤1,900	≤30	≥80	≥70
D	≤39	≥75	≥65	≥55	≤2,600	≤39	≥75	≥65
E	≤48	≥70	≥60	≥50	≤3,200	≤48	≥70	≥60
F	>48	<70	<60	<50	–	>48	<70	<60

4 비신호교차로의(MOE)를 쓰시오.

해설 – 양방향정지 교차로 : 평균운영지체

– 무통제 교차로 : 방향별 교차로 진입 교통량, 시간당 상충횟수

5 속도, 교통량, 밀도의 용어 정의를 하시오.

해설 – 속도 : 단위시간당 통행할 수 있는 거리의 평균값(km/h)

– 교통량 : 일정시간 동안에 한 지점을 통과한 차량대수(대/시)

– 밀도 : 밀도란 일정한 도로 구간 또는 차로에 존재하는 차량대수를 구간의 길이 또는 차로의 길이를 기준으로 나타낸 값으로 일반적으로 km당 차량대수(대/km) 또는 차로 1km당 차량대수(대/km/차로)로 나타낸다.

6 고속도로 기본구간의 일반적인 서비스(V/C)와 주행속도와의 관계를 그림으로 도시하시오.

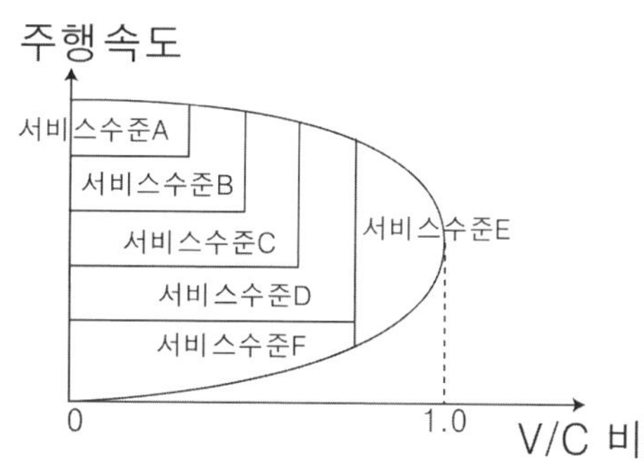

7 고속도로 기본구간의 MOE를 통행속도로 쓸 수 없는 이유를 설명하시오.

해설
- 속도가 조금만 달라져도 LOS에 민감
- 용량, 속도관계 민감
- 설계속도가 틀릴 때 비교가 불가

8 고속도로의 구성요소와 구성요소의 영향권에 대해 설명하시오.

해설 고속도로는 기본구간, 엇갈림구간, 연결로 및 접속부로 구성된다.
고속도로 기본구간은 엇갈림 또는 연결로 차량의 영향권을 벗어난 구간에 위치하는데, 일반적으로 엇갈림구간 또는 연결로 접속부의 영향권은 다음 그림과 같이 설정하며, 이 영향권에 따라 구간을 분할하여 서비스수준을 분석한다.

① 엇갈림구간 : 엇갈림이 시작되는 진입 연결로의 100m 상류지점부터 엇갈림이 끝나는 진출 연결로의 100m 하류지점까지의 구간
② 진입연결로 : 연결로 접속부의 100m 상류지점부터 400m 하류지점까지의 구간
③ 진출연결로 : 연결로 접속부의 400m 상류지점부터 100m 하류지점까지의

구간

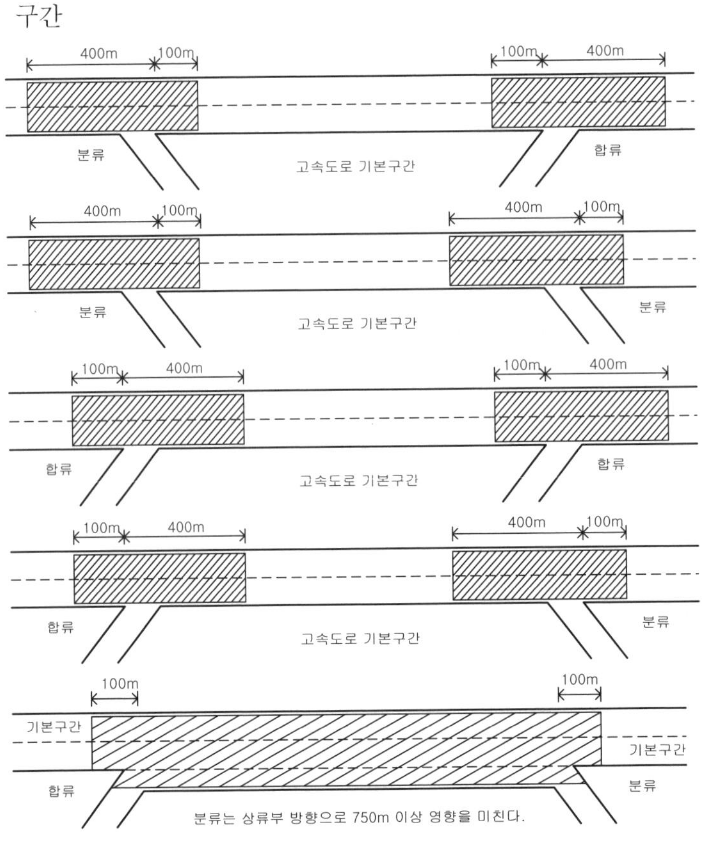

[그림] 고속도로 구성 요소의 영향권

---

9 양방향 2차로도로의 용량산정에 있어서 서비스수준으로 교통량이 부적절한 이유를 설명하시오.

해설 2차로도로에서 차량 운행시 저속차량들로 인하여 차량군을 형성하게 되며, 차량군 내의 차량들은 원활한 운행을 하지 못한다. 또한, 고속차량들이 저속차량을 추월하고 싶어도 대향차로의 차량 유·무에 따라 추월의 불가가 결정된다.

---

10 양방향 2차로도로에서 용량을 분석하기 위한 서비스수준 분석기준으로 교통량을 사용했을 때 발생되는 문제점을 서술하시오.

해설 2차로도로 특성상 저속차량으로 인한 차량군 형성으로 도로구간 내에 교통량이 적어도 고속차량 주행이 원활하지 못하는 경우가 속출한다. 또한 곡선선형이 잦거나, 대향차로의 차량 유·무에 따라 저속차량을 추월하지 못하므로 교통량을 효과척도(MOE)로 사용하기에는 많은 문제점을 안고 있다.

---

11 엇갈림(Weaving)구간에 대해 서술하시오.

해설 엇갈림이란 교통통제 시설이 도움 없이 상당히 긴 도로를 따라가면서 동일방향의 두 교통류가 차로를 변경하는 교통현상을 말한다. 엇갈림구간은 합류구간 유입연결로 바로 다음에 분류구간이 있을 때 또는 유입연결로 바로 다음에 유출연결로가 있을 때 이 두 지점이 연속된 보조차로로 연결되어 있는 구간이다.

【참고】• 엇갈림구간의 형태

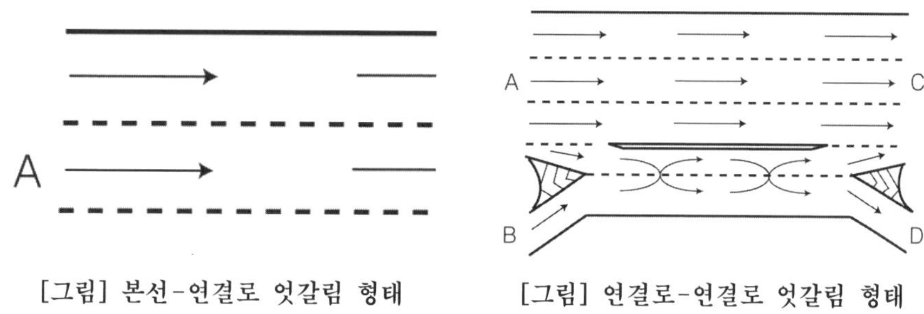

[그림] 본선-연결로 엇갈림 형태　　[그림] 연결로-연결로 엇갈림 형태

---

12 고속도로의 3가지 기본적인 시설을 제시하시오.

해설 기본구간, 엇갈림구간, 연결로 접속부

---

13 완전출입통제된 도로를 Freeway라 하며 부분출입을 허용하는 고속도로를 expressway라 할 때 expressway의 교통량을 검토하는 부분 4곳을 설명하시오. or expressway의 용량조사지점 4곳을 설명하시오.

해설 기본구간, 엇갈림구간, 램프부, 유출입부

14 용량에 영향을 미치는 요소들을 설명하시오.

해설 도로조건, 교통조건, 교통신호조건

[참고] – 도로조건 : 선형과 설계속도, 차로폭, 측방여유폭, 구배
– 교통조건 : 방향별분포, 차로별분포, 대형차량 혼입율
– 신호조건 : 속도제한, 차로이용통제, 교통신호, 교통표지

15 도로에 있어서 용량이 감소하는 경우를 3가지만 설명하시오.

해설
- 적색신호등에서의 차량대기
- 통행료징수소에서의 순간적인 지체
- 도로를 차단하거나 영향을 주는 갑작스러운 사고

16 2차로도로의 운영상 특징을 4가지만 설명하시오.

해설
- 교통흐름의 분석 과정이 매우 복잡하다.
- 교통류의 상태는 추월거리가 얼마만큼 확보되었는가에 따라 결정된다.
- 용량상의 문제보다 안전문제가 더욱 강조된다.
- 교통량 – 밀도 – 속도와의 기본관계식이 고속도로에서처럼 분명하게 나타나지 않는다.

17 2차로도로의 이상적인 조건을 설명하시오.

해설
- 평지
- 앞지르기 기능구간이 100%인 도로
- 차로폭은 3.5m 이상
- 측방여유폭은 1.5m 이상
- 승용차만으로 구성된 교통류
- 교통 통제 또는 회전차량으로 인하여 직진 차량이 방해받지 않는 도로

18 고속도로 기본구간의 이상적인 조건을 설명하시오.

해설 - 승용차로만 구성된 교통류
- 차로폭은 3.5m 이상
- 측방여유폭은 1.5m 이상
- 평지

19 다차로도로의 이상적인 조건을 나열하시오.

해설 - 차로폭 3.5m 이상
- 측방여유폭은 1.5m 이상
- 구배 0%인 평지
- 신호등 밀도 : 0개/km
- 유출입 지점수 : 0개/km

20 통행서비스 수준의 향상이라는 목표의 개략적인 효과척도 6가지를 나열하시오.

해설 - 평균통행시간
- 평균통행거리
- 평균통행속도
- 평균통행요금
- 평균지체시간
- 평균정지수

21 평균접근지체와 평균정지지체 시간을 비교 설명하시오.

해설 - 평균정지지체 : 한 접근로의 차량의 총 정지지체시간을 차량수로 나눈 값으로서(초/대)의 단위로 표시되며 신호교차로의 서비스수준을 평가하는 지표로 사용

– 평균접근지체 : 신호교차로에서 정지신호에 의해 차량지체가 발생한다. 정지신호에 의한 차량지체를 정지지체시간이라 하며 여기에 가속, 감속으로 인한 손실시간을 합한 시간을 접근지체시간이라 한다. 한 주기당 도착하는 모든 차량들의 접근지체시간을 구하여 차량수로 나누면 접근지체시간이 된다.

---

22 간선도로 교통의 특성을 파악할 때 고려할 사항을 3가지만 설명하시오.

해설 – 도로 주변환경
– 도로 내 교통신호등 개수
– 차량 간의 상호작용(교통밀도, 대형차량의 구성비, 회전교통량에 의해 결정)

---

23 첨두시간교통량(PHV)이 사용되는 분야를 설명하시오.

해설 – 도로의 기하구조의 설계시 사용
– 교통관제 시설의 타당성 및 설치위치 등의 설계시 반영
– 일방통행제, 가변차로제 등 교통운영체계의 설계시 사용
– 교통용량의 도출 및 개선안 설계시 사용

---

24 연평균일교통량($AADT$), 평균일교통량(ADT)가 이용되는 분야를 설명하시오.

해설 – 새로운 도로망이나 최적노선 선정시 사용
– 도로의 수용와 서비스수준 평가시 사용
– 도로개선 타당성 및 건설우선순위 선정시 사용

---

25 설계시간계수(K)에 대해 설명하시오.

해설 설계시간계수(K)sms "해당 도로의 한 시간 교통량의 분포 중 어느 정도의 교통량을 계획목표년도의 설계시간 교통량(Design Hourly Volume, DHV)으로 선택할 것인가를 결정해주는 계수"로 정의되며, 설계시간 교통량(DHV)은 계획목표년도의 연평균 일교통량(AADT)에 설계시간 계수(K)를 곱하여 산출한다.

설계시간 교통량은 연중 조사된 8,760시간(=365일×24시간/일)의 시간 교통량을 교통량이 많은 순서부터 내림차순으로 정렬하고 이를 시간 교통량-순위 관계곡선으로 부드럽게 연결한 뒤 이 곡선이 급격히 변하는 지점의 시간 교통량을 선정하여 활용하며, 설계대상 도로 주변의 유사 교통수요 변동 특성을 가지는 도로구간을 대상으로 교통량 상시조사 자료(국토교통부, 도로교통량 통계연보, 각 연도)등을 활용하여 해당사업에 맞게 도출하여 적용한다. 국내에서는 일반적으로 30번째 시간 교통량에 대한 연평균 일교통량의 비(K_{30})를 설계시간 계수로 적용하고 있다.

$$K_{30} = \frac{DHV_{30}}{AADT} = \frac{\text{30번째 시간교통량}}{\text{연평균일교통량}}$$

【참고】 • K값의 특성

- K값이 높을수록 교통량 변화가 심함
- 주변지역의 개발이 증가되면 K값은 감소
- K값의 크기는 관광도로 > 지방부도로 > 도시외곽도로 > 도심부도로
- K값은 도로시설 규모 결정을 위한 주요변수로 과대 또는 과소에 따른 영향이 매우 크므로 선정시 신중해야함

• 시간교통량 순위

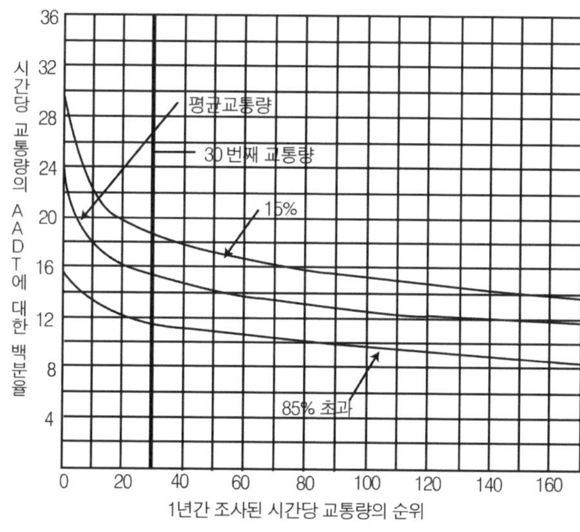

• 설계시간 계수(K)

도로 구분		지역구분		
		도시지역 도로	지방지역 도로	관광지역 도로
일반 국도	2차로	0.12* (0.10~0.14)**	0.16* (0.13~0.20)	0.23* (0.18~0.28)
	4차로 이상	0.10 (0.07~0.12)	0.12 (0.09~0.15)	0.14 (0.12~0.17)
고속국도 (4차로 이상)		0.10 (0.07~0.13)	0.014 (0.09~0.19)	

* 설계시간 계수 적용범위 중 상한값과 하한값의 산술평균
** 설계시간 계수의 적용범위

---

26 균일지체(uniform delay), 증분지체(incremental delay), 추가지체(initial queue delay)에 대해 설명하시오.

해설 신호제어로 인해 차로군이 속도를 줄이거나 정지함에 따른 지체로서, 감속이나 정지함이 없을 때의 통행시간과 비교한 통행시간 증가분을 제어지체(control delay)라 말한다. 이것은 균일지체(uniform delay), 증분지체(incremental, overflow, random delay) 및 추가지체(initial queue delay)로 구성된다.

- 균일지체 : 도착교통량이 완전히 균일하게 도착한다고 가정했을 때의 차량당 평균접근지체
- 증분지체 : 비균일 도착에 의한 임의지체(random delay)와, 분석 기간 내에서 몇 몇 과포화주기(cycle failure)에 의한 과포화지체(overflow delay)를 포함한 지체
- 추가지체 : 분석기간 시작 전에 대기차량이 남아 있으면, 이 대기차량이 방출되는 동안 분석기간에 도착한 차량이 감당해야 할 추가적인 지체

---

27 신호교차로 서비스수준 분석 과정을 설명하시오.

해설 자료조사 → 교통량 보정 → 포화교통량 산정 → 각 차로군 별 용량 및 V/C비 계산 균일지체, 증분지체, 추가지체 계산 → 연동계수(PF)를 적용하여 제어지체 계산 → 차로군별 지체를 교통량에 관해서 가중평균하여 접근로의 평균지체를 계산하고 서비스수준 판정 → 접근로별 지체를 교통량에 관해서 가중평균하여 교차로 전체의 평균지체계산 및 서비스수준 판정

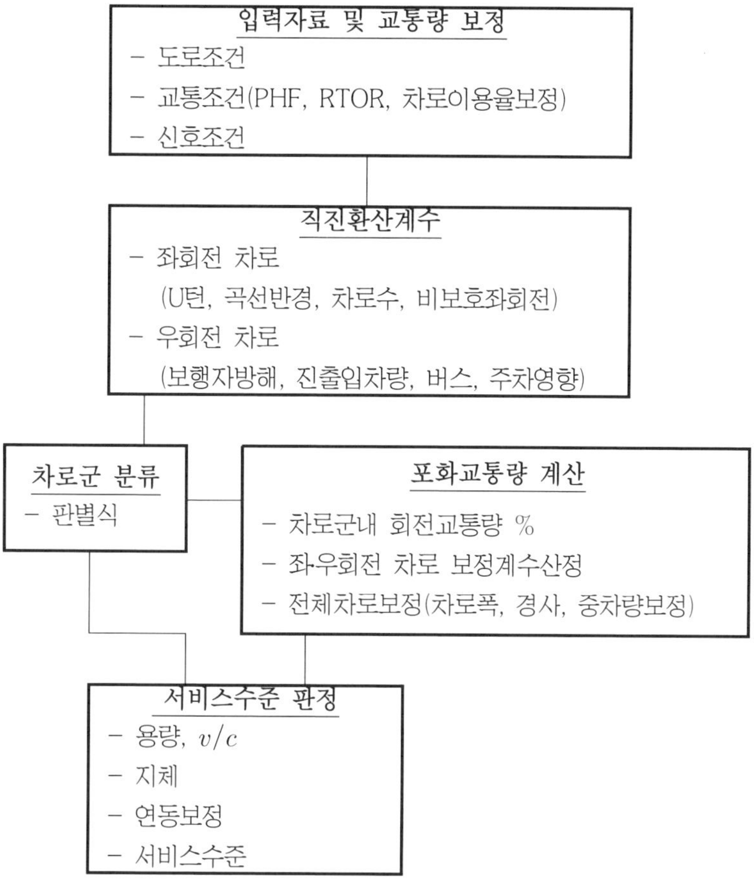

입력자료 및 교통량 보정
- 도로조건
- 교통조건(PHF, RTOR, 차로이용율보정)
- 신호조건

직진환산계수
- 좌회전 차로
(U턴, 곡선반경, 차로수, 비보호좌회전)
- 우회전 차로
(보행자방해, 진출입차량, 버스, 주차영향)

차로군 분류
- 판별식

포화교통량 계산
- 차로군내 회전교통량 %
- 좌우회전 차로 보정계수산정
- 전체차로보정(차로폭, 경사, 중차량보정)

서비스수준 판정
- 용량, v/c
- 지체
- 연동보정
- 서비스수준

【참고】• 신호교차로의 서비스수준 분석

1. 신호교차로의 분석 목적
① 각 현시의 주이동류의 v/s 비를 이용하여 교차로 전체의 v/c, 즉 임계 v/c를 구하기 위함
② 모든 이동류의 v/c를 이용하여 교차로 전체의 평균지체를 구해 서비스수준 결정 위함
③ 모든 이동류의 v/s 비를 이용하여 적절한 현시방법과 적정신호시간을 계산하기 위함

2. 신호교차로의 서비스수준 분석
1) 도로조건, 교통조건, 신호조건 자료입력

2) 도착교통량 보정
① 첨두시간 교통류율 환산
첨두시간 교통류율은 분석시간대(보통 첨두 1시간) 내의 첨두 15분 교

통량을 4배해서 1시간 교통량으로 나타낸다.

② 차로이용률 보정

③ 우회전 교통량 보정

3) 회전 및 노변차로의 직진환산계수

각 회전별 노변차로에 대한 직진환산계수를 설정한다.

4) 차로군 분류

한 접근로에서 동일한 현시에 진행하는 이동류들의 차로이용율이 다를 수 있으며 따라서 차로별 서비스수준도 다르다. 이용율이 같은 이동류끼리 묶어서 몇 개의 차로군으로 분류하고 분석도 차로군 별로 한다.

① 포화교통량 보정

각 차로를 이용하는 이동류의 포화교통량을 도로조건과 교통조건에 맞게 보정하는 단계이다.

$$S_i = S_o \times N_i \times f_{LT}(\text{또는 } f_{RT}) \times f_w \times f_g \times f_{HV}$$

여기서,

S_i : i 이동류의 포화교통량(vphg)

S_o : 이상적 조건 하에서의 포화교통량(pcphgpl), 보통 우리나라에서는 2,200pcphgpl을 이용

5) 각 차로군 별 용량 및 V/C비 계산

① 차로군별 용량 계산

신호교차로에서 각 접근로의 용량은 각 현시에 따른 차로군별로 구한다. 즉 교차로 접근로의 용량은 전반적인 도로조건, 교통조건 및 신호조건에서 교차로를 통과 할 수 있는 차로군별 용량으로 나타낸다. 이 용량은 각 차로군의 V/C비와 지체 및 서비스수준을 구하거나, 차로군의 지체를 교통량에 관해서 가중평균하여 그 접근로, 나아가 교차로 전체의 평균지체 및 서비스수준을 구하기 위해 사용된다. 따라서 한 접근로의 차로군별 용량을 합하여 그 접근로의 용량으로 나타내는 것은, 서로 다른 이동류의 용량을 합하는 것이므로 의미가 없다.

$(V/S)i$는 i 차로군의 교통량과 포화교통류율의 비를 의미하는 것으로 이를 교통량비(flow ratio)라 하고 vi로 나타내기도 한다. i 차로군의 용량은 다음식을 이용해서 얻는다.

$$c_i = S_i \times \frac{g_i}{C}$$

여기서,
c_i = i 차로군의 용량(vph)
S_i = i 차로군의 포화교통류율(vph)
g_i = i 차로군의 유효녹색시간(초)
C = 주기(초)

$(V/c)i'$는 i 차로군의 교통량과 용량의 비를 의미하는 것으로서 이를 포화도(degree of saturation)라 하고 X_i로 나타내기도 한다. 따라서 교통량비와 포화도와의 관계는 다음과 같이 나타낼 수 있다.

$$X_i = \left(\frac{V}{c}\right)_i = \frac{V_i}{S_i\left(\frac{g_i}{C}\right)} = \frac{V_i C}{S_i\, g_i}$$

여기서,
X_i = $(V/c)i$ = i 차로군의 포화도
V_i = i 차로군의 교통량(vph)
g_i/C = i 차로군의 유효녹색시간비

X_i 값은 일반적으로 0~1.0의 값을 가지나, 도착교통량이 용량을 초과하는 경우에는 1.0보다 큰 값을 나타낼 때도 있다. 앞에서 언급한 몇 개의 차로군을 가진 접근로의 경우와 마찬가지로 교차로 전체의 용량도 별 의미가 없다.

② 임계 v/c비 계산

교차로 전체의 v/c를 나타내기 위해서는 한 현시의 여러 이동류 중 최대의 v/s값을 나타내는 주이동류를 이용한다. 따라서 각 신호현시마다 주이동류가 그 현시의 녹색신호길이를 결정한다.

$$X_c = \frac{C}{C-L}\sum y_i$$

여기서,
X_c = 교차로 전체의 임계 v/c비
C = 주기(초)
L = 주기당 총 손실시간(초)
y_i = 각 현시의 임계차로군의 교통량비

6) 연동계수(PF)를 적용하여 제어지체 계산

$$d = d_1(PF) + d_2 + d_3$$

여기서,

d = 차량당 평균제어지체(초/대)

d_1 = 균일제어지체(초/대)

PF = 신호연동에 의한 연동보정계수

d_2 = 증분지체(초/대)

d_3 = 추가지체(초/대)

7) 차로군별 지체를 교통량에 관해서 가중평균하여 접근로의 평균지체를 계산하고 서비스수준 판정

8) 접근로별 지체를 교통량에 관해서 가중평균하여 교차로 전체의 평균지체를 계산하고 서비스수준 판정

• **신호교차로의 서비스수준 기준**

서비스수준	차량당 제어지체
A	≤ 15초
B	≤ 30초
C	≤ 50초
D	≤ 70초
E	≤ 100초
F	≤ 220초
FF	≤ 340초
FFF	> 340초

28 도로의 설계차로수 결정 과정에 대해서 설명하시오.

해설 ① 대상도로구간의 교통량 변화율을 반영하기 위해 연평균교통량에 대한 비율을 결정하여 K_{30}의 값을 구한다.

② 설계시간 교통량을 산출한다.

③ 중차량 혼입률과 방향별 분포를 고려한 설계시간 교통량을 산출한다.

④ 마지막으로 차로수를 결정한다.

29 2차로도로의 서비스수준 분석 과정을 설명하시오.

해설 서비스수준을 산정하기 위해서 도로의 유형을 구분하고, 첨두시간 환산 교통량을 산출한 뒤 기본조건에서의 총지체율과 평균 통행속도를 산출하여 각종 총지체율과 평균 통행속도 보정계수를 적용하게 된다. 2차로도로는 <그림 1>의 과정을, 2+1차로도로는 <그림 2>의 과정을 거쳐 해당도로의 서비스수준을 분석한다.

• **2차로도로의 서비스수준 분석**

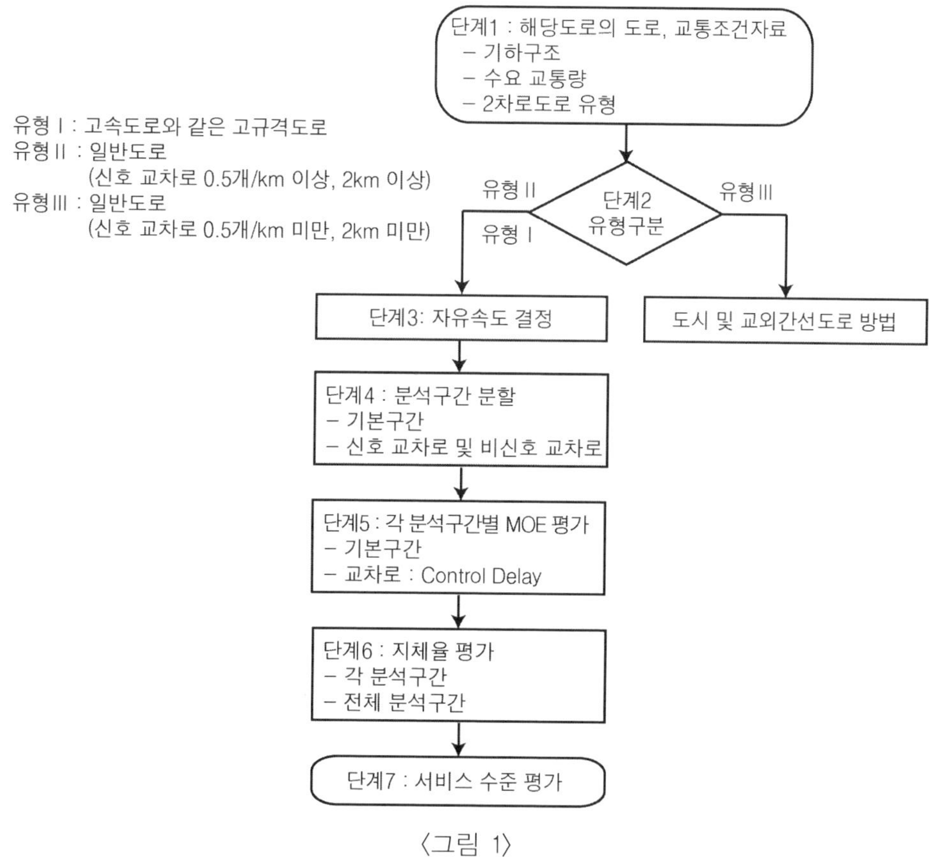

〈그림 1〉

- 2+1차로도로의 서비스수준 분석

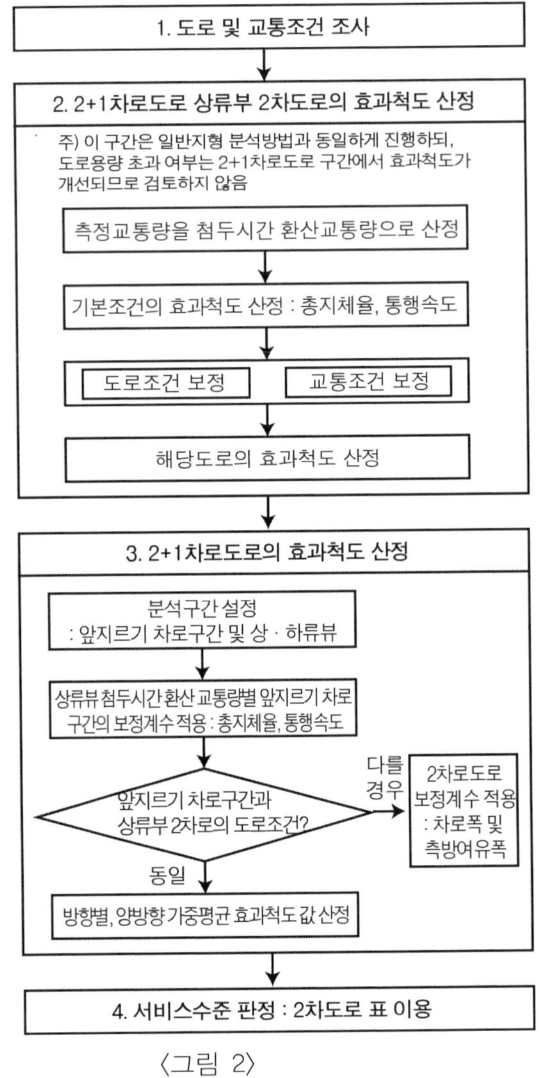

〈그림 2〉

【참고】• 2차도로 운영상태 분석 절차

(1) 2차로도로 유형구분(Ⅰ, Ⅱ, Ⅲ) 및 자유속도 결정

① 유형Ⅰ : 연속 교통류 특징을 가지고 있는 2차로도로

② 유형Ⅱ : 기본적으로 연속류 구간에 단속류 특징이 가미된 2차로도로

③ 유형Ⅲ : 도로주변이 개발된 지역으로서 접근성을 강조하는 단속 교통류 특징을 가지고 있는 2차로도로

(2) 구간 분할

- 분석 대상구간 분할방법

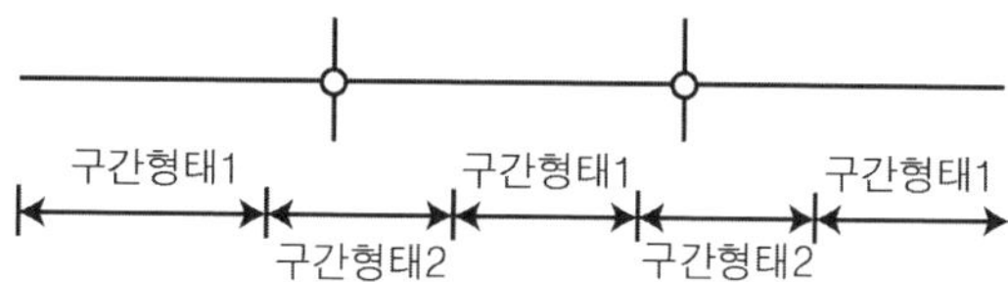

㉠ 구간형태1 : 2차로도로 기본구간으로서, 신호 교차로의 영향을 미치지 않는 구간

㉡ 구간형태2 : 신호교차로의 영향을 받는 구간으로서, 구간 길이는 제어지체의 세가지 요소(감속지체, 정지지체, 가속지체)를 포함하는 구간

- 구간형태2(신호교차로 영향권 길이)의 길이 산정

$$ESL = 242 + 74 \times (V_d/100) - 102 \times (LB) - 70 \times [(V_d/100) \times (g/C)] + 152 \times [(V_d/100) \times L \times DIS]$$

여기서, ESL = 신호교차로 상류부 영향권 길이(m)

V_d = 진행방향교통량(승용차/시)

LB = 좌회전 전용차로 유무(유 = 1, 무 = 0)

g/C = 유효 녹색시간비

L = 진행방향 교통량 좌회전 비율

DIS = 진행방향 교통량 분포 비율

㉠ 신호교차로 영향을 받는 하류부 영향권 길이: 100m

㉡ 구간형태2의 길이 = 상류부 영향권 길이(m) + 100m

(3) 각 구간형태와 각 분석대상 구간별 MOE 평가

- 구간형태1

㉠ 교통류율 환산 : $V_p = \dfrac{V}{PHF \times f_{HV}}$, $f_{HV} = \dfrac{1}{1 + P_T(E_T - 1)}$

여기서, E_T = 통행속도 중차량보정계수
총지체율 중차량보정계수

㉡ 용량확인

일방향 교통량이 1,700pcphpl, 양방향 교통량 3,200pcph를 초과하지 않는 경우 분석절차 진행

㉢ 총지체율 산출

$$TDR_{1,i} = 100 \times (1 - e^{(a \times V_d^b)}) + f_{np,D} + f_{w,D}$$

여기서, $TDR_{1,i}$ = 구간형태1의 i구간 총지체율(%)

V_d = 진행방향 교통량(승용차/시)

$f_{np,D}$ = 방향별 분포 비율과 앞지르기 가능구간 비율에 따른 총지체율 보정계수(%)

$f_{w,D}$ = 차로 폭 및 측방여유폭 총지체율 보정계수(%)

㉣ 통행속도 산정

$$ATS_{1,i} = FFS - 0.0132 \times V_d - 0.0037 \times V_o - f_{np,ATS} - f_{w,ATS}$$

여기서, $TDR_{1,i}$ = 구간형태1의 i구간 평균 통행속도(km/h)

FFS = 자유속도(km/h)

V_d = 진행방향 교통량(승용차/시)

V_o = 대향교통량(승용차/시)

$f_{np,ATS}$ = 방향별 분포 비율과 앞지르기 가능구간 비율에 따른 통행속도 보정계수(km/h)

$f_{w,ATS}$ = 차로 폭 및 측방여유폭 통행속도 보정계수(%)

– 구간형태2

㉠ 교통류율 환산 : $V_p = \dfrac{V}{PHF \times f_{HV}}$, $f_{HV} = \dfrac{1}{1 + P_T(E_T - 1)}$

여기서, E_T = 중차량보정계수(신호교차로 편 적용)

㉡ 제어지체 산정

$$d = d_1(PF) + d_2 + d_3$$

여기서,

d = 차량당평균제어지체(초/대)

d_1 = 균일제어지체(초/대)

PF = 신호연동에의한연동보정계수

d_2 = 임의도착과 과포화를 나타내는 증분지체로서, 분석기간 바로 앞주기 끝에 잔여차량이 없을 경우(초/대)

d_3 = 분석기간 이전의 잔여 대기차량에 의해 분석기간에 도착하는 차량이 받는 추가지체(초/대)

㉢ 통행속도 산정

$$ATS_{2,i} = \frac{3.6 \times L_{2,i}}{(d + 3.6 \times L_{2,i}/FFS_{up})}$$

여기서, $ATS_{2,i}$ = 구간형태2의 i구간 통행속도(km/h)

$L_{2,i}$ = 구간형태 2(신호교차로 영향권)의 i 구간길이(m)

FFS_{up} = 상류부 자유속도(km/h)

㉣ 총지체율 산정

$$TDR_{2,i} = \frac{d}{(3.6 \times L_{2,i}/FFS)}$$

여기서, $TSR_{2,i}$ = 구간형태 2의 i 구간 총지체율(%)

d = 제어지체(초/대)

(4) 전체구간에 대한 통행속도와 지체율 평가

$$ATS_{전체구간} = \frac{L}{\sum_i \frac{L_{1,i}}{ATS_{1,i}} + \sum_j \frac{L_{2,j}}{ATS_{2,j}}}$$

여기서, $ATS_{전체구간}$ = 전체 구간 통행속도(km/h)

$ATS_{1,i}$ = 구간형태 1의 i 구간 통행속도(km/h)

$ATS_{2,i}$ = 구간형태 2의 i 구간 통행속도(km/h)

L = 전체구간 길이(km)

$L_{1,i}$ = 구간형태 1의 i 구간길이(km)

$L_{2,i}$ = 구간형태 2의 i 구간길이(km)

$$TDR_{전체구간} = \sum_i TDR_{1,i} \times \frac{L_{1,i}}{L} + \sum_j TDR_{2,j} \times \frac{L_{2,i}}{L}$$

여기서, $ATS_{전체구간}$ = 전체 구간 총지체율(%)

$TDR_{1,i}$ = 구간형태 1의 i 구간 총지체율(%)

$ATS_{2,i}$ = 구간형태 2의 i 구간 총지체율(%)

(5) 총지체율과 통행속도에 의한 서비스수준 판정

도로유형에 따른 총지체율과 통행속도에 해당하는 서비스수준을 판정한다.

---

30 고속도로 기본구간의 서비스수준 분석 과정을 설명하시오.

해설 도로조건 및 교통조건 자료정리 → 주어진 도로 및 교통조건에 대해 관련 보정계수(f_W, f_{HV})를 산출 → 현재 또는 장래 교통량(V)을 첨두시간 환산 교통량(V_c)으로 환산 → 주어진 도로 및 교통조건에 대한 용량(C)을 산출 → 수요 교통량(V)과 용량(C)에서 교통량 대 용량비(V/C)를 산출 → 산출한 V/C비

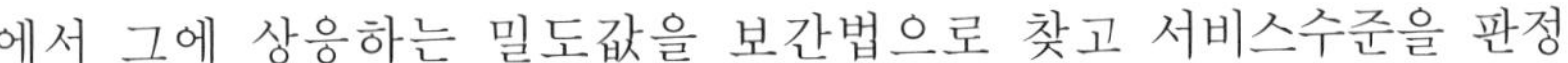

에서 그에 상응하는 밀도값을 보간법으로 찾고 서비스수준을 판정

【참고】• 고속도로 서비스수준 분석

1. 운영상태 분석

1) 분석대상 도로의 도로조건과 교통조건을 명시

① 도로 조건 : 설계속도, 차로폭, 측방여유폭, 차로수, 지형구분 혹은 특정 경사구간 등

② 교통조건 : 교통량, 차량구성비율(%), 첨두시간계수(PHF) 등

2) 주어진 도로 및 교통조건에 대해 관련 보정계수(f_W, f_{HV})를 산출

① f_W : 차로폭 및 측방여유폭 보정계수

② f_{HV} : 중차량 보정계수(다음 식을 이용)

▶ 일반지형일 경우

$$f_{HV} = \frac{1}{[1+P_{T_1}(E_{T_1}-1)+P_{T_2}(E_{T_2}-1)]} \quad \text{(평지)}$$

$$f_{HV} = \frac{1}{[1+P_{HV}(E_{HV}-1)]} \quad \text{(구릉지, 산지)}$$

여기서,

P_{T_1}, P_{T_2} : 중형(2.5톤 이상 트럭과 버스) 및 대형(특수 차량)의 구성비

E_{T_1}, E_{T_2} : 중형과 대형의 승용차 환산계수

P_{HV} : 중차량(2.5톤 이상의 소형 트럭과 버스를 포함한 전 중차량)의 구성비

E_{HV} : 중차량의 승용차 환산계수

▶ 특정 경사구간일 경우

$$f_{HV} = \frac{1}{[1+P_{HV}(E_{HV}-1)]}$$

3) 현재 또는 장래교통량(V)을 첨두시간 환산교통량(V_c)으로 환산

교통량단위는 대 단위 외에 승용차단위로도 할 수 있는데, 비교되는 용량 또는 서비스 교통량단위와 일관성을 갖게 해야 한다.

$$V_P = \frac{V}{PHF}\,(\text{vph})$$

4) 주어진 도로 및 교통조건에 대한 용량(C)을 산출

이 때 기본이 되는 용량값은 C_j=2,200pcphpl, 용량 상태의 값인데, 해당 설계 속도에 따른 용량(C_j, 차로당)을 뜻한다.

$$C = C_j \times N \times f_W \times f_{HV} \text{(vph)}$$

5) 수요교통량(V)과 용량(C)에서 교통량 대 용량비(V/C)를 산출

2. 계획 및 설계분석

1) 설계속도, 차로폭, 측방여유폭, 차로수, 지형 구분 또는 특정 경사를 포함한 예상 도로조건을 명시한다.

2) 중방향 설계시간 교통량($DDHV$) 이외에 차량구성비율(%), 첨두시간계수(PHF), 속도를 포함한 예상 교통 조건을 명시하고, 수요교통량($PDDHV$)을 산출한다.

$$PDDHV = \frac{DDHV}{PHF} = \frac{AADT \times K \times D}{PHF}$$

여기서,

$PDDHV$ = 첨두설계시간 교통량(vph)

$DDHV$ = 중방향설계시간 교통량(vph)

$AADT$ = 계획 목표년도의 연평균 일교통량(대/일, vph)

K = 설계시간계수, D = 중방향계수, PHF = 첨두시간계수

3) 주어진 도로 및 교통조건에 대해 관련 보정계수(f_W ,f_{HV})를 산출한다.

① f_W : 차로폭 및 측방여유폭 보정계수

② f_{HV} : 중차량 보정계수(다음 식을 이용)

▶ 일반지형일 경우

$$f_{HV} = \frac{1}{[1 + P_{T_1}(E_{T_1} - 1) + P_{T_2}(E_{T_2} - 1)]} \text{(평지)}$$

$$f_{HV} = \frac{1}{[1 + P_{HV}(E_{HV} - 1)]} \text{(구릉지, 산지)}$$

▶ 특정 경사구간일 경우

$$f_{HV} = \frac{1}{[1 + P_{HV}(E_{HV} - 1)]}$$

4) 공급 서비스교통량(SF_i)을 계산한다.

$$SF_i = MSF_i \times f_W \times f_{HV}$$

5) 소요차로수(N)를 계산한다.

$$N = \frac{\text{수요교통량}}{\text{서비스교통량}} = \frac{PDDHV}{SF_i}$$

• **고속도로 기본구간 서비스수준**

서비스수준	밀도 (pcpkmpl)	설계 속도 120 kph		설계 속도 100 kph		설계 속도 80 kph	
		교통량 (pcphpl)	v/c비	교통량 (pcphpl)	v/c비	교통량 (pcphpl)	v/c비
A	≤6	≤700	≤0.3	≤600	≤0.27	≤500	≤0.25
B	≤10	≤1,150	≤0.5	≤1,000	≤0.45	≤800	≤0.40
C	≤14	≤1,500	≤0.65	≤1,350	≤0.61	≤1,150	≤0.58
D	≤19	≤1,900	≤0.83	≤1,750	≤0.8	≤1,500	≤0.75
E	≤28	≤2,300	≤1.00	≤2,200	≤1.00	≤2,000	≤1.00
F	>28	–	–	–	–	–	–

---

31 고속도로 연결로 엇갈림 구간의 서비스수준 분석 과정을 설명하시오.

해설 도로 및 교통조건 조사 → 엇갈림 속도와 비엇갈림 속도 산출 → 평균밀도 산출 → 서비스수준 판정

• **본선-연결로 엇갈림 구간의 운영상태 분석**

도로 및 교통조건 조사 → 첨두시간 환산 교통량 산출 → 방향별 교통량 도식화 → 교통류별 평균속도 계산 및 밀도 산출 → 밀도로 서비스수준 판정

• **연결로-연결로 엇갈림 구간**

도로 및 교통조건 조사 → 첨두시간 환산 교통량 산출 및 엇갈림 교통량 관련 변수 한계 점검($V_w \le 3,000$) → 밀도로 서비스수준 판정

[참고] • **평균밀도 산출방법**

속도 추정식 또는 현장 조사에 따라 산출된 엇갈림 속도와 비엇갈림 속도를 토대로 엇갈림 구간내의 평균 속도를 계산한 후, 평균 밀도를 산출한다.

$$S = \frac{V}{\dfrac{V_w}{S_w} + \dfrac{V_{nw}}{S_{nw}}}, \quad D = \frac{V/N}{S}$$

여기서, S = 엇갈림 구간의 모든 차량에 대한 평균속도(kph)

S_w = 엇갈림 차량의 평균속도(kph)

S_{nw} = 비엇갈림 차량의 평균속도(kph)

V = 엇갈림 구간의 총교통량($pcph$)

V_w = 엇갈림 교통량($pcph$)

V_{nw} = 비엇갈림 교통량($pcph$)

D = 엇갈림 구간의 평균 밀도($pcpkmpl$)

---

32 고속도로 연결로 접속부 구간의 서비스수준 분석 과정을 설명하시오.

해설 기하구조 및 교통수요 파악 → 첨두시간 환산 교통량 산출 → 용량 확인 → 영향권 교통량 계산 → 밀도 산출 → 서비스수준 판정

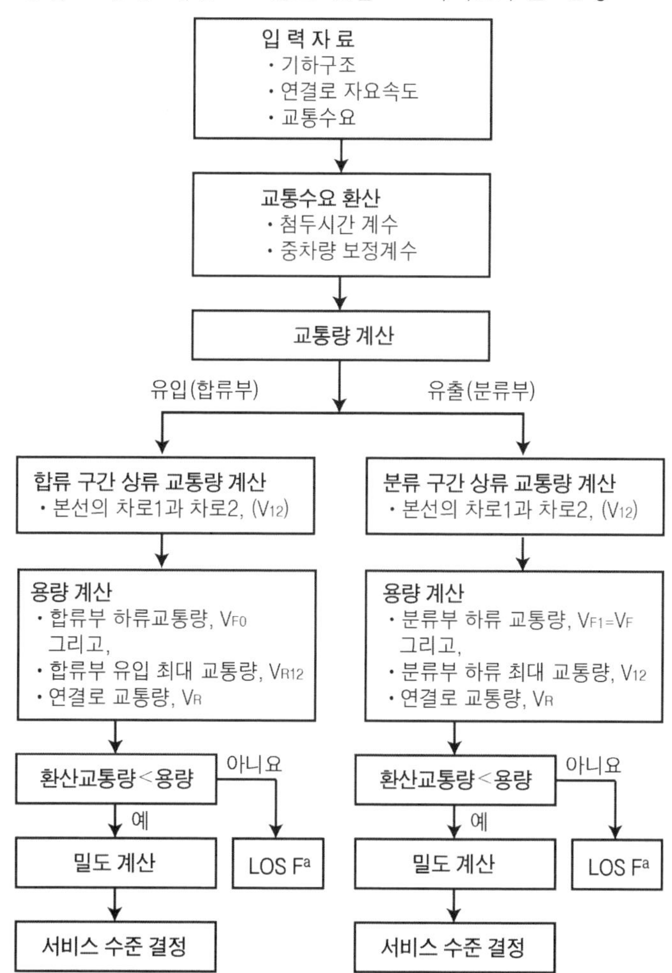

a : 합류 및 분류부 연결로 접속부의 용량 참고

33 비신호교차로인 양방향정지 교차로의 서비스수준 분석 과정을 설명하시오.

해설 자료입력 → 교통류율 및 시간간격 산정과 상충교통류 확인 → 잠재용량산정 → 저항계수산정 → 차로배분용량산정 → 운영지체산정 → 서비스수준 판단

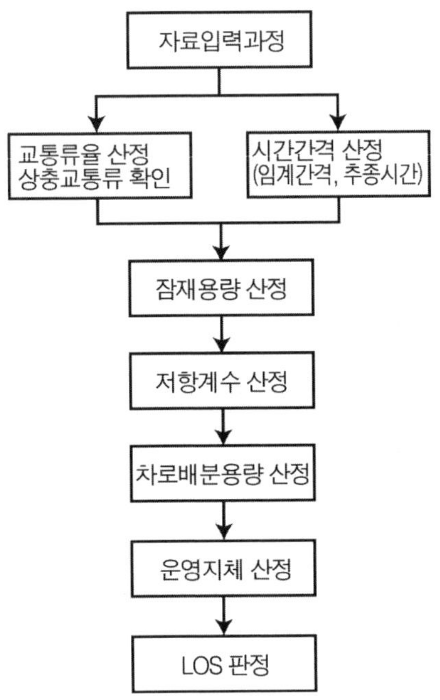

34 비신호교차로인 무통제 교차로의 서비스수준 분석 과정을 설명하시오.

해설 방향별 교통량 입력 → 교통량의 중차량 보정 → 주도로의 교통량비 산정 → 서비스수준 판단

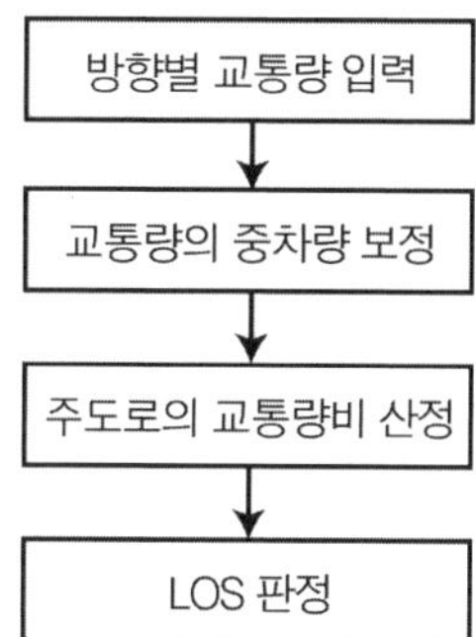

35 다차로도로의 서비스수준 분석 과정을 설명하시오.

해설 다차로도로 유형 I 는 고속도로의 서비스수준 분석절차를 따르며, 유형 II는 도로 및 교통조건 설정, 최대통행속도(S_{p1})산정, 구간별 평균통행속도 산정, 서비스수준 평가 순으로 서비스수준을 분석한다. 다차로도로 유형 II의 상세한 서비스수준 분석 과정을 다음과 같다.

도로조건 및 교통조건 설정 → 각 구간별 최대통행속도 산정 → 각 구간별 평균통행속도 산정 → 각 구간별 서비스수준 평가 → 전체 구간의 서비스수준 평가

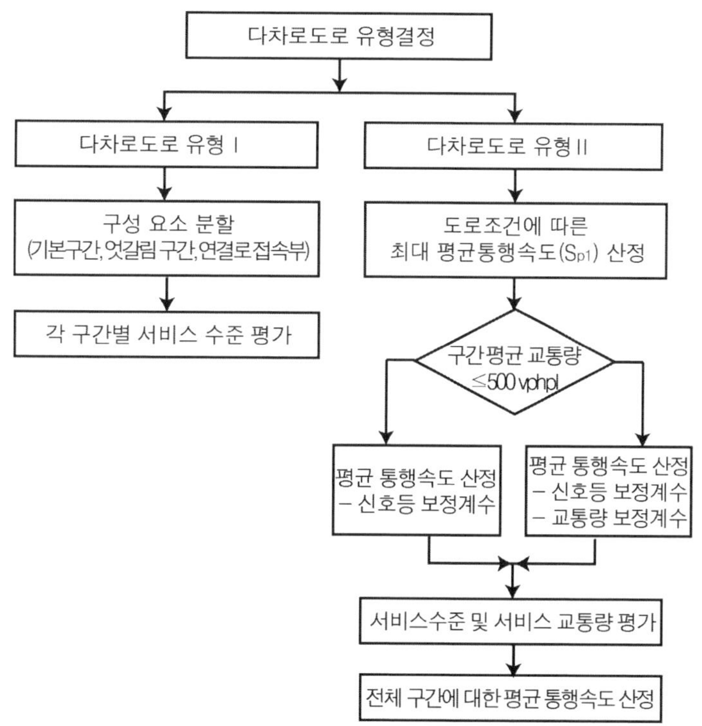

【참고】 • 다차로도로의 유형Ⅰ 서비스수준(기본구간)

서비스 수준	설계속도 100kph			설계속도 80kph		
	V/C	서비스교통량 (승용차/시/차로)	속도 (kph)	V/C	서비스교통량 (승용차/시/차로)	속도 (kph)
A	≤ 0.27	≤ 600	≥ 97	≤ 0.25	≤ 500	≥ 86
B	≤ 0.45	≤ 1,000	≥ 95	≤ 0.40	≤ 800	≥ 85
C	≤ 0.61	≤ 1,350	≥ 93	≤ 0.58	≤ 1,150	≥ 84
D	≤ 0.80	≤ 1,750	≥ 88	≤ 0.75	≤ 1,550	≥ 79
E	≤ 1.00	≤ 2,200	≥ 77	≤ 1.00	≤ 2,000	≥ 67

• 다차로도로 유형Ⅱ 서비스수준

서비스 수준	V/C	자유속도(kph)		서비스교통량(승용차/시/차로)		
		87	70	g/C=0.8	g/C=0.6	g/C=0.5
A	≤ 0.20	≤ 600	≥ 97	350	250	200
B	≤ 0.45	≤ 1,000	≥ 95	800	600	500
C	≤ 0.70	≤ 1,350	≥ 93	1,250	900	800
D	≤ 0.85	≤ 1,750	≥ 88	1,500	1,100	950
E	≤ 1.00	≤ 2,200	≥ 77	1,750	1,500	1,100

36 다이아몬드형 인터체인지의 서비스수준 분석 과정을 설명하시오.

해설 다이아몬드형 인터체인지는 교통류의 처리방식에 따라 2점 교차형과 1점 교차형으로 구분된다. 다이아몬드형 인터체인지의 가장 일반적인 형식인 2점 교차형은 고속주행 본선을 연결하는 연결로와 일반도로인 단속류 도로의 결합부에 2개의 평면교차로를 생성한다. 각각의 평면교차로는 고속주행 본선으로 진출하기 위한 좌회전 이동류와 일반도로로 진입하기 위한 좌회전 이동류를 포함하고 있으며, 교차로 사이의 거리가 짧아 서로에게 영향을 미쳐 독립 신호교차로의 운영과 차별화된 특징을 갖는다.

일반적으로 교통량이 적은 지방부에서는 양보 또는 정지신호에 의한 비신호교차로로 운영되고, 교통량이 많은 도시부에서는 신호교차로로 운영되고 있다. 비신호교차로로 운영되는 다이아몬드형 인터체인지는 비신호교차로의 용량 및 서비스 수준 분석 방법론을 적용하고 신호교차로로 운영되는 다이아몬드형 인터체인지에 대한 용량 및 서비스수준 분석 방법론을 적용한다. 신호교차로로 운영되는 다이아몬드형 인터체인지 서비스수준 분석 과정은 다음과 같다.

입력자료 및 교통량 보정 → 회전 및 노변차로의 직진환산계수 반영 → 차로군 분류 → 포화교통류율 보정 → 추가녹색손실시간 계산 → 유효녹색시간 보정 → 용량, V/C, 지체 산정 → 평균제어지체 산정 → 서비스수준 결정

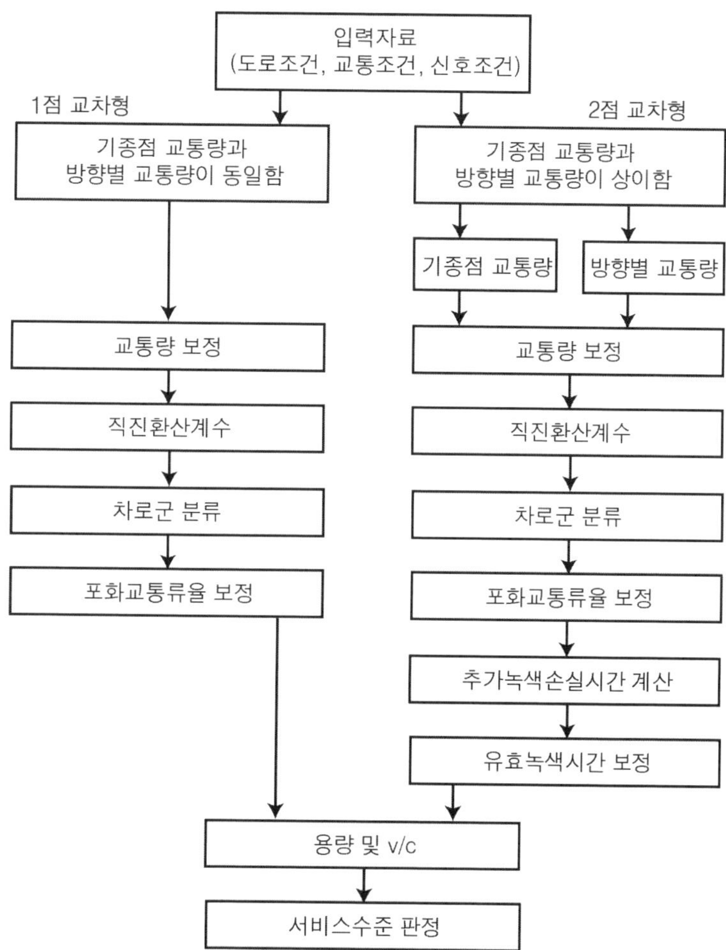

【참고】 • 다이아몬드형 인터체인지의 서비스수준 기준

서비스수준	차량당 제어지체
A	≤ 22초
B	≤ 45초
C	≤ 75초
D	≤ 105초
E	≤ 150초
F	≤ 330초
FF	≤ 510초
FFF	> 510초

• 2점 교차형 다이아몬드형 인터체인지

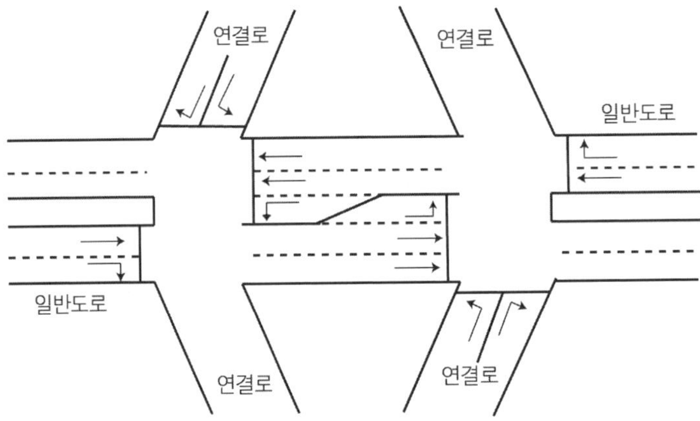

• 1점 교차형 다이아몬드형 인터체인지

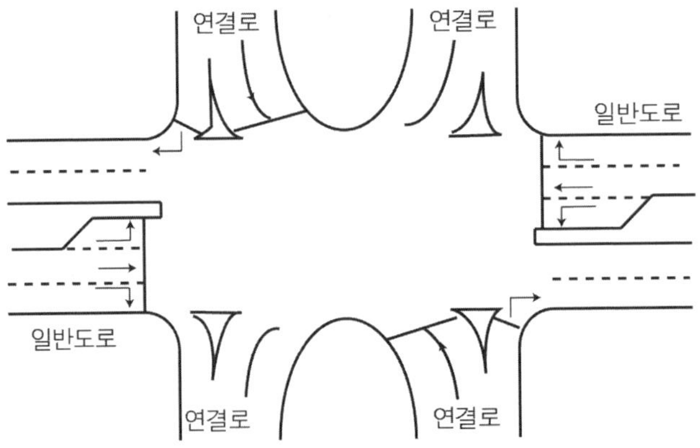

37 회전교차로의 서비스수준 분석 과정을 설명하시오.

해설 교통량 보정 → 진입 교통량 산출 → 상충 교통량 산출 → 횡단 보행자 영향계수 산출→ 진입 용량 산출 → V/C 산정 → 평균지체 산정 → 서비스수준 판단

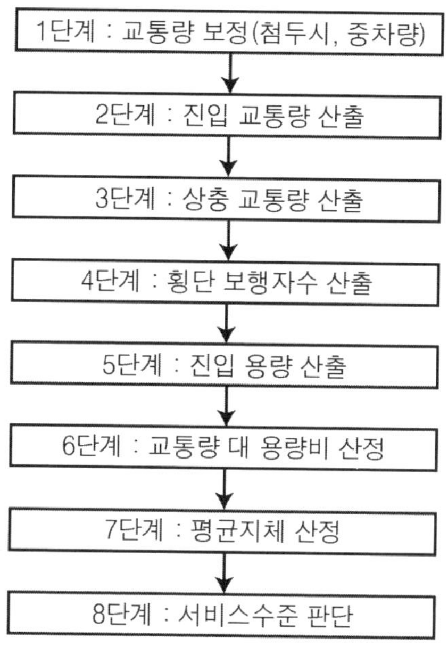

38 간선도로의 서비스수준 분석 과정을 설명하시오.

해설 분석대상 간선도로의 위치 및 연장 설정 → 간선도로 유형 결정 → 유형별 분석구간 분류 → 구간별 순행시간 산정 → 각 교차로에 대한 자료 정리 및 각 교차로 접근지체 계산 → 평균통행속도 산정 → 서비스수준 판단

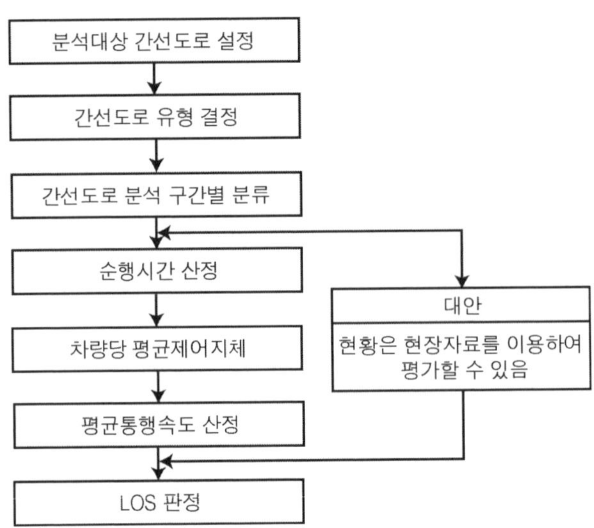

【참고】 • 간선도로의 평균 통행속도별 서비스수준

도로 유형	Ⅰ	Ⅱ	Ⅲ
자유속도 범위(kph)	≤ 85	≤ 75	≤ 65
자유속도 기준(kph	80	70	60
서비스수준	평균통행속도(kph)		
A	≥ 67	≥ 60	≥ 49
B	≥ 51	≥ 46	≥ 39
C	≥ 37	≥ 33	≥ 29
D	≥ 28	≥ 25	≥ 20
E	≥ 21	≥ 18	≥ 12
F	≥ 10	≥ 10	≥ 8
FF	≥ 6	≥ 6	≥ 5
FFF	< 6	< 6	< 5

39 버스의 서비스수준 분석 과정을 설명하시오.

해설 1. 버스 차내용량

버스형태 분류 → 버스내 탑승인원조사 → 좌석당 탑승인원(좌석형 버스) 또는 승객 1인당 점유면적 산정(입석형 버스) → 서비스수준 판정

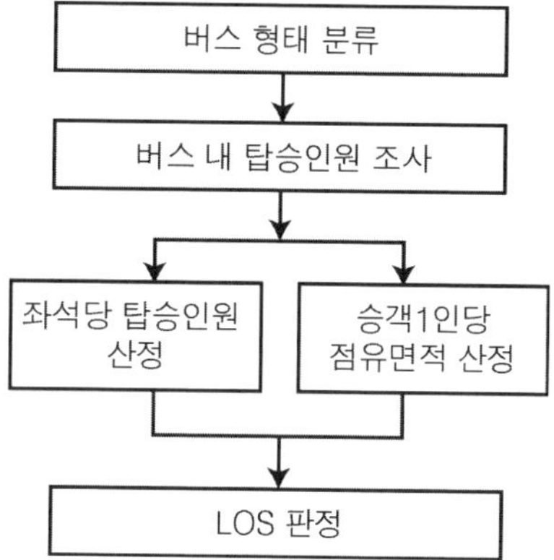

2. 버스 운행간격 및 운행시간

운행 노선수 조사 → 버스 운행시간, 배차간격, 첫차/막차 시간 조사 → 서비스수준 판정

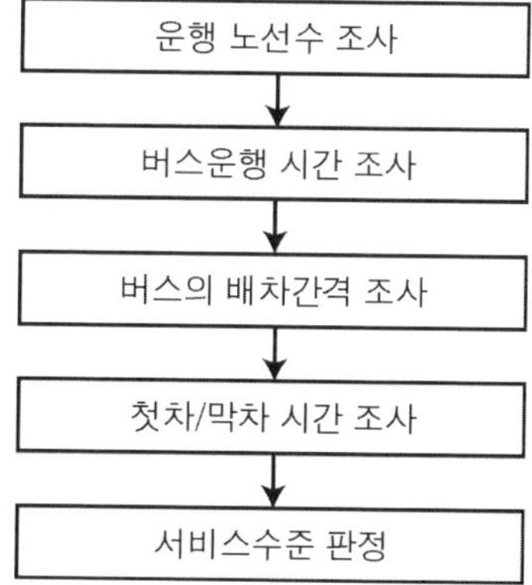

3. 버스 정차면

통행로의 연속류/단속류 분류 → 버스 정차시간 분석(감 · 가속시간, 출입문 개폐시간, 승객 승하차인원) → 정차면 용량 산정 모형식 활용 → 정차면 용량 산정 → 서비스수준 판정

4. 버스 정류장

통행로의 연속류/단속류 분류 → 버스 정차시간 분석(감 · 가속시간, 출입문 개폐시간, 승객 승하차인원) → 정차면 용량 산정 → 정류장 길이(정차면수) 조사 → 정류장 용량 산정 → 서비스수준 판정

40 보행자시설의 서비스수준 분석 과정을 설명하시오.

해설

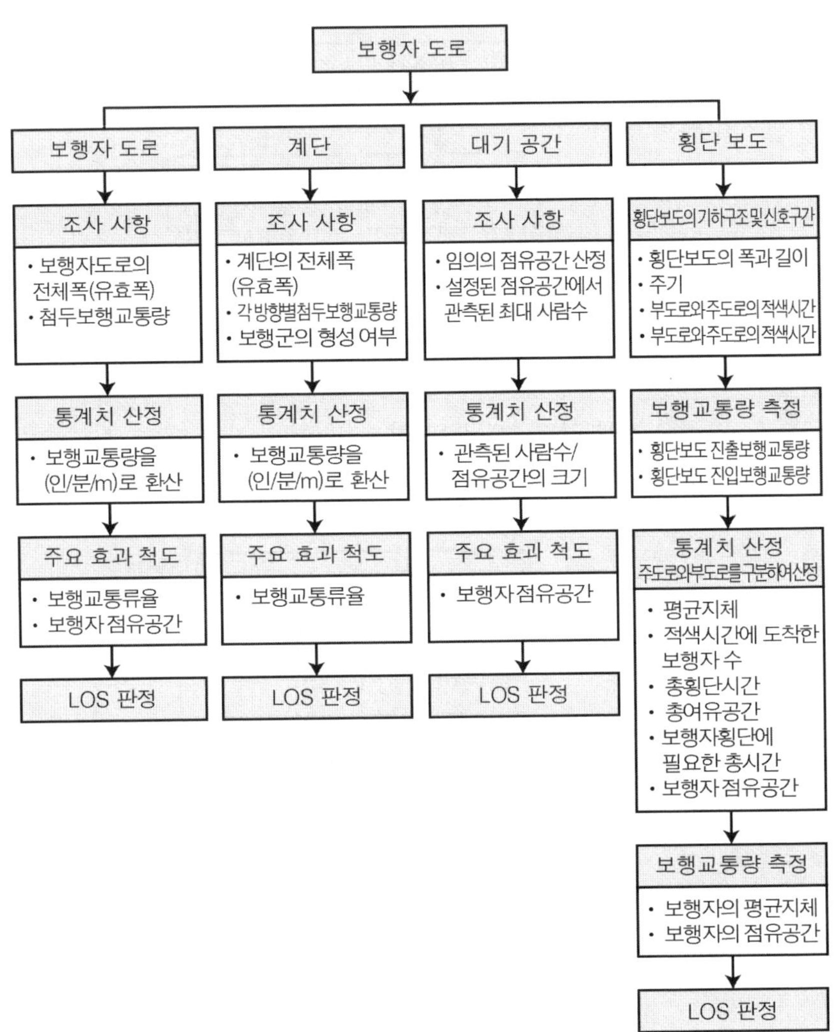

41 자전거도로의 서비스수준 분석 과정을 설명하시오.

해설

42 보행자시설에 관한 괄호() 안에 용어를 쓰시오.

(1) 대상지역의 보행교통량을 단위시간(　)동안 단위길이(　)를 통과한 보행자의 수로 환산한 것으로 단위는 인/분/m가 된다.

⇒ (　　　　　　　　　　)

(2) 보행자 1인이 이용 가능한 공간의 크기를 의미하며 단위는 ㎡/인이 된다.

⇒ (   )

(3) 실제 보도폭에서 보도상에 설치되어 보행에 지장을 주는 시설의 방해폭원을 제외한 폭원으로서 보행자가 이용할 수 있는 최소 폭원이다.

⇒ (   )

해설 (1) 1분, 1m, 보행교통류율 (2) 보행점유공간 (3) 유효보도폭

3 교통체계관리(T.S.M)

1 TSM(Transportation System Management)과 장기교통계획을 비교하시오.

해설

구분	TSM	장기교통계획
대안	소수의 대안	다수의 대안
목표	당면문제해소	폭넓은 정책에 관련
문제점	국부적 해결에만 주력	장래 예측에 의존
최종결과	구체적 설계	최적대안 설정
효과(기간)	단기적(1~5년)	장기적(10~20년)
분석절차	유추해석 또는 간단한 관계식 이용	통행 및 도로망 모형에 기초

2 TSM의 계획과정에 대해 설명하시오.

해설 문제인식 → 목표설정 → 자료수집 → 분석기법 → 장래추정 → 대안의 설정 → 평가 → 집행

3 TSM의 효율적인 계획을 위한 4단계 작업과정을 쓰시오.

해설 TSM계획 수립 → TSM계획 분석 및 평가 → TSM계획 수행 → 사후 모니터링 및 사후평가

4 TSM 중 교통류의 흐름을 개선할 수 있는 기법을 나열하시오.

해설 신호교차로 개선, 일방통행제, 가변차로제, 노상주차의 제거, 교차로의 도류화

5 TSM이 도입된 배경에 대해 설명하시오.

해설
- 교통시설의 건설비 증가
- 예산의 제약
- 시설의 효율성 제고
- 인구 및 토지이용의 변화
- 효율과 형평성 검토
- 신규건설에 대한 대중의 거부감
- 융통성 있는 교통시스템의 필요성

6 TSM 전략에 대해 설명하시오.

해설
- 강제적 사용통제
- 사용자 정보안내
- 경제적 통제방법(통행료 징수)
- 대중교통운영 변경
- 소규모 공급확대
- 신규건설에 대한 대중의 거부감
- 융통성 있는 교통시스템의 필요성
- 저비용 고효율

7 교통 및 통행패턴의 관점에서 TSM이 목표로 하는 효과에 대해 기술하시오.

해설
- 교통류의 특성개선
- 교통의 공간적 재배분

- 교통의 시간적 재배분
- 교통의 수단간 재배분
- 통행분포 및 통행길이 변경
- 통행빈도 변경, 총수요를 낮추는 것

---

8 TSM의 특성을 설명하시오. or TMS의 특성을 4가지 이상 설명하시오.

해설
- 적은 비용투자
- 단기적인 편익발생
- 지역적이고 미시적인 기법
- 고투자사업의 보완
- 교통체계의 양적 측면보다 질적 측면 강조
- 기존시설 및 서비스의 효율적 활용
- 도시교통체계의 모든 요소간의 조정 및 균형 유지의 역할
- 고투자사업 대치 가능
- 차량보다는 사람의 효율적인 움직임에 중점

[팁] 9가지 모든 특성을 암기하기 어려우면 암기하기 쉬운 5항목을 완벽히 암기해야 한다.(앞 번호 항목들이 암기하기 수월함)

---

9 TSM의 MOE(효과척도 : Measure Of Effectiveness)가 기술적으로 만족시켜야 할 점 5가지만 설명하시오. or TSM의 MOE를 충족시키기 위한 조건을 5가지 이상 설명하시오.

해설
- 계량적이어야 한다.
- 시뮬레이션이 가능하고 현장측정이 가능해야 한다.
- 민감한 것이어야 한다.
- 통계적으로 나타낼 수 있어야 한다.
- 중복되는 것은 피해야 한다.

---

10 TSM의 MOE가 적절하게 만족시켜야 할 점을 5가지만 나열하시오.

해설
- 목표에 관한 것
- 영향을 민감하게 나타내는 것
- 적용지역과 영향권을 가지고 있는 것
- 측정시간대의 측정시간 길이에 관한 것
- 목표와 직접 또는 간접적인 관계를 가져야 한다.

---

11 TSM의 기법 중 대표적인 차로통제기법 3가지만 설명하시오.

해설 ① 일방통행제 : 차량의 흐름을 한 방향으로만 규제하여 속도의 원활화를 도모하는 방안

② 가변차로제 : 교통량에 따라 차로를 부여하여 차량의 원활한 흐름을 유도하는 방안

③ 버스전용차로제 : 버스를 다른 교통과 분리시킴으로써 상호간의 마찰방지를 목적으로 설치

---

12 TSM 기법을 적용하기 위해 수요와 공급의 변화에 따른 유형 4가지를 쓰시오.

해설 교통수요를 감소시키는 기법, 교통공급을 증가시키는 기법, 교통공급을 증가하면서 수요를 감소시키는 기법, 교통수요와 공급을 동시에 감소시키는 기법

---

13 수요와 공급 측면에서 본 TSM 기법을 유형별로 쓰시오.

해설 ① 수요감소 : Car-Sharing, Park & Ride, 준대중 교통수단 도입, 버스노선조정, 요금정책, 자전거/보행자시설 설치

② 공급증가 : 신호체계 개선, 교통정보 제공, 관리센터 설치, 시차제 실시, 트럭통행 규제

③ 수요감소/공급증가 : 버스전용차로제(신설), 노상주차 제한

④ 수요감소/공급감소 : 버스전용차로제(기존차로 이용), 승용차 통행제한구역 설정, 주차면적 감소, 노상주차시설 확대

14 TSM 중에서 "수요감소, 공급감소" 측면에서의 시행방안 3가지를 설명하시오.

해설
- 버스전용차로제(기존차로 이용)
- 승용차 통행제한구역 설정
- 주차면적 감소
- 대중교통수단 우선통행

15 TSM 기법 중 수요와 공급을 동시에 감소시키는 기법 2가지를 열거하고 수요-공급곡선으로 도시하시오.

해설 **수요와 공급을 동시에 감소시키는 기법**

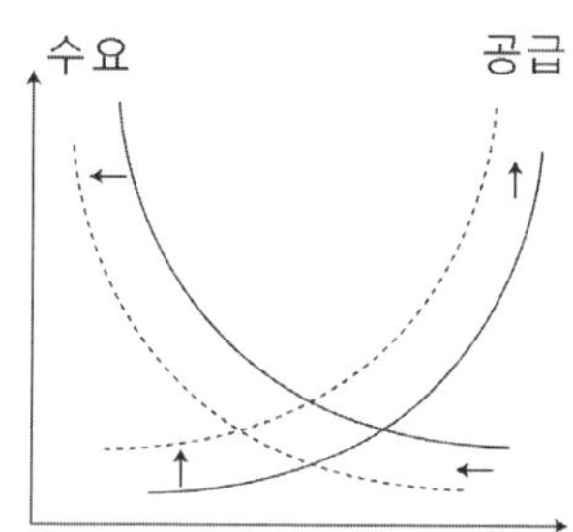

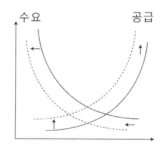

- 버스전용차로제(기존차로 이용)
- 승용차 통행제한구역 설정
- 주차면적 감소
- 노상주차시설 확대

【참고】

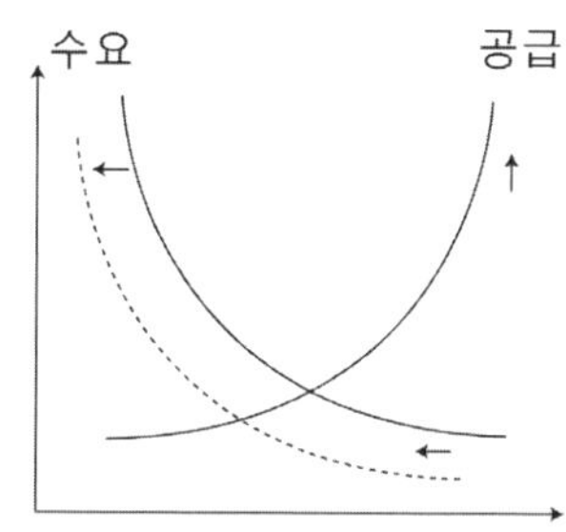

수요↓, 공급0　Car-Sharing, Park & Ride, 준대중 교통수단 도입, 버스노

선조정, 요금정책, 자전거/보행자시설 설치

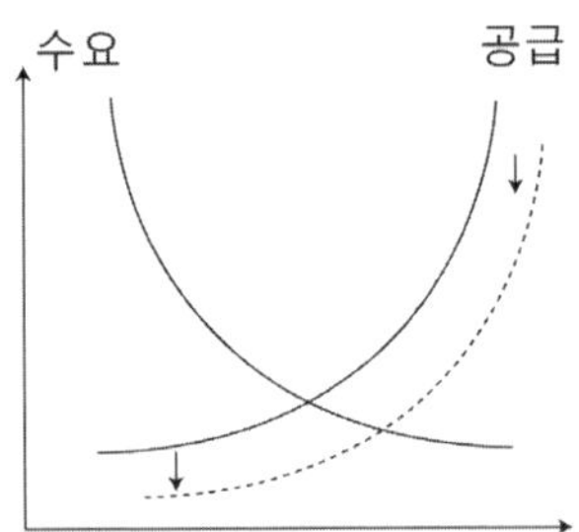

수요0, 공급↑ 신호체계 개선, 교통정보 제공, 관리센터 설치

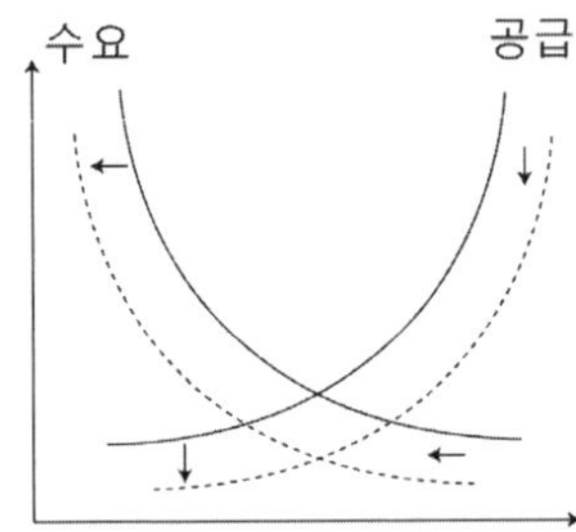

수요↓, 공급↑ 버스전용차로제(신설), 노상주차 제한

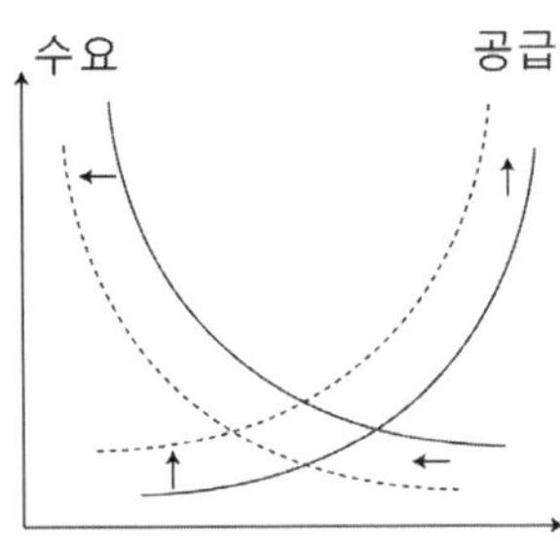

수요↓, 공급↓ 버스전용차로제(기존차로 이용), 승용차 통행제한구역 설정, 주차면적 감소, 노상주차시설 확대

---

16 TSM 기법 중 수요↓, 공급↑의 그림과 방안 2가지를 설명하시오.

해설 버스전용차로제(신설), 노상주차 제한

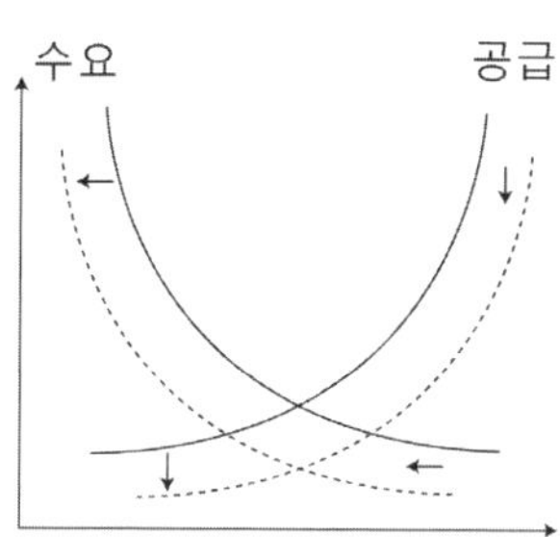

17 고속도로에서 혼잡시 반복정체를 해결하기 위한 교통 차량수요관리 방안 2가지를 나열하시오.

해설 유입램프 조절, 운전자 정보체계 운영, 전용차로 차량에 대한 우선권 부여

18 첨두시 자가용억제정책 4가지만 쓰시오. or 도시교통에서 승용차억제방안 4가지만 쓰시오.

해설
- 출근시차제
- Car-Sharing
- Park & Ride
- 부제 운영

19 첨두시간대의 교통수요를 줄이기 위한 방안을 5가지 이상 나열하시오.

해설
- 승용차 공동이용
- Park & Ride 도입
- 준대중교통수단 도입
- 요금정책
- 근무일수 단축
- 출퇴근시간 조정
- 첨두시 트럭의 통행제한
- 목적세 부과

20 Gilbert가 고안해낸 주차억제정책 4가지는? or 와그너, 길버트가 분류한 자가용 수요억제 방법을 기술하시오.

해설 물리적 대책, 운영적 대책, 규제적 대책, 요금대책

【참고】 – 물리적 대책 : 도로의 폐쇄, 도로의 차단, 우회도로의 설치
- 규제적 대책 : 지역통행허가제, 주차규제 분산출근제
- 운영적인 대책 : 교통신호체계개선, 램프미터기설치, 일방통행제실시, 회전금지, 대중교통전용차로제실시
- 요금정책 : 통행진입세, 주차요금인상, Peak시 통행료 징수, 휘발유배급제

---

21 TOMPSON의 통행제한 정책유형을 3가지만 쓰시오.

해설 통행제한, 통행억제, 통행회피

---

22 교통수요 관리정책의 개선효과에 대해 쓰시오.

해설
- 교통자체의 발생차단
- 통행수단 이용의 전환
- 통행시간적 재배분
- 통행발생 및 목적지 전환에 따른 통행의 공간적 재배분
- 통행의 연속화

---

23 교통수요 관리방안의 특징을 설명하시오.

해설
- 법적 규제 : 주로 환경법, 건축법에 의거해서 시행함으로써 법적 뒷받침을 받는다.
- 간접적 규제 : 직접 운전자를 규제하기보다는 운전자가 속한 기관이나 건물 또는 개발사업을 추진하는 건설회사를 대상으로 하는 간접적인 규제행태를 띠고 있다.
- 시행지역의 광역성 : 대상지역을 광역화하여 규제에 따른 교통량의 전화현상을 극소화함으로써 시행효과를 광범위하게 얻을 수 있도록 하고 있다.
- 교통수요 감축량 목표설정 및 목표미달시 벌금부과 : 구체적으로 교통량 감축량을 명시하여 이를 달성하지 못했을 경우 벌금을 부과하는 방식을 채용하고 있다.

24 서울시 교통정책 TDM(Transportation Demand Management)에서 장기적인 개선방안 4가지를 설명하시오.

해설
- 보행자중심의 교통체계구축
- 대중교통중심의 교통정책 실현
- 승용차 이용억제
- 무공해 교통대책
- 교통수요 절감을 위한 도시개발정책
- 사회정의와 형평성 실현

25 TDM(교통수요관리)기법 유형에 대해 설명하시오.

해설

• **통행발생 자체차단**
- 근무스케줄 단축(압축근무, 재택근무)
- 성장관리 정책(토지이용 관리)
- 차량쿼터제(VQS) : 허용차량대수 결정

• **교통수단 전환유도**
- 경제적 기법 : 주차요금 정책, 도심통행료 징수, 혼잡세 징수, 주행세, 주차제
- 법적, 제도적 장치 : 부제운행, 주거지 주차 허가제, 건물의 수요억제, 교통유발부담금제도 강화, 교통위반시 선택적 운행 정지
- 대체수단 지원 정책 : 대중교통 이용 활성화, Car Pool · Van Pool 이용 촉진, 자전거 이용 활성화

• **통행발생의 시간적 재배분(첨두시 혼잡 완화)**
- 시차제 출근(탄력근무제)
- 교통정보체계를 통한 출발시간 및 노선의 조정
- 물류체계 개선(야간배송, 공동 수배송, 제3자물류)

• **통행의 공간적 재배분(출발지/목적지/노선전환)**
- 지역허가 통행제(ALS)
- 미터링(차량진입제한)
- 주차금지구역의 확대
- 교통방송을 통한 통행노선의 전환

26 TDM(교통수요관리)의 문제점에 대해 쓰시오.

해설

• **효율적 측면**

- 교통형태가 비용에 비탄력적인 현상 발생(혼잡세를 부과하여도 기대치의 혼잡완화효과 미비
- 잠재수요로 인해 수요관리의 효과가 지속성이 없음
- 지역경제에 악영향
- 수요관리만으로 문제를 해결하려고 할 경우 성장잠재력이 큰 지역에서는 효과 미흡

• **형평성 측면**

- TDM 수혜자 형평성 문제 발생(부유층 유리)
- TDM에 의한 사회적 편익의 재투자 문제
- 국민의 평등한 교통권 행사 제약 문제

27 가변차로 도입시 조건을 설명하시오.

해설

- 방향별 교통량분포가 6 : 4 이상인 경우
- 수요가 적은 쪽도 용량이 충분한 구간
- 6차로 이상의 도로인 경우

28 가변차로의 장 · 단점을 설명하시오.

해설

구분	내용
장점	· 필요한 방향에 추가적인 용량제공 · 일방통행제에 생기는 운전자 및 보행자의 통행거리가 길어지는 것을 방지 · 적절한 평행도로가 없더라도 일방통행제와 같은 장점을 살릴 수 있다. · 대중교통의 노선을 재조정할 필요가 없다.
단점	· 경방향 교통에 대한 교통 용량이 부족할 경우가 있다. · 경방향 교통쪽이 버스정거장이나 좌회전을 금지해야만 할 경우가 있다. · 교통통제설비의 설치에 비용이 많이 든다. · 교통사고의 발생률이 증가한다.

29 대중교통 전용차로제의 장 · 단점을 설명하시오.

해설

구분	내용
장점	· 대중교통 차량과 다른 교통차량 간의 마찰을 방지할 수 있다. · 대중교통의 통행시간이 단축된다. · 일반차량의 지체 감소에 따른 도로용량 증대된다. · 교통사고율이 감소된다.
단점	· 전용차로가 연석차로인 경우, 승용차의 도로 우측으로의 접근 방해 · 회전교통류와 상충 · 전용도로가 도로 중앙차로인 경우 별도의 승하차 교통섬 필요 · 교통통제설비 추가 소요

30 가변차로제를 실시시 도로조건과 교통조건을 고려해야 한다. 두 조건에 대해 서술하시오.

해설

구분	내용
교통조건	· 방향별 교통량 분포가 6 : 4 이상인 경우 · 수요가 적은 쪽도 용량이 충분한 구간 · 6차로 이상 도로인 경우
도로조건	· 도로폭과 차로수가 일정한 구간 · 가변차로의 시종점 처리가 원활하게 할 수 있는 구간 · 주변 여건이 좌회전이나 주차를 규지할 수 있는 구간

31 일방통행제의 장 · 단점을 서술하시오.

해설

구분	내용
장점	도로용량증대, 상충이동류의 감소, 교통 안전성 향상, 신호시간 조절의 용이, 주차조건의 개선, 평균통행속도의 증가, 교통운영의 개선, 도로변 업무지역의 효과
단점	통행거리의 증가, 대중교통용량의 감소, 도로변 영업에 악영향, 회전용량의 감소, 교통통제설비의 증가, 넓은 도로에서 보행자 횡단 곤란

32 중앙버스차로와 역류버스차로를 도시하시오.

해설 • **중앙버스차로**

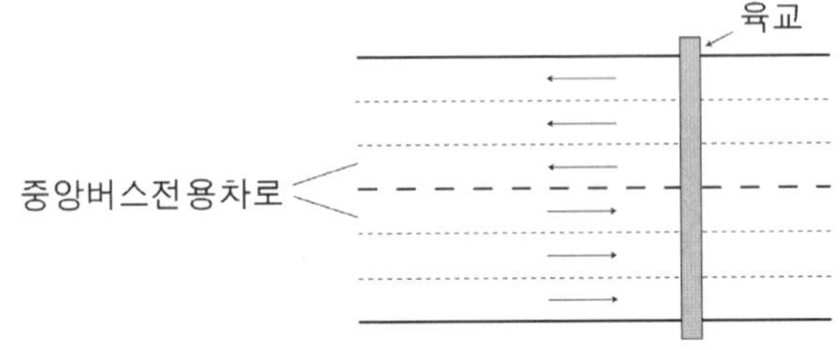

• **역류버스차로**

버스전용차선

일반교통류차선

【참고】

종류	장점	단점
가로변 버스전용 차로	- 시행이 간편, 적은 운용비용 - 기존 가로망체계에 미치는 영향의 극소화 - 원상복귀가 용이	- 시행효과미비 - 가로변 상업활동과 상충 - 주정차 등으로 통행방해 발생 - 교차로에서 우회전차량과 마찰
중앙 버스전용 차로	- 개선효과가 큼 - 일반차량의 가로변 접근성유지 - 일반차량과의 마찰방지 - 버스 이용자의 증가 기대 - 버스 운행속도와 정시성향상	- 도로중앙에 설치된 정류장 이용승객의 안전문제 발생 - 고비용 - 보행자 사고의 증가 - 일반차로의 용량감소
역류 버스전용 차로	- 일반차량과의 분리 - 버스 운행속도와 정시성향상 - 버스서비스를 유지시키면서 일방 통행제의 장점 반영 - 교통류 마찰 최소화로 속도 개선효과가 큼	- 보행자 사고의 증가 - 잘못 진입한 차량으로 인한 혼란 야기 - 시행 준비가 까다롭고 고비용

33 One way street의 장점을 5가지 이상 설명하시오.

해설

- 도로용량 증대
- 교통안전성 향상
- 주차조건의 개선
- 교통운영의 개선
- 상충이동류의 감소
- 신호시간 조절의 용이
- 평균통행속도 증가
- 도로변 업무지역의 효과

34 지능형교통체계(ITS)의 개념과 ITS 분야에 대해 기술하시오.

해설 ITS(Intelligent Transpor Systems) : 지능형교통시스템

운영관리기법 중 ITS는 기존의 교통체계에 정보 · 전자 · 통신 기술을 접목한 지능형교통체계를 의미한다. ITS는 교통시설을 효율적으로 운영하고 통행자에게 유용한 정보를 제공함으로서 전체 교통체계의 효율성을 기하는 교통부문의 정보화 사업이다.

- ATMS(Advanced Traffic Management System) : 첨단교통관리시스템
  교통류의 관리를 지능화, 첨단화하기 위한 제반 서브시스템들을 묶은 시스템 집합이다.
- APTS(Advanced Public Transportation System) : 첨단대중교통시스템
  대중교통수단의 능률을 향상시키고 수요를 증가시키기 위해 고안된 제반 서브시스템을 묶은 집합이다.
- ATIS(Advanced Traveller Information System) : 첨단여행자정보시스템
  실시간 교통정보를 비롯 제반 교통상황정보를 이용자와 유관기관에 제공하여 교통수요를 분산하고 교통시설의 이용을 극대화하기 위한 제반 서브시스템을 묶은 집합이다.
- CVO(Advanced Commercial Vehicle Operation) : 첨단화물교통
  화물과 화물차량 운행의 최적화를 위해 제반 서브시스템을 묶은 시스템 집합이다.
- AVHS(Advanced Vehicle & Highway System) : 첨단차량제어시스템
  자동제어 등 능동적 차량제어기술을 기반으로 한 차량과 센서를 통해 노면 및 도로 주변상태를 감지·경고하는 등 우선적으로 도로 시설을 묶은 시스템 집합이다.

【참고】• 국내 ITS 아키텍쳐(Architecture) 7개 분야

- 교통관리 최적화 서비스 분야(ATMS)
- 전자지불 처리 서비스 분야(ATMS)
- 교통정보 유통 활성화 서비스 분야(ATIS)
- 여행자 정보 고급화 서비스 분야(ATIS)
- 대중교통 서비스 분야(APTS)
- 화물 운송 효율화 서비스 분야(CVO)
- 차량 · 도로 첨단화 서비스 분야(AVHS)

---

35 ITS의 효과에 대해 기술하시오.

해설
- 정체 최소화
- 안전성 향상
- 교통정보 사전 인지
- 환경보전 및 에너지 절감
- 교통서비스의 획기적 개선
- 첨단산업 기술의 발전

---

36 ETC(Electronic Toll Collection)의 대해 설명하시오.

해설 달리는 차안에서 무선 또는 적외선통신을 이용하여 통행료를 지불하는 최첨단 전자요금 징수시스템을 ETC라고 한다.

요금소에서 차량의 논스톱 주행으로 이용객 편의증진 및 물류비, 환경오염 감소, 요금소 지 · 정체 해소로 차로증가 효과를 나타내며, 기존의 요금징수시스템보다 3~4배 빨리 통과할 수 있다.

---

37 가변정보판(Variable Message Sign : VMS)에 대해 설명하시오.

해설 VMS는 운전자들에게 도로 및 교통상황, 교통사고, 공사정보를 제공함으로써 혼잡완화 및 안전도 제고 등을 목적으로 설치한다.

특히 VMS는 본선 및 우회도로의 교통정보 제공을 통한 운전자들에게 경로 선

택권을 부여하고, 균형 있는 교통량 배분을 통해 도로의 효율적인 이용을 도모한다.

38 BIS(Bus Information System)과 BMS(Bus Management System)에 대해 설명하시오.

해설 BIS는 차량위치파악을 통해 승객에게 버스의 현 위치나 필요 대기시간을 제시하고, 중앙제어센터에서 버스운행에 대한 필요한 지시를 통해 버스운행을 제어함으로써 운행정확도를 높여 대중교통의 신뢰성 향상 및 이용효율을 증대시키는 시스템이다.
즉, 버스의 현 위치나 필요 대기시간 등을 승객에게 제공하는 교통정보체계 BIS라 하고 버스운영자와 행정관리자에게 필요한 정보까지를 포함하는 시스템을 BMS라 한다.

【참고】 • BIS와 BMS의 비교

<table>
<tr><th>구분</th><th>BIS</th><th>BMS</th></tr>
<tr><td>수요자</td><td>· 버스승객</td><td>· 운전자, 운영자, 행정관리자</td></tr>
<tr><td>서비스</td><td>· 운행정보 제공
· 정류소도착시간정보 제공</td><td>· 버스운행 관리
· 돌발상황 관리
· 버스서비스평가 지원
· 버스정책수립 지원</td></tr>
<tr><td rowspan="2">기능적요소</td><td>· 버스운행정보 제공
(정류소단말, 버스단말, 인터넷)</td><td>· 배차시간 조정
· 버스운행기록
· 버스운행계획 수립</td></tr>
<tr><td colspan="2">· 버스위치 추적
· 버스와 센터 간 통신</td></tr>
<tr><td rowspan="2">물리적요소</td><td>· 공중단말(정류소, 버스)
· 개인단말(PDA, PC)</td><td>· 버스운영자 단말</td></tr>
<tr><td colspan="2">· 버스-단말-센터</td></tr>
</table>

39 TOD(Transit Oriented Development)의 개념에 대해 설명하시오.

해설 TOD란 대중교통시스템을 중심으로 한 토지이용정책으로 대중교통 정류장(버스정류장, 지하철 역사)를 중심으로 고밀의 복합용도로 개발하는 것을 말한다. TOD를 시행함으로써 대중교통 이용증진 및 자가용 억제가 되어 교통혼잡이 완화되는 동시에 대기오염까지 감소시킨다. 또한 교통약자의 이동성 증진과 공공안전성이 향상된다.

---

40 대중교통전용지구(Transit Mall)의 정의와 적용에 있어서 선정조건, 주의사항, 효과 등을 설명하시오.

해설 대중교통전용지구(Transit Mall)란 도심 상업지에 승용차 교통을 억제하고, 보행자 전용도로로 가로를 정비한 후 대중교통수단의 통행을 허용한 가로공간을 말한다. 외국에서는 Pedestrian Mall이라고도 하며, 우리나라는 「대중교통 육성 및 이용 촉진에 관한 법률」에서 대중교통전용지구라 한다.

① Transit Mall 선정조건

· 소음 · 배기가스 등 환경오염 피해를 최소화할 도심의 문화공간
· 백화점 · 전문상가 · 쇼핑센터 등이 밀집한 도심지역
· 버스 · 지하철 이용을 최대한 편리하게 하기 위한 주변의 도로망

② 설치시 주의사항

- **도로조건**
  - 도로폭이 15~30m, 조성연장은 200~1,000m
  - 도로와 보도의 비율은 1:1이 바람직
- **교통조건**
  - 교통유발시설과 Transit Mall의 직접 연결로 보행자 유도동선 형성
  - 대중교통을 가급적 많이 배차
  - 전용지구 외곽지역에서 또 다른 교통혼잡 발생을 검토할 것
- **주민의견**
  - 이해관계자의 공청회 등 의견수렴
  - 상가 주민의 물품을 상,하역하는 조업방안을 제시(운영시간대 조정, 공동조업공간)

③ Transit Mall 기대효과

· 대중교통 접근성 및 편리성의 향상으로 도심상업지구의 활성화
· 승용차 통행제한으로 쾌적한 보행자 공간 조성

· 승용차에 의한 도시내 혼잡완화와 배기가스 및 소음 감소로 도심 환경 개선

---

41 교통류를 적극적으로 통제하는 방안을 설명하시오.

해설 – 일방통행도로
– 가변일방통행도로
– 부분가변일방통행도로
– 가변차로제
– 일방우선도로
– 대중교통전용차로

---

42 지구교통개선사업(Site Transportation Management : STM)에 대해 설명하시오.

해설 지구교통개선사업은 간선도로보다는 이면도로 위주의 교통개선사업으로 이면도로의 도로기능체계 정립은 물론 지구 내 도로공간에 안전성과 쾌적성을 부여하는 생활개선차원의 교통정비사업이다.

즉, 교통체계의 기능성과 효율성보다는 안전성, 편리성, 쾌적성을 보다 중시한 계획이며, 지구 내 거주자의 교통체계 이용기회를 적절히 균등하게 분배하는 것이 지구교통개선사업의 목적이다.

---

43 지구도로 설계 방안에 대해 설명하시오.

해설 ① **지구도로 기능체계 정립**

· 자동차 중심도로
  - 보차분리가 가능한 도로
  - 주차장, 공업시설, 창고 등 자동차 집중시설이 있는 도로
  - 자동차 통행이 많은 도로

· 보행자 중심도로
  - 보행자 · 자전거 통행이 집중되는 도로(지하철역, 상가, 학교)
  - 지구의 상징적 의미를 가지는 도로(공원, 산책로)

· 생활 중심도로

– 보행자 · 자동차 중심도로
– 도로의 생활 이용이 많은 도로
– 보행자 · 자동차 통행량이 많지 않은 도로
– 폭원이 협소한 도로

② **지구도로 정비 기본방향**

· 교통안전 제고
  – 통과교통 억제
  – 통행속도 억제
  – 보행자 공간 확보

· 주거환경 제고
  – 소음 배기가스 감소
  – 오픈 스페이스 확보
  – 경관 및 미관 향상

③ **지구도로망 재구성(장기적 방안)**

· 자동차 통행 억제를 위한 도로망

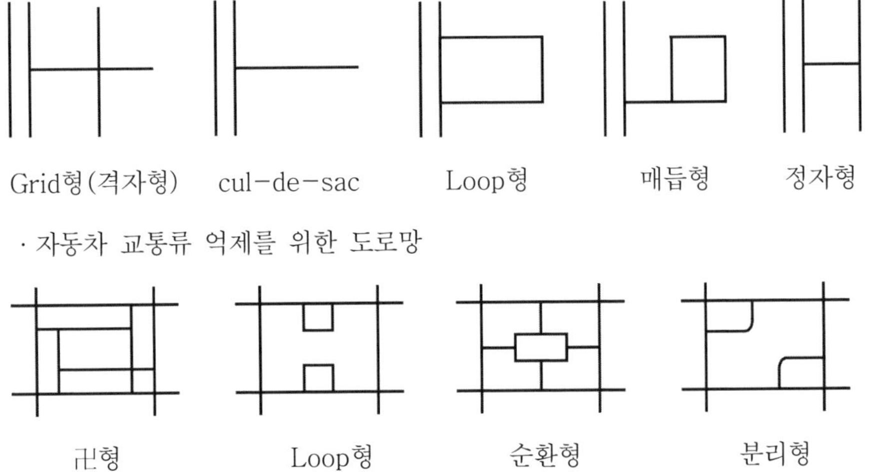

· 토지이용/가로망/교통형태를 고려한 계획
· 불필요한 우회를 줄이고 긴급자동차 접근이 용이하도록 계획(비상동선 확립)

④ **도로공간 정비(단기적 방안)**

· 주차방식 다양화
· 포장기법 다양화
· 조경, 식재
· 보차분리
· 속도저감 물리적 시설 설치

⑤ **교통규제에 의한 억제기법(단기적 방안)**

· 일방통행제
· 대형차량 및 화물차 진입금지
· 시간제 통행금지

---

44 교통정온화기법(Traffic Calming)의 개념에 대해 설명하시오.

해설 1980대 이후 독일, 네덜란드 영국 등에서 전개되기 시작한 지구교통관리의 새로운 기법으로 소프트웨어 측면이 규제에 의한 교통억제와 하드웨어 측면의 물리적 교통억제 및 이 두 가지 억제책을 조합한 기법들이 있으며 통과교통의 배제, 주행속도의 억제, 노상주차의 적정화 등을 주목으로 하며 그 내용은 다음과 같다.

• **규제에 의한 교통억제기법**

- 30km/h 최고속도 구역규제(어린이 보호구역)
- 대형차량/화물차량 통제(시간대 허용/금지)
- 노상주차 대책(주차금지/주차허가제)
- 보행자와 자전거 도로규제 구역 지정
- 횡단보도 및 교차점 마킹
- 진행방향지정(일방통행제)

• **물리적 교통억제기법**

- 과속방지턱
- 노면 요철포장
- 통행차단
- 주 · 정차공간
- 교차로입구 과속방지턱
- 교차로 전면 과속방지턱
- 교차로 좁힘
- 차단(대각선, 직진, 편측, 도류화 등)
- 볼라드(Bollad)

---

45 교통정온화기법(Traffic Calming) 적용되는 물리적 시설물에 대해 설명하시오.

해설 ① **속도 저감시설**

- Speed Hump(과속방지턱)
  - 도로의 턱을 설치해 속도 감속 유발
  - 원호형, 사다리꼴, 가상Hump 등이 있음
- Speed Tables
  - 벽돌이나 질감이 거친 재료를 사용해서 만든 넓고 평평한 형태의 과속방지턱
- Bump
  - 차량 진행방향의 직각방향으로 물리적인 수직 단차를 주어 속도를 제어
  - 낮은 속도로 통과하더라도 자동차 현가장치 등을 훼손시키고 탑승객에게 심한 불쾌감을 주는 문제점이 있음
- Narrowing
  - 도로의 폭을 좁게 처리
- Neck down
  - 교차로 가각부분의 연석 확장
  - 평면 · 종단 선형 변화가 없어 속도 감속에 한계

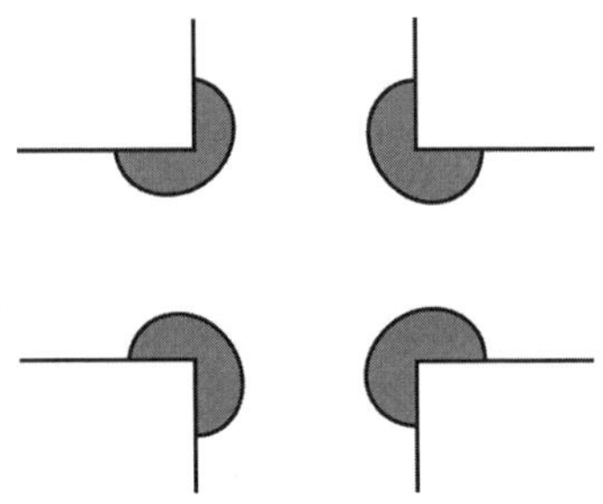

- Center Island Narrowing
  - 도로 중앙부에 교통섬 등 좁게 처리
  - 보행자 유리, 속도 감속 한계

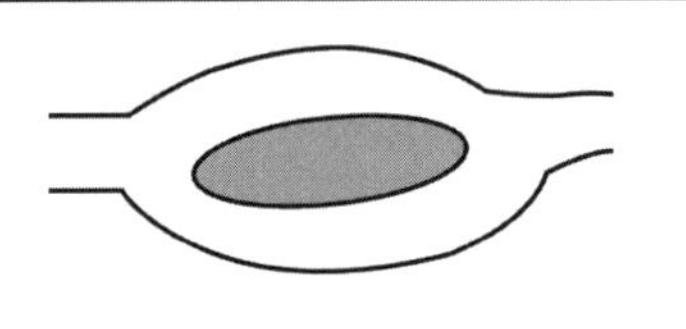

- Chicane
  - 지그재그형 도로구간(선형변화)
  - 속도규제, 통과차량 억제효과

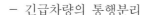

- 일정 폭원 이상의 도로구간에 적용 가능
- 긴급차량의 통행분리

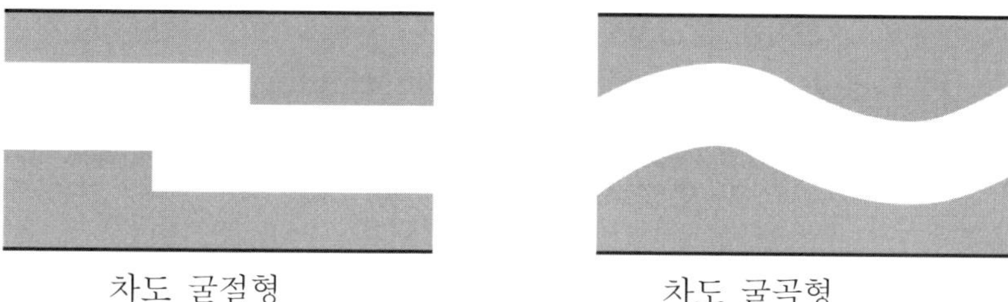

차도 굴절형　　　　차도 굴곡형

- Chocker
  - 차도부분을 물리적 시설물로 좁게 하여 차량 감속
  - 대기행렬 발생도로에는 부적절
  - 긴급차량의 통행분리

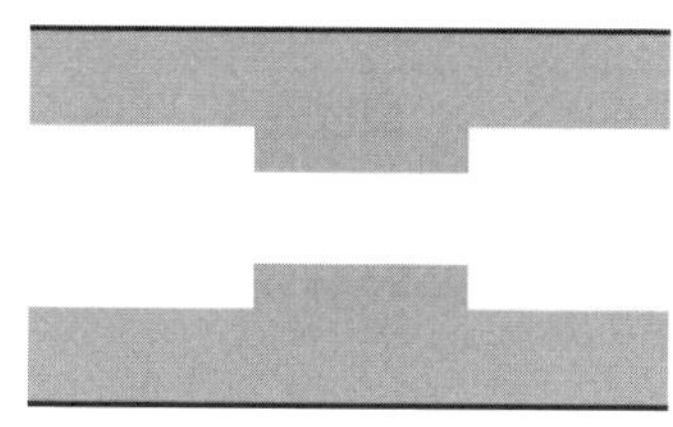

- Raised Intersection(Plateau)
  - 고원식 교차로라 칭하며 과속방지턱 형상을 가로상 또는 교차로 전체에 설치
  - 속도 감소에 탁월한 효과가 있으나 비교적 설치비용 고비용
- Raised Crosswalk(**고원식 횡단보도**)
  - 횡단보도 전체에 과속방지턱 설치
  - 보행자와 자동차 모두에게 안전
- Textured Pavement(**노면포장**)
  - 가로상 일정구간을 골재에 노출시켜 일정구간의 속도 감소를 유발
- Alternative Parking(**엇갈림 주차**)
  - 주차구획선을 지그재그로 배치하여 도로를 s자형으로 굴곡시킴
- Roundabout(**회전교차로**)
  - 교차로의 중앙에 원형섬을 설치하여 차량이 순환하며 통과함
  - 교통량이 많은 지역
- Road Marking
  - 노면표시를 이용하여 도로가 시각적으로 좁아지는 효과를 만드는 기법

- Traffic Circle(원형교통섬)
  - 통과차량이 원형으로 통과하도록 교차로상에 설치한 원형교통섬

② 안전이동 횡단시설

- 굴절식 횡당보도(Staggered Crossing)
  - 주의력이 약한 교통약자의 안전한 횡단을 위해 횡단보고 중앙에 보행섬을 두고 두 번에 걸쳐 횡단하게 한 시설
  - 광로 설치
- 보행섬(Pedestrian Refuge)
  - 횡단보도 중앙에 보행섬을 설치하여 차량의 통과 여부를 확인하며 횡단하게 하는 시설
- 방호울타리 및 단주(Bollard)

③ 시인성 확보시설

- 횡단보도 전방에 미끄럼방지 칼라포장 및 지그재그 표시
- 통행표지판
  - 어린이보호구역, 제한속도 등 확대표지판에 동시에 표시
- Gateway 및 노면표시
  - 어린이보호구역 시점부(차로 노면 포함)에 일정구간 칼라포장, 제한속도, 통행제한시간, 어린이보호구역 표지 등
- 야간 등화 표지판

【참고】 • Traffic Calming 속도 저감시설의 장·단점

구분	장점	단점
Center Island Narrowing	· 보행자 안전증진에 유리 · 도로미관 향상	· 속도 감소의 한계
Chicane	· 선형변화에 의한 감속 가능 · 대형차 처리에 유리	· 설계에 각별한 주의 필요(긴급동선 확보) · 배수문제 주의
Speed Hump	· 설치비용 비교적 저렴 · 속도 감소 효과적	· 승차감 저해 · 소음 공해 발생
Speed Table	· 교차로부가 낮은 지역은 시거확보 용이 · 보행자 및 운전자에게 안정감 부여	· 지속적인 유지 관리 필요 · 용량 감소와 과속시 사고 위험
Raised Intersection	· 속도 감소에 탁월한 효과 · T-교차로의 안전성 증진	· 비교적 많은 비용 소요 · 보행자 통행권 확보에 주의
Raised Crosswalk	· 보행자와 자동차 안전에 유리 · 도로 미관에 영향이 미약	· 비교적 많은 재원 필요 · Speed Hump보다 감속효과 적음
Roundabout	· 도로전체의 감속 유리 · 도로 미관 향상 · 교차로 대기시간 감소 · 신호교차로 보다 운영비 절감	· 대형자동차 처리 불리 · 양보문화 전제 · 보행자 안전횡단
Textured Pavement	· 긴구간 속도 감소 기능 · 도로미관 향상/소음감소	· 비교적 많은 재원 필요 · 교통약자 이용 불편
Traffic circle	· 감소/안전 증진에 매우 효과적 · 도로 미관 향상	· 대형차 처리에 불리 · 지속적인 관리 필요

4 교통신호 운영

1 교통표지의 종류를 나열하시오.

해설 규제표지, 주의표지, 지시표지, 안내표지, 보조표지

2 교통표지판의 3요소를 열거하시오.

해설 형태, 색상, 크기

3 교통표지(sign) 색상에 대해 설명하시오.

해설 적색 : 규제금지, 황색 : 주의, 오렌지색 : 공사유지보수작업, 작업구역
녹색 : 안내
청색 : 도로주변정보, 갈색 : 관광안내 유적지, 위락 및 문화활동 장소
백색 : 규제바탕, 흑색 : 문자, 부호

4 노면표시의 색깔과 선의 의미에 대해 설명하시오.

해설
- 흰색 : 같은방향 교통류
- 황색 : 반대방향의 교통류 분리(중앙선)
- 파선 : 횡단허용

- 실선 : 횡단금지
- 황색실선 : 도로변 주 · 정차금지, 교통섬의 윤곽선 중앙선
- 황색파선 : 도로변 주차금지(정차는 가능)

---

5 교통표지의 설계요소를 적으시오. or 표지설계시 그 적용방법 및 근거에 있어서 일관성이 있어야 하는데 표지설계시 고려되어야 하는 3가지를 나열하시오.

해설 명료성, 연속성(일관성), 시인성, 상호일치

---

6 교통통제설비 종류를 나열하시오.

해설 교통표지, 노면표시, 신호기, 장애물표시, 반사체, 차로유도표, 교통섬, 방호책, 이정표, 노면요철

---

7 교차로 교통통제의 목적에 대해 설명하시오.

해설 교차로 용량 및 서비스수준 증대, 교통사고 감소 및 예방, 주도로에 통행우선권 부여(주도로 보호 및 우선처리)

---

8 교통통제설비 설계시 기본요소 4가지를 나열하시오.

해설
- 적절한 설계
- 적절한 설치
- 적용의 통일성
- 일관성 있는 운영
- 규칙적인 유지관리

---

9 교통통제설비 설계시 기본 요구조건 5가지를 나열하시오. or 교통관제시설이

갖추어야 할 조건을 설명하시오.

해설
- 필요성에 부응해야 한다.
- 주의를 끌 수 있어야 한다.
- 간단명료한 의미를 전달할 수 있어야 한다.
- 도로 이용자에게 존중될 수 있어야 한다.
- 반응을 위한 시간적인 여유를 가질 수 있는 곳에 설치되어야 한다.
- 교통을 통제 또는 규제, 지시를 위한 법적인 근거가 있어야 한다.

---

10 신호등 설치시 분석을 통해 설치의 타당성을 검토할 때 검토사항을 열거하시오.

해설
- 차량교통량(주도로의 최소교통량, 부도로의 최소교통량)
- 최소보행교통량
- 통학로(학교 앞 횡단)
- 교통사고(사고기록)
- 연속진행(교통감응신호)
- 신호체계
- 보행자신호기

---

11 횡단보도 설치기준에 대해 설명하시오.

해설
- 폭원 : 40m 이상, 추가시 2.0m 추가
- 도색 : 6.0m 이상 설치시 2등분하여 도색설치
- 오르막, 내리막, 진출입구, 터널입구, 100m 이내 설치 금지
- 편도 3차로 이상 도로에 설치시 중앙에 안전지대 설치(권장)
- 횡단보도 간격은 200m 이상(권장)

---

12 교통신호설치의 준거 3가지 이상을 설명하시오. or 신호등 설치시 4가지 요건에 대해 설명하시오.

해설
- 교통량 : 평일의 교통량이 다음 기준을 초과하는 시간이 8시간 이상일 때(연

속적 8시간이 아니라도 가능) 신호기 설치

- 보행자 교통량 : 평일의 교통량이 다음 기준을 초과하는 시간이 8시간 이상일 때 신호기 설치
  - 차량교통량(양방향) : 600vph
  - 횡단보행자(양방향, 자전거포함) : 150명/시간

주(차로)	부	주(양)	부(단)
1	1	500	150
2	1	600	150
2	2	600	200
1	2	500	200

- 통학로 : 학교 앞 300m 이내에서 신호등이 없고 통학시간에 차량 통행시간 간격이 1분이 내인 경우에 신호등 설치
- 사고기록 : 교통사고가 연간 5회 이상 발생한 장소를 신호등 설치시 사고를 예방할 수 있다고 인정되는 경우
  - 국내준거(도로교통법 시행규칙, 교통안전시설 실무편람)
- 차량용 신호기만 있으나 잘 보이지 않아 보행자가 도로를 횡단하는 데 사용할 수 없을 때 보행자 신호기도 함께 설치
- 차도의 폭이 16m 이상인 교차로 또는 횡단보도에서 차량신호가 변하더라도 보행자가 차도 내에 남을 때가 많은 경우 보행자신호기를 설치

---

13 신호교차로와 비신호교차로에서 대기차로 설치시 고려해야 할 요소를 열거하시오.

해설

신호교차로	1.5~2주기 동안 회전차량이 도착하는 최대대수를 수용할 수 있는 길이
비신호교차로	2분 동안 도착하는 회전차량을 수용할 수 있는 길이

---

14 신호교차로 설계시 보정해야 할 사항 5가지를 나열하시오.

해설 차로폭(f_w), 중차량, 접근로 종단구배(f_g), 주차차량 및 주차활동(f_p), 우회전교통량(f_{RT}), 좌회전교통량(f_{LT}), 버스정차 및 노면마찰(f_{bb})

【참고】 $S = S_0 \times f_w \times f_{HV} \times f_g \times f_P \times f_{bb} \times f_a \times f_{RT} \times f_{LT} \times N$

---

15 신호등 운영의 장 · 단점을 설명하시오.

해설

단점	· 첨두시간이 아닌 경우는 교차로 지체와 연료소모가 필요 이상 커질 수 있다. · 추돌사고와 같은 유형의 사고가 증가한다. · 부적절한 곳에 설치되었을 경우, 불필요한 지체가 생기며 이로 인해 신호등을 기피하게 된다. · 부적절한 시간으로 운영될 때, 운전자를 짜증스럽게 한다.
장점	· 질서있게 교통류를 이동시킨다. · 직각충돌 및 보행자 충돌과 같은 종류의 사고가 감소 · 교차로의 용량이 증대 · 교통량이 많은 도로를 횡단해야 하는 차량이나 보행자 보호 · 인접교차로를 연동시켜 일정한 속도로 긴 구간을 연속진행시킬 수 있다. · 수동식교차로 통제보다 경제적이다. · 통행우선권을 부여받으므로 안심하고 교차로를 통과할 수 있다.

---

16 간선도로의 신호운영계획시 고려사항 3가지 이상 열거하시오.

해설 신호교차로간의 거리, 신호현시, 차량도착특성, 도로운영(일방, 양방), 시간에 따른 교통량 변동

---

17 신호시간계획의 5가지 구성요소를 열거하시오.

해설 현시의 수, 현시의 순서, 신호분할비(split), 주기, offset

18 보행자 횡단시간 결정요소를 3가지만 쓰시오.

해설 횡단보행자수, 보행속도, 교차로 폭

19 황색시간 결정시 4가지 고려요소를 설명하시오.

해설 반응시간(t), 접근속도(V), 감속도(a), 교차로의 폭(W), 차량길이(L)

황색시간 결정식 : $Y = t + \frac{V}{2a} + \frac{W+L}{V}$

20 최소녹색시간을 결정하는 4가지 요소를 나열하시오.

해설 횡단보도 길이, 황색시간, 보행속도, 보행자들이 횡단하는데 지체되는 시간

21 차량도착형태 5가지를 열거하시오.

해설 적색시점도착, 적색중간도착, 임의도착, 녹색시점도착, 녹색중간도착형태

22 진행방향의 녹색시간, 출발지연시간, 진행연장시간을 알고 있을 때 유효녹색시간 산출방식을 수식으로 설명하시오.

해설 유효녹색시간=녹색시간−출발지연시간+진행연장시간

23 신호주기를 결정하는 과정을 설명하시오.

해설 ① 먼저 교통수요를 추정하고 포화교통류도 추정한다.

② 소요현시율을 계산해서 현시 방법을 결정한다.
③ 황색시간을 결정해서 주기를 결정한다.
④ 신호시간을 분할한다.
⑤ 보행자 횡단시간을 고려하여 녹색시간이 보행자 횡단시간보다 크게 하여 신호시간을 결정한다.

---

24 전적시간(all red time)에 대해 설명하시오.

해설 교차로의 모든 유입방향에 대하여 적색등화를 켜는 것으로서 현시가 교체될 때 교차로 내의 차량을 소거하기 위하여 사용하거나, 대각선 횡단보도 적용시 사용되는 신호체계이다.

---

25 신호주기의 구성요소 중 출발 손실시간, 진행연장시간, 소거손실시간, 유효녹색시간을 그림으로 나타내시오.

해설

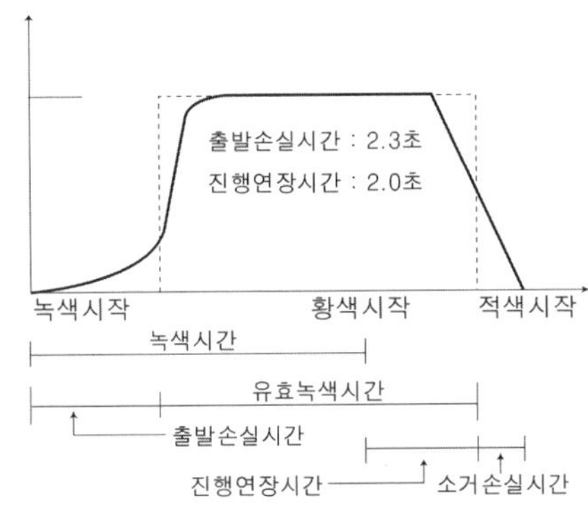

[참고] $g = G + Y - (\text{출발손실시간} + \text{소거손실시간})$
or $g = G - \text{출발손실시간} + \text{진행연장시간}$

---

26 고정식 신호제어기의 장점을 설명하시오.

해설 – 일정한 신호시간으로 운영되기 때문에 인접신호등과 연동시키기 편리하다.
– 보행자 교통량이 일정하면서 많은 곳에 유리

- 교통흐름에 방해되는 영향 배제
- 설치비용이 저렴하다.
- 구조가 간단하고 정비수리가 용이하다.
- 수리, 관리비용이 저렴하다.

27 감응식 신호제어의 운영변수 3가지를 설명하시오.

해설 감응식 신호제어는 적용범위에 따라 완전감응신호제어와 반감응신호제어로 분류되며, 수요대응 기능에 따라 일반 감응신호제어와 Volume-density 제어로 구분된다. 감응식 신호제어 운영변수로는 다음과 같다.

- 최소녹색시간(Minimum Green Interval)은 교차로의 현시에서 녹색시간에 제공할 수 있는 최소시간을 말하며, 일반적인 감응제어에서의 정지선과 검지기 사이에 대기할 수 있는 차량 수에 따름
- 진행연장시간(Extension Interval)은 단위연장(Unit Extension)과 같은 의미이며, 차량 간 수용할 수 있는 최대 차두간격이라고도 할 수 있으나 검지기 운용방식에 따라 차이가 남
- 최대녹색시간(Maximum Green Interval)은 현시의 최대값이며, 차량감응이 발생하더라도 지정시간 이후 종료됨

28 교통감응 신호기의 장·단점을 설명하시오.

해설 • **장점**

- 교통예측이 불가능하여 고정시간신호를 처리하기 어려운 교차로에 적합하다.
- 복잡한 교차로에 적합
- 고정시간신호로는 간격이나 위치가 부적당한 곳에 적당
- 하루 중 잠시 동안 신호설치의 준거에 도달한 곳에 사용하면 좋다.
- 교통량의 시간별 변동이 심할 때 사용하면 지체를 최소화
- 부도로 교통에 꼭 필요한 때에만 주도로 교통을 차단시킬 목적으로 사용하면 좋다.
- 주도로 교통에 불필요한 지체를 주지 않게 계속적인 (정지-진행)의 운영을 할 수 있다.

• **단점**

– 운영관리가 어렵고, 초기투자비용이 크다.

– 교통량이 많을 경우 효과 미비

– 교차로 간격이 너무 길면 연동효과 상실

【참고】 • **반감응 신호기**

① 주방향 교통량이 많고 부방향 교통량이 적음

② 검지기를 부도로에만 설치

• **완전감응 신호기**

① 교통량 분포 변화가 큼

② 접근교통량이 클 경우 효과 미비

③ 인접 교차로 거리는 1.5km 이상일 때 효과 최대

---

29 교통감응 신호기 설치기준 3가지를 기술하시오.

해설 – 교통량 예측이 불가능하여 고정신호주기로 처리하기 어려운 곳에 적용

– 연동화하기 어려운 교차로

– 주도로교통의 흐름에 불필요한 영향 배제

– 시간별 교통량의 변동이 큰 경우 지체의 최소화

---

30 완전감응 신호통제에서 신호시간의 종류 5가지를 열거하시오.

해설 초기녹색시간, 단위연장, 최소녹색시간, 최대녹색시간(연장한계), 황색시간

---

31 반감응 신호 제어기에서 사용되는 신호시간을 주도로와 부도로 별로 구분하여 설명하시오.

해설

구분	신호시간
주도로	최소녹색시간 황색시간 보행자 횡단시간
부도로	최소녹색시간 단위연장시간 최대녹색시간(연장한계) 황색시간

32 딜레마 구간에 대해 설명하시오.

해설 황색신호가 시작되는 것을 보았지만 임계감속도로 정지선에 정지하기가 불가능하여 계속 진행할 때 황색신호 이내에 교차로를 완전히 통과하지 못하게 되는 경우가 생기는 구간을 말하며, 실제 황색시간이 적정 황색시간보다 적은 것을 말한다.

【참고】• 딜레마 구간(실제황색시간 〈 적정황색시간)

- 딜레마 시작점$(B)=(t+\frac{v}{2a})\times v$
- 딜레마 끝점(C)
  =실제 황색시간×진행속도−[교차로폭(w)+차량평균길이(l)]
- 딜레마 길이=(적정 황색시간 진행지점)−(짧은 황색시간 진행지점)
  $=d_0 - d_a$

여기서, t=운전자 반응시간(통상 1.0초)
v=차량의 접근속도(m/sec)
a=감속도(통상 5.0m/sec^2)
d_0=적정 황색시간 동안 달리는 거리
d_a=실제 짧은 황색시간 동안 달리는 거리

• 옵션 구간(실제 황색시간 〉 적정 황색시간)

황색신호가 켜지는 순간에 이 구간 안에 있는 운전자는 그대로 진행을 하더라도 황색신호 동안에 교차로를 횡단할 수 있고 또 정지를 하더라도 임계감속도 이내에서 정지선에 어려움 없이 정지

- 옵션 시작점(A)

=실제 황색시간×진행속도−[교차로폭(w)+차량평균길이(l)]

− 딜레마 시작점(B)=$(t+\frac{v}{2a})\times v$

− 옵션 구간 길이=(긴 황색시간 진행지점)−(적정 황색시간 진행지점)

$=d'_a - d_0$

여기서, d'_a=실제 긴 황색시간 동안 달리는 거리

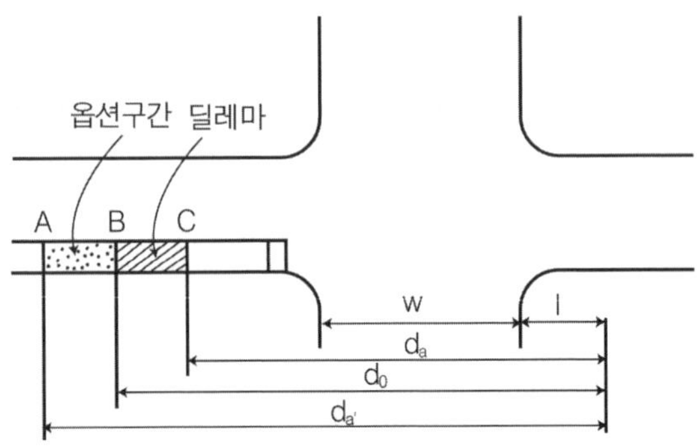

[그림] 딜레마 구간과 옵션 구간 개념도

---

33 교통신호시스템의 신호시간 방법을 3가지 쓰시오.

해설 시공도 기법, On−line 기법, Off−Line 기법

---

34 시공도를 이용하여 도출할 수 있는 사항 3가지를 나열하시오.

해설 주기, 신호분할(시간분할), 옵셋

---

35 연동의 설계요소에 대해 설명하시오.

해설
- 도로조건 : 교차로간의 거리, 도로의 폭, 차로수, 접근로
- 교통조건 : 교통량, 교통량 변동, 제한속도
- 교통수요정책 : 연동화 될 경로나 네트워크를 결정
- 교통장치 : 수요변화 결정과 교통장치에 의해 제약이 부과되는 것을 식별할 필요가 있음

36 연동의 종류에 대해 설명하시오.

해설
- 단순연동 : 일방향이나 역방향 교통량이 작은 양방향 가로에서 사용
- 전진연동 : 단순연동이 차량에 앞서는 green wave를 만들기 때문에 전진연동이라고 한다.
- 가변연동 : 하루에 여러 번 단순연동의 offset이 바뀌는 경우 이를 가변연동이라 한다.
- 후진연동 : 내부 대기행렬이 많은 경우 하류 교차로의 녹색시간을 먼저 시작하여 이 내부 대기행렬을 풀어줄 경우 이를 후진연동이라 한다.

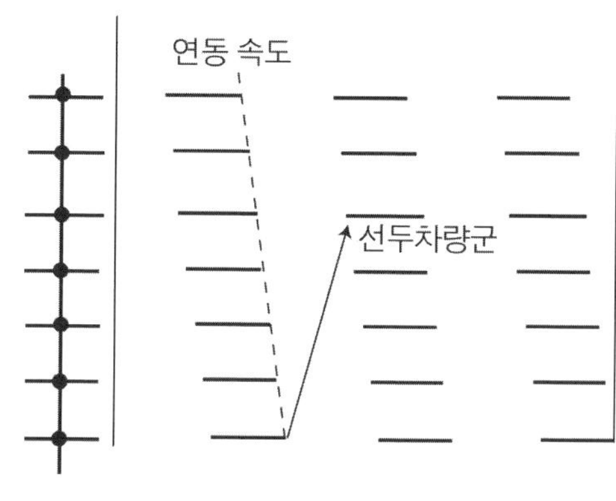

[그림] 후진연동

37 신호등 연동체계의 4가지 변수를 쓰시오.

해설 주기, 녹색시간, 옵셋(녹색시간 시차), 현시방법

38 전진연동 신호체계의 종류에 대해서 설명하시오.

해설
- **동시시스템**
  - 동시연동체계 안에 있는 모든 신호는 동시에 같은 신호 지시
  - offset은 0이며, 각 교차로에서의 시간분할은 같음

$$V = \frac{L}{C}$$

- **교호시스템**

– 교호연동시스템과 같은 방식이지만 두 교차로로 이루어진 교차로 그룹이 교대로 신호를 바뀌는 경우

– 신호그룹의 신호가 동시에 켜지는 경우

– 양방향 통행도로의 연동시스템에서 차량이 계속적인 주행을 하기 위해서는 주기의 녹 · 적색시간 분할이 50 : 50이 되어야 함

$$V = \frac{2L}{C}$$

- **이중교호시스템**

– 두 교차로로 이루어진 교차로 그룹이 교대로 신호가 바뀌는 경우

– 양방향의 차량이 계속적인 주행을 하기 위한 속도, 주기 및 교차로 간격의 관계는 다음과 같다.

$$V = \frac{4L}{C}$$

- **연속진행시스템**

– 어떤 신호등의 녹색 표시 직후에 그 교차로를 연속진행 방향으로 출발한 차량이 그 다음 교차로에 도착할 때를 맞추어 녹색으로 바뀌는 경우

– 앞에서 설명한 연동체계와 달리 몇 개의 교차로가 각기 독립적인 시간분할값을 갖는데 제한을 받지 않지만 주도로의 최소녹색시간이 연속진행방향의 진행대 폭을 결정하게 되는 것을 유의해야 함

– 진행방향에서 볼 때 어느 교차로 사이의 옵셋은 두 교차로간의 거리를 계속적으로 주행하는 차량의 속도로 나눈 값과 같음

---

39 교통축 연동기법의 장 · 단점에 대하여 설명하시오.

해설

연동기법	동시시스템	교호시스템	연속진행시스템
장점	· 교차로간의 거리가 짧고 연동축의 길이가 짧은 경우 효과적임 · 교통량이 아주 많은 경우 효과적임	· 정상주행을 통해서 옵셋동안에 다음교차로에 도달할 수 있을 정도로 교차로 간 거리가 긴 경우에 효과적임 · 주방향과 부방향의 신호시간분할이 50:50으로 가능한 경우에 적합함	· 교차로에 의한 지체를 피할 수 있음 · 연동축상의 교차로간 간격이 일정하지 않을 경우에 적용하기 적합한 기법임 · 방향별 분포비가 뚜렷한 경우 주방향을 우선적으로 처리함으로써 총 통행 비용절감
단점	· 주교차로를 위주로 현시 분할이 이루어지므로 타교차로의 운영 효율성 저하 · 교차로간의 거리가 길면 연동효과를 기대할 수 없음 · 간선축이 과포화 되었을 때에는 회전차량의 진입이 어렵게 됨	· 주도로와 교차하는 부도로의 신호시간비가 50:50이므로 대부분 비효율적임 · 교차로가 간격이 일정하지 않는 경우 링크 주행시간과 옵셋값이 맞지 않음 · 교통상황에 대처하기 위하여 신호시간 계획을 수정하기 어려움	· 타 연동방식에 비해서 주방향의 대향교통류는 연동효과 저감됨 · 방향별 교통량 분포비가 뚜렷하지 않은 경우 적용하기 어려움 · 주행속도가 높을 경우 적용이 어려움

40 신호등을 연동시키는 방법으로 일정한 구간을 계속적으로 진행시키는 연속진행 System이 있는데 이외의 두 가지 방법을 쓰시오.

해설 동시시스템, 교호시스템

41 양방향 가로의 효율적인 연동을 하기 위해서 고려해야 할 사항을 설명하시오.

해설 – 시스템주기가 가능한 한 연동을 향상시킬 수 있는 기하구조와 platoon 속도에 근거하여 결정되어야 한다.

– 주기, block 길이, platoon 속도의 조합이 적정할 때 양방향 연동을 맞추는

작업이 훨씬 수월해진다.

– 가능한 한 새로운 도시나 가로를 계획할 때 미리 위의 조합을 고려하는 것이 좋다.

---

42 Metering의 개요와 방법론에 대해 기술하시오.

해설 미터링 기법은 진출 또는 진입차량이 극대화 될 수 있도록 대기차량의 형성 및 관리는 물론 교통사고 감소와 합류부의 용량을 증대시키기 위한 교통공학기법 중 하나이다.

미터링 기법의 종류로는 내부미터링(Internal Metering), 외부미터링(External Metering), 통행단미터링(Release Metering), 지역미터링(Area Metering), Ramp Metering 등 있다.

– 내부미터링 : 이미 교통신호체계 내부로 들어온 교통류를 주어진 체계 내에서 최대로 통과할 수 있도록 조절 관리하는 것으로 회전교통, 주차에 대한 규제와 신호주기의 합리화 등의 고속도로 램프미터링, 가로망미터링 등을 말한다.

– 외부미터링 : 광의의 교통수요 관리기법에 포함되며 이는 교통수요관리를 통행의 끝인 가정이나 직장 등의 교통환경과 교통체계 사이에서 최적의 교통체계를 유지하기 위한 일련의 교통정책과 진입제어 미터링 등을 말한다.

– 통행단미터링 : 첨두시간을 분산 · 완화시키기 위한 시차제 출근제도나 주차요금의 시간대별 차등부과제도 등과 같이 대부분 통행단에서 의사결정과정에 영향을 준다.

– 지역미터링 : 대규모 네트워크를 대상으로 교통량을 최대화하고 통행속도를 증대시키기 위한 방법이다.

– 램프미터링 : 고속도로 유입램프와 유출램프에서 유입차량을 조절하여 본선으로 혼잡을 전가되는 것을 방지

【참고】• 미터링의 종류

① 진입램프미터링

– 진입램프 차단(Closure)

– 램프미터링(Ramp Metering)

– 정주기식미터링(Pretimed Metering)

– 교통반응미터링(Traffic Responsive Metering)

– 간격수락 합류(Gap Acceptance Merge)

– 통합램프 통제(Integrated Ramp)

② 진출램프미터링
③ 본선미터링(Mainline Metering)
④ 교통축 통제(Corridor Control)

43 램프미터링(Ramp Metering)의 목적에 대해 설명하시오.

해설
- 본선 통과교통량 최대화
- 진출 Ramp의 spill-back 최소화
- 효율적인 돌발상황 관리

44 램프미터링 방법의 유형을 설명하시오.

해설

공간적 범위에 의한 분류	국부미터링	램프 주변의 교통 여건을 분석하여 최적 유입량 산출
	전체미터링	고속도로 시스템의 전체적인 관점에서 최적 유입량 산출
이용되는 자료에 의한 분류	OPEN-Loop 시스템	과거 자료에 의해 미리 결정해 놓은 유입 조절량에 따라 시행
	Closed-Loop 시스템	검지기에 의해 수집된 실시간(real time) 정보에 의해 유입량이 그때 그 때 결정되어 실행

45 버스우선신호 시스템의 개념과 종류에 대해 설명하시오.

해설 • 버스우선신호 시스템의 정의
- 버스우선신호는 교차로 신호현시체계를 노면전차, 버스와 같은 대중교통들이 우선 통과할 수 있도록 제어하는 Transit Signal Priority System(TSPS)의 일종
- TSPS는 진행방법과 적용범위에 따라 Priority(합리적 우선순위)와 Preemption(절대적 우선순위)로 구분되며 전략에 따라서 고정시간제어, 스케쥴기반제어, 차두시간기반제어, 실시간제어전략으로 구분함

• 버스우선신호의 종류

① 수동식 우선신호

– 버스 검지와는 상관없이 고정제어방식으로 운영하는데, 신호계획(주기, 녹색시간, offset 등)을 버스에 우선하여 수립하는 방식

– 비포화 교통상황이면서 버스대수가 많은 곳에서 적용하면 효과적임

② 능동식 우선신호

종류	특징
Early green	· 적색현시 동안 버스가 검지되면 정상상태보다 녹색신호를 일찍 시작하는 방법 · 단, 상충현시의 최소녹색, 황색, 보행현시는 보장
Extend green	· 녹색 현시동안 버스가 검지되면 버스가 교차로를 통과하도록 녹색시간 연장
Actuated transit phase	· 좌회전차로에 버스가 검지되면 좌회전 현시를 삽입하는 방식
Phase insert	· 직진차로에 버스가 검지되면 정상상태에서 버스신호현시 삽입
Phase rotation	· 버스가 검지되면 현시순서를 바꾸어 우선신호 제공
Phase suppression	· 버스가 검지되면 수요가 적은 현시를 생략하는 방식

5 도로 및 교차로계획

1 도로의 기능에 대하여 나열하시오.

해설 이동기능, 접근기능, 공간기능

2 도로의 기능 중 이동성, 접근성을 이용하여 기능별로 분류하여 그리시오. or 간선도로, 집산도로, 국지도로를 이동성과 접근성의 개념을 도시하여 나타내시오.

해설

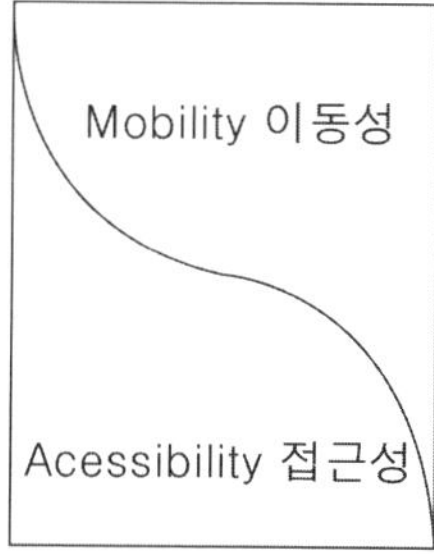

3 도로의 기능성에 따라 도로를 분류하고 이를 각각 간단히 설명하시오.

해설
- 고속도로 : 자동차 전용도로로서 대량의 교통을 가장 빠른 시간 내에 안전하고 효율적으로 이동시키기 위하여 출입제한의 기능을 갖춘 도로이다.
- 간선도로 : 전국 도로망의 주 골격을 형성하는 주요도로이다.
- 보조간선도로 : 지역도로망의 골격을 형성하는 주 간선도로에 연계되는 도로이다.

- 집산도로 : 지역 내의 통행을 담당하는 도로로서 광역기능을 갖지 않는 도로이다.
- 국지도로 : 지구 내의 주거 단위에 접근하기 위해 제공된 도로로서 가장 통행 거리도 짧고 기능상 최하위의 도로이다.

---

4 접근성만 강한도로의 종류를 쓰시오.

해설 Cull-de-sac, 국지도로

---

5 이동성이 높은 도로의 특성을 쓰시오.

해설 교통량이 많음, 통행거리가 길음, 통행속도 높음, 교통수단은 주로 자동차

---

6 도로법상의 도로를 분류하시오.

해설 고속도로, 일반국도, 특별시도, 시 · 군 · 도

---

7 도시계획도로를 기준을 분류하시오.

해설 광로, 대로, 중로, 소로

---

8 도시부도로의 기능상에 따라 분류하시오.

해설 도시고속도로, 간선도로, 보조간선도로, 집산도로, 국지도로

---

9 도로분류의 목적을 쓰시오.

해설 - 노선 계획, 설계, 관리기준의 설정

- 원활한 교통운영
- 건설과 관리의 책임지정

10 도로설계의 4요소를 쓰시오.

해설 - 설계속도(40~120km/h)
- 설계시간 교통량(DHV)
- 설계서비스수준(LOS)
- 설계대상차량(소형자동차, 대형자동차, 세미트레일러)

11 설계속도에 의해 결정되는 도로기하구조의 종류를 열거하시오.

해설 곡선반경, 편구배, 곡선부의 확폭, 완화구간의 시거, 종단곡선, 오르막차로 등

12 설계속도를 결정하는 요소를 나열하시오.

해설 차로폭, 길어깨폭, 지형

13 도로 유형, 지역, 설계속도에 따른 차로폭 결정기준에 대해 설명하시오.

해설 차로의 폭은 차선이 중심선에서 인접한 차선의 중심선까지로 하며, 도로의 구분, 설계속도 및 지역에 따라 아래 표의 폭 이상으로 한다. 다만, 설계기준자동차 및 경제성을 고려하여 필요한 경우 차로폭을 3미터 이상으로 할 수 있다.
그러나 통행하는 자동차이 종류 · 교통량, 그 밖의 교통 특성과 지역 여건 등에 따라 필요한 경우 회전차로의 폭과 설계속도가 시속 40km/h 이하인 도시지역 차로의 폭은 2.75미터 이상으로 할 수 있다.
도로에는 「도로교통법」 제15조에 따라 자동차의 종류 등에 따른 전용차로를 설치할 수 있다. 이 경우 간선급행버스체계 전용차로의 차로폭은 3.25미터 이상으로 하되, 정류장이 추월차로 등 부득이한 경우 3미터 이상으로 할 수 있다.

도로의 구분			차로의 최소 폭(m)		
			지방지역	도시지역	소형차로
고속도로			3.50	3.50	3.25
일반도로	설계속도 (km/h)	80이상	3.50	3.25	3.25
		70이상	3.25	3.25	3.00
		60이상	3.25	3.00	3.00
		60미만	3.00	3.00	3.00

14 오르막차로 설치시 검토사항에 대해서 설명하시오.

해설 · **교통용량**

- 교통용량과 교통량의 관계
- 고속 자동차와 저속 자동차의 구성비

· **경제성**

- 오르막경사의 낮춤과 오르막차로 설치의 경제성
- 고속주행에 따른 편의 및 쾌적성 향상과 사업비 절감에 따른 경제성

· **교통안전**

- 오르막차로 설치에 따른 교통사고 예방효과

15 종단곡선의 목적을 3가지 이상 설명하시오.

해설
- 운동량의 변화에 대한 충격완화
- 평면선형과의 조화가 필요
- 운전자의 시거확보

16 최소곡선반경으로 도로의 연석을 설치시 고려할 사항을 설명하시오.

해설 소형자동차, 대형자동차, 세미트레일러 이 세 종류의 설계기준 제원을 고려해야 한다.

즉, 세 종류의 제원 중 규모가 가장 큰 세미트레일러의 제원을 기준으로 최소곡

선반경을 설치한다.

17 도로설계시 설계기준차량의 종류와 종류별 제원에 대해 설명하시오.(단위 : m)

해설

종류	소형자동차	중대형자동차	세미트레일러
길이	4.7	13.0	16.7
폭	1.7	2.5	2.5
높이	2.0	4.0	4.0
최소회전반경	6.0	12.0	12.0

18 차도의 시설한계 높이를 축소할 수 있는 아래의 경우에 대한 기준을 작성하시오.(단, 도로의 구조 및 시설기준에 관한 규칙에 따른다.)

(1) 집산도로 또는 국지도로서 지형 상황 등으로 인해 부득이 하다고 인정되는 경우 ( )m 까지 축소 가능

(2) 소형차도로인 경우 ( )m 까지 축소 가능

(3) 대형자동차의 교통량이 현저히 작고, 그 도로의 부근에 대형자동차가 우회할 수 있는 도로가 있는 경우 ( )m 까지 축소 가능

해설 (1) 4.2m (2) 3m (3) 3m

19 도로의 횡단면 구성요소들을 설명하시오.

해설 중앙분리대, 측대, 차로, 길어깨, 보도, 자전거도

20 길어깨의 필요성 5가지를 쓰시오. or 길어깨의 기능 4가지를 쓰시오.

해설
- 배수기능
- 도로의 미관 증진
- 차도의 주요구조부 보호
- 측방여유폭 확보(교통의 안전성과 쾌적성에 기여)

- 고장차량을 본선 차도로부터 대피 할 수 있는 공간제공
- 보도없는 도로에서의 보행자 통행로 제공
- 노상시설설치 장소 제공

21 출입제한의 계획상 판단 기준을 설명하시오.

해설 - 계획 교통량이 많을 것
- 평균 통행길이가 길 것
- 노선의 계획연장이 길 것

22 교통공학에서 정의되는 '정상시력' 에 대해 기술하시오.

해설 1/3인치 크기의 글자를 아주 밝은 상태에서 20ft 거리에서 읽을 수 있는 사람의 시력을 말한다.

23 인지반응과정(PIEV)을 단계별로 설명하시오.

해설 외부자극에 대한 인간의 신체적 반응은 다음과 같은 일련의 과정을 통하여 이루어진다.

- 지각(Perception) : 자극을 느끼는 과정
- 식별(Identification or Intellection) : 자극을 이해하고 식별
- 행동판단(Emotion or Judgement) : 적절한 행동으로 결정하는 단계
- 행동 및 브레이크 반응(Volition or Reaction) : 행동의 실행 및 이에 따른 차량의 작동이 시작되기 직전까지의 과정

【참고】• 인지반응시간

- 실험에 의하면 이 시간은 0.22~1.5초 정도
- 실제운행 중에 발생하는 시간 : 0.5~4.0초

• PIEV 적용대상

- 안전시거, 교차로 안전 접근속도, 교통신호기의 황색주기, 응급시 운전자의 대처속도 등

24 정지시거에 영향을 미치는 요소에 대해 쓰시오.

해설 설계속도(v), 반응시간(t_r), 미끄럼 마찰계수(f), 구배(s)

【참고】

$$d = t_r \cdot v + \frac{v^2}{2g(f+s)}$$

25 주변지역의 무질서한 개발, 무제한 출입허용으로 인한 마찰증대와 주행속도저하, 교통사고증가 등의 간선도로 기능상실을 최소화하기 위한 간선도로기능 회복방안에 대하여 설명하시오.

해설 출입제한도로의 정비, 측도의 설치, 연도토지의 취득, 토지이용제한, 연도개발권 취득, 연도발전의 제한

26 평면교차로 설계의 기본원리를 5가지 이상 설명하시오.

해설

- 상충점 분리
- 상충지점수 최소화
- 상충횟수 최소화
- 상충면적 최소화
- 상대속도 최소화
- 이질교통류는 서로 분리
- 기하구조와 교통통제 · 운영방법 조화
- 가장 타당한 교차방법을 사용할 것
- 회전 교통 경로를 마련할 것
- 복잡한 합류와 분류를 피할 것
- 주도로 우선권 부여

[팁] 많은 항목의 정답을 암기하기가 부담스러우면, 정답 중에서 본인이 암기하기 쉬운 4~5가지 항목만 선택해 완벽하게 암기하기를 추천한다.

27 평면교차로 설계시 고려해야 할 요소 5가지를 설명하시오.

해설
- 인적요소 : 운전자 습관, 운전자의 기대치, 차량주행경로의 순응정도, 판단능력, 반응시간, 보행자의 특성
- 교통류 요소 : 용량, 차량교통량, 차량재원, 차량의 흐름, 차량속도, 대중교통수단과의 연계, 교통사고기록
- 물리적 요소 : 인접부지의 특성, 종단선형, 시거, 교차각, 상충지역, 속도변화구간, 교통관제시설, 조명시설, 안정시설
- 경제적 요소 : 공사비 및 토지보상비, 지체 및 우회에 따른 연료소비
- 환경적 요소 : 주변 토지이용 현황, 사회 · 경제적 환경 요소, 소음 및 공해 등 생활환경 요소

28 교통섬 설치목적을 설명하시오.

해설
- 차량의 주행로를 명확히 설정
- 교통류 분류
- 위험한 교통류 흐름 제어
- 보행자 보호
- 교통통제시설의 설치공간 확보

29 교통섬 설치에 따른 효과를 설명하시오.

해설
- 정지선 위치를 전진시킨다.
- 도류로를 명시하여 차량을 유도한다.
- 보행자를 보호한다.
- 신호, 표지, 조명 등 관련시설의 설치장소를 제공한다.

30 교통섬의 설계 원칙에 대해 설명하시오.

해설 - 자연스러운 주행속도를 유지하도록 하여야 한다.
- 적당한 크기를 확보해야 한다.
- 필요 이상의 교통섬을 설치하는 것은 피해야 한다.
- 시야가 확보되지 않거나 곡선이 급한 지점 등에는 안전상 설치를 금지하는 것이 바람직하다.

[팁] 본 시험에서 교통섬에 설치목적, 교통섬 설치에 따른 효과, 교통섬의 설계원칙이 혼동되는 경우가 있으므로 정확한 이해와 암기가 필요하다.

---

31 교통섬에 식수시 발생되는 문제점을 설명하시오.

해설 - 교통섬에 나무를 심어 접근시 시야 방해
- 교통통제시설의 설치 곤란
- 우회전차량의 회전시 불편

---

32 로터리(Rotary)와 회전교차로(Roundabout)의 차이점을 설명하고, 회전교차로의 특징과 유형별 구분 그리고 설치 대상지 선정기준에 대하여 기술하시오.

해설 ① 회전교차로와 로터리의 차이점

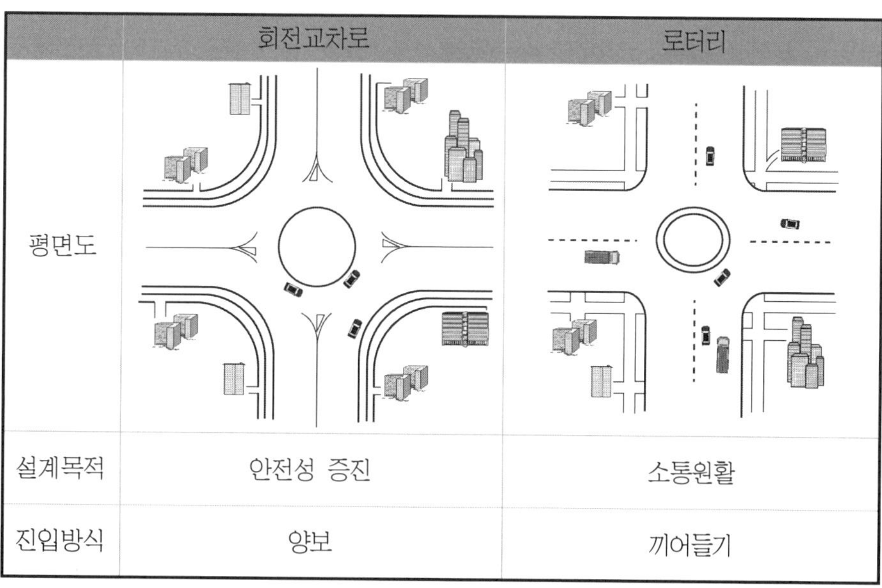

	회전교차로	로터리
평면도		
설계목적	안전성 증진	소통원활
진입방식	양보	끼어들기

② 회전교차로(Roundabout)의 특징과 유형

구 분		선정기준
초소형 교차로		· 평균 주행속도 50km/h 미만 도시지역 · 소형 회전교차로를 설치할 공간이 없는 경우 · 대형차는 교통섬을 밟고 통과
도시 지역	소형 회전교차로	· 모든 접근로가 편도 1차로인 경우 · 소형화물이나 버스통행이 가능
	1차로 회전교차로	· 모든 진입, 진출로와 회전차로가 1차로인 도시지역 · 화물차 턱 필요(버스이용 불가)
	2차로 회전교차로	· 하나의 접근로만이라도 2차로인 도시지역 · 보도와 자전거도로를 조경시설 등으로 구분
지방 지역	1차로 회전교차로	· 도시지역보다 높은 주행속도 지역(보행자 한산) · 진출입로는 도시부보다 완만
	2차로 회전교차로	· 한 개 이상의 접근로가 2차로인 지방지역 · 속도측면에서 지방지역 1차로 회전교차로와 유사 · 기하구조는 도시지역 2차로 회전차로와 유사

33 평면교차로 회전이동류 접근관리기법을 쓰시오.

해설 차로제공, 회전금지, 전환, 분리

34 선형설계시 유의사항에 대해 기술하시오.

해설
- 추정교통량이 많은 구간에서는 될 수 있는 한 작은 곡선을 피한다.
- 전후선형을 고려, 급하게 작은 반경의 곡선을 쓰지 않는다.
- 주위의 지형, 도시화의 상황, 연도환경에 따라 선형설계
- 종단곡선도 고려

35 설계속도에 의해 결정되는 도로기하구조 요소를 열거하시오.

해설 곡선반경, 편구배, 곡선부의 확폭, 완화구간의 시거, 종단곡선, 오르막차로 등

36 "클로소이드곡선"(Clothoid)의 장점에 대해 설명하시오.

해설
- 선형이 원활하여 핸들조작이 편하다.
- 공사비가 적어진다.
- 성토, 절토가 적어도 된다.
- 설계설치가 용이
- 차량주행시 원심력의 증감을 적절히 조절할 수 있다.
- 곡선과 직선부 사이 혹은 곡선 반경이 현저히 다른 두 개의 서로 인접한 곡선 사이에 설치

【참고】• 클로소이드곡선

곡률이 서서히 변화하는 곡선을 완화곡선이라고 하며, 클로소이드곡선은 완화곡선의 일종으로 직선과 원곡선 또는 곡률이 다른 두 원곡선 사이의 접속부에 쓰인다.

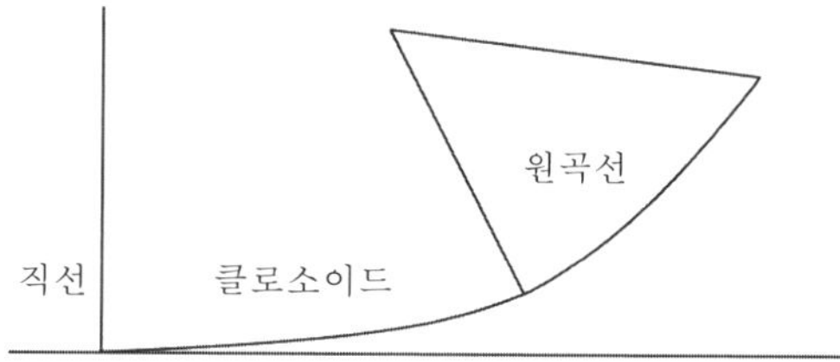

$L \times R = A^2$

여기서,

A : 클로소이드 파라메타(설계속도가 높은 도로는 큰 파라메타 사용)

L : 곡선의 길이

R : 곡선반경(m)

37 종단곡선의 목적을 3가지 이상 설명하시오.

해설
- 운동량의 변화에 대한 충격완화
- 평면선형과의 조화가 필요
- 운전자의 시거확보

38 곡선반경 설계시 고려되는 요소를 쓰시오.

해설 설계속도(V), 편구배(e), 마찰계수(f)

【참고】 • 최소곡선반경

$$R(\text{최소곡선반경}) = \frac{V^2}{127(e+f\ )}$$

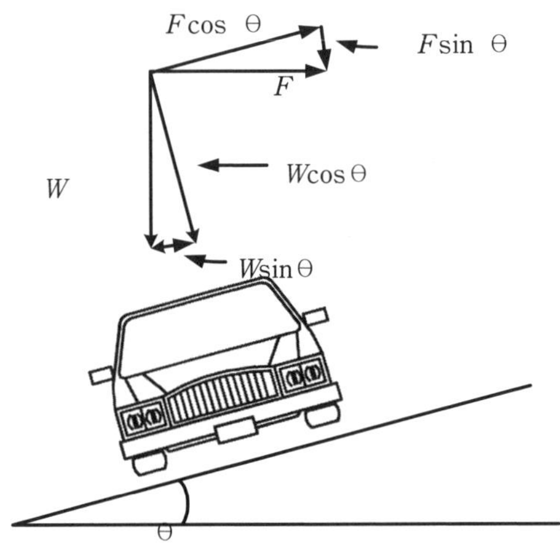

[그림] 횡활동을 유지하기 위한 조건

여기서

F : 원심력(kg)
g : 중력가속도(≒ 9.8m/sec2)
v : 자동차의 속도(m/sec)
W : 자동차의 총중량(kg)
θ : 노면의 경사각
i : 노면의 편경사(= tanθ)
R : 곡선반경(m)
f : 노면과 타이어 사이의 횡방향마찰계수

원심력은

$$F = \frac{W}{g} \times \frac{v^2}{R}$$

여기서 원심력에 의해서 밖으로 미끄러지지 않기 위해서는 다음 조건을 만족시켜야 한다.

$$F\cos\theta - W\sin\theta \le f(F\sin\theta + W\cos\theta)$$

여기에 양변에 $\cos\theta$로 나누면

$$F - W\tan\theta \le f(F\tan\theta + W)$$

F 대신에 원심력 방정식을 대입하고, $\tan\theta$ 대신에 편경사 i를 대입하면

$$\frac{v^2}{gR} - i \le f(\frac{v^2}{gR}i + 1)$$

위의 식을 평면곡선반경 R의 식으로 정리하면

$$R \ge \frac{v^2}{g}\frac{1-fi}{i+f}$$

여기서 $1-fi$(fi는 매우 작다)는 1과 가깝다. 따라서

$$R \ge \frac{v^2}{g(i+f)}$$

여기서 v의 mps단위를 V의 kph단위로 바꾸기 위한 전환계수 3.6과 $g = 9.8m/\sec^2$ 를 적용하면

$$R \ge \frac{V^2}{127(f+i)}$$

따라서 횡활동을 일으키지 않기 위한 최소곡선반경은

$$R = \frac{V^2}{127(f+i)}$$

---

39 도로의 횡단방법 4가지를 쓰시오.

해설 - 통제되지 않은 평면횡단
- 교통표시 또는 신호등에 의해 통제되는 평면횡단
- 엇갈림
- 입체교차로

40 좌회전 차로의 기능을 설명하시오.

해설 – 좌회전 교통류의 감속을 원만히 수행케 한다.
– 좌회전 차량이 대기할 수 있는 공간을 확보함으로써 교통 신호운영의 적정화를 꾀할 수 있게 한다.
– 좌회전 교통류를 다른 교통류와 분리시킴으로써 평면교차로의 운영에 중요한 역할을 하는 좌회전 교통류의 영향을 최소화시킬 수 있다.

41 좌회전 전용차로 설치시 고려해야 할 요소 3가지만 열거하시오.

해설 속도, 교통량, 통제설비의 형태

42 부가차로의 종류 3가지를 설명하시오.

해설
- **오르막차로(구배구간)**
  – 구배구간에서, 저속 주행차량이 주행차로에서 벗어나 구배구간을 통행할 수 있도록 설치한 차로
- **양보차로(평지, 긴구간)**
  – 저속주행 차량이 고속주행차량에게 주행차로를 양보할 수 있도록 상당히 긴 구간에 한 차로를 추가 설치한 곳에서 저속 주행차량이 주행하는 차로
- **턴아웃(저속차량의 잠시 대피 차로)**
  – 저속주행 차량이 고속주행 차량에게 통행권을 양보하기 위하여 잠시 대피해 있을 수 있는 차로

43 보조차로의 구성요소 3가지만 쓰시오.

해설 감속차로길이, 대기차로 길이, 진입테이퍼의 길이

44 2차로도로의 능률차로제를 설계하시오.

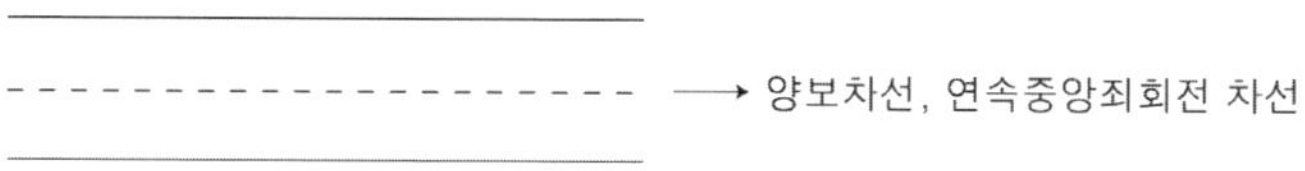

→ 양보차선, 연속중앙좌회전 차선

해설

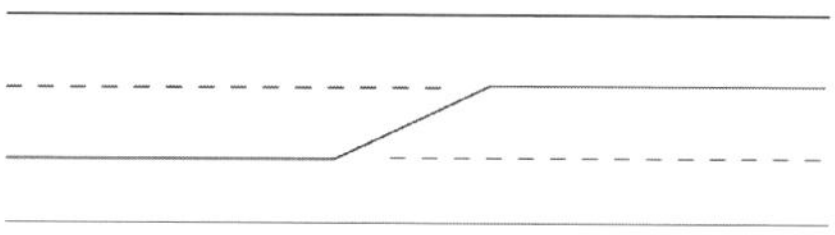

45 도류로 형태를 결정하는 요소를 쓰시오.

해설 용지의 폭, 교차로의 형태, 설계기준차량, 설계속도

46 도류로 설계시 고려사항 5가지를 나열하시오.

해설 설계속도, 교통량, 규제방법, 보행자, 설계기준차량, 도류로의 전향각

47 도류화의 설계원칙에 대하여 설명하시오.

해설
- 바람직하지 않은 교통흐름은 억제되거나 금지되어야 한다.
- 차량의 진행경로는 분명히 표시되어야 한다.
- 차량의 본래 주행속도는 되도록 유지되어야 한다.
- 상충이 발생하는 지점은 가능한 한 분리시켜야 한다.
- 교통류는 서로 직각으로 교차하고 비스듬히 합류해야 한다.
- 우선순위가 높은 교통류의 처리가 우선적으로 이루어져야 한다.
- 바람직한 교통통제기법이 충분히 활용될 수 있어야 한다.
- 직진차량은 되도록 속도 변화를 갖지 않아야 한다.
- 보행자에 대한 안전성을 높인다.
- 운전자를 한 번에 한 가지 이상의 의사결정을 하지 않도록 해야 한다.

– 운전자가 적절한 시인성 및 시계를 가지도록 해야 한다.
– 교통섬의 최소면적은 4.5㎡ 이상 되어야 한다.

---

48 평면교차로의 회전이동류 접근관리기법을 설명하시오.

해설 차로제공, 회전금지, 전환, 분리

---

49 교차로 회전통제의 방법 3가지를 설명하시오.

해설 보호좌회전 통제방식, 회전금지 통제방식, 비보호좌회전 통제방식

---

50 좌회전 대안(代案)될 수 있는 처리방법의 특징을 설명하시오.

해설
– 보호좌회전금지 : 모든 좌회전문제를 해결할 수 있고 상충을 줄일 수 있다. 그러나 운행 및 이동거리가 증가한다.
– 비보호좌회전처리 : 손실시간을 최소화할 수 있으나 대향 교통류와 상충이 일어나 좌회전차량의 혼잡을 야기시킬 수도 있다.
– 비보호 독립차로 좌회전처리 : 좌회전교통류의 대기가 없으므로 직진차량에 방해가 되지 않는다. 그러나 이 역시 비보호좌회전이므로 대향교통류의 상충이 발생된다.

---

51 교차로 좌회전 금지시에 장 · 단점 2가지씩 설명하시오.

해설
- **장점** : 교통량이 많은 교차로의 효율성을 높여준다.
  다른 이동류의 용량을 증대시킨다.
- **단점** : 운행 및 이동거리가 증가한다.
  좌회전 금지로 인한 영향이 부근의 다른 교차로로 파급될 가능성이 있다.

52 교차로에서의 기본 통행우선권의 수칙 4가지를 설명하시오.

해설

- 교차로에 접근하는 차량의 운전자는 다른 접근로에서 교차로에 이미 진입한 차량에게 우선권을 양보하여야 한다.
- 두 접근로에서 거의 동시에 접근한 차량의 경우 오른쪽 접근로의 차량이 우선권을 가진다.
- 좌회전하려고 하는 운전자는 맞은편에서 접근하는 직진차량에게 우선권을 양보해야 한다.
- 비신호교차로에서 도로를 횡단하고 있는 보행자에게 차량은 우선권을 양보해야 한다.(교차로의 횡단보도가 설치되어 있지 않더라도 마찬가지임)

53 공용차로에서 보호좌회전을 실시할 때 선행좌회전, 후행좌회전의 장·단점을 설명하시오.

해설

	장점	단점
선행좌회전	· 전용좌회전 차로가 없는 좁은 접근로의 용량증대, 좌회전을 먼저 처리하므로 직진과 좌회전의 상충감소, 후행좌회전에 비해 운전자 반응속도가 빠름 신호시간조정이 용이	· 선행녹색이 끝날 때 좌회전의 진행연장이 대향직진의 출발방해, 선행녹색 시작 때 대향직진이 잘못 알고 출발 우려 · 선행녹색이 끝날 때 출발을 시작하는 보행자와 상충우려, 연속진행 연동신호에 맞추기 곤란
후행좌회전	· 양방직진이 동시출발, 후행녹색 시작 때 보행자 횡단은 거의 끝난 상태이므로 보행자와 상충감소, 연동신호에서 직진차량군의 후미 부분만을 절단	· 후행녹색 신호 시작 때 대향좌회전도 좌회전할 우려, 전용좌회전차로가 없을 때 후행녹색 이전에 좌회전 대기차량이 직진 방해 · 고정시간신호 혹은 T형 교차로의 교통감응신호에 사용하면 위험 · 후행좌회전 이후 양방향 전용좌회전이 올 때 신호처리곤란

54 교통량이 많고 좌회전 교통량이 많을 경우 보호좌회전 준거 4가지 설명하시오.

해설 직진교통량, 좌회전교통량, 중차량혼입율, 신호주기

55 공용차로에서 보호좌회전을 실시할 때 선행좌회전, 후행좌회전에 대해 설명하시오.

해설 – 선행좌회전 : 양방향의 좌회전이 동시에 시작되고 끝난 후 양방향 직진이 동시에 이루어지는 방식
– 후행좌회전 : 양방향직진현시 이후에 양방향좌회전이 오는 경우

56 교차로에서 주도로 교통류를 우선처리 함으로써 얻는 이점을 설명하시오.

해설 통과교통의 지체를 줄임, 국지교통의 지체를 줄임, 교통사고 감소, 용량증대

57 교차로에서 통과교통 위주의 통제가 갖는 결점에 대해 설명하시오.

해설 통과교통의 속도가 증가하므로 교통사고의 심각도가 커지며, 통과교통을 횡단하는 차량 및 보행자교통은 오랜 지체를 감수해야 한다.

58 교차로에서 상충교통류를 통제하는 방법을 열거하시오.

해설 기본통행우선권 수칙, 양보표지, 2방향 정지표지, 다방향 정지표지, 교통신호

59 직진과 우회전을 분리하여 다음 교차로를 도류화 하시오.(화살표와는 상관없음)

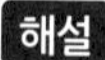

해설

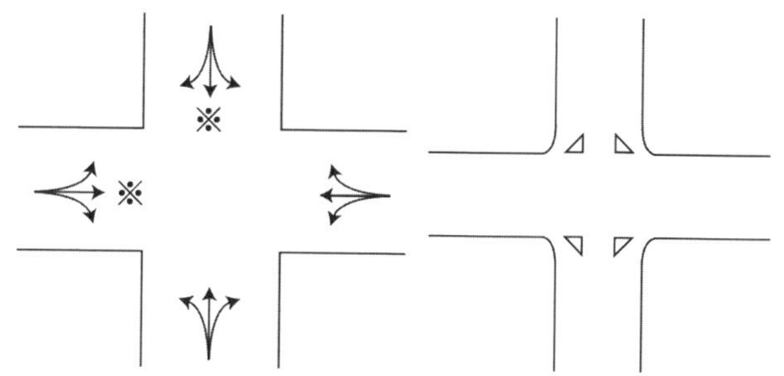

---

60 다음의 선형도로를 개선하시오.

해설

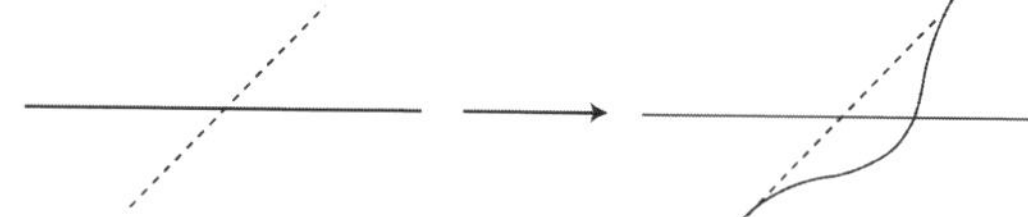

[팁] 화살표 부분을 유심히 보면 교차로 형태에 상관없이 서로 교차하는 도로는 직각에 가깝도록 설계하는 것이 문제의 핵심

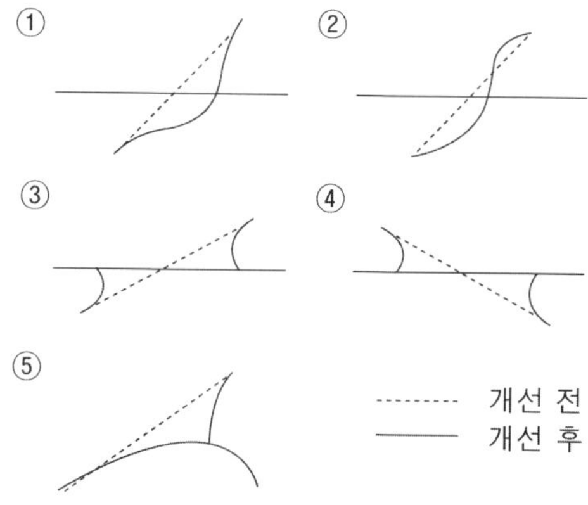

---

61 다음 그림과 같은 3지교차로의 기하구조를 개선하고 교통표지판과 교통섬을 설치하시오.

해설

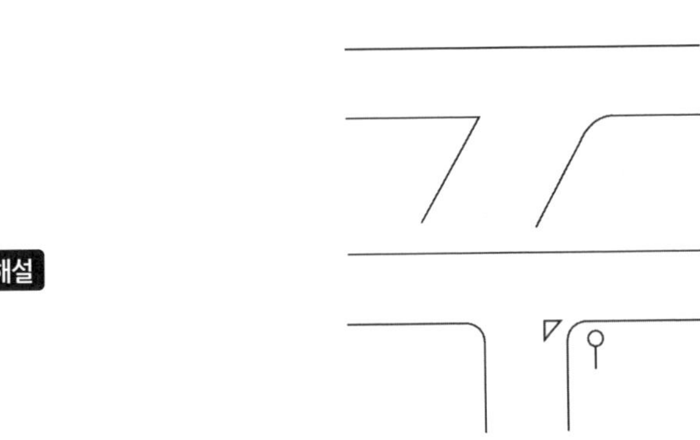

[팁] 서로 교차하는 도로는 직각으로 교차하는 것이 바람직하다.

---

62 다음의 도로가 예각 교차로로 인하여 사고가 많이 발생한다. 안전하게 도류화 하시오.(단, 빗금 친 부분은 차도로 활용가능)

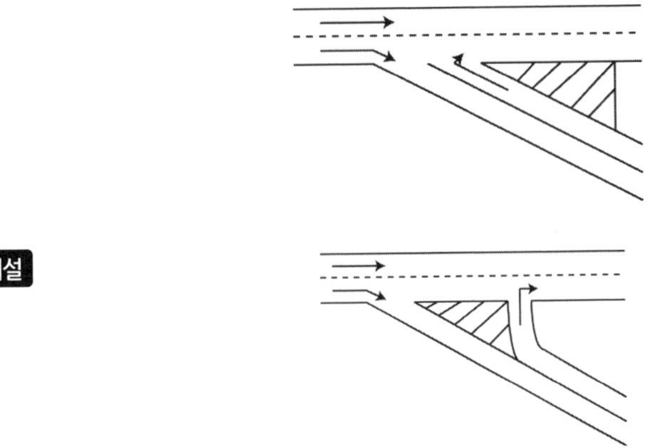

해설

---

63 다음 그림에 있는 교차로를 도류화하시오.(빗금친 부분은 도로부지로 사용할 수 있다. 화살표 표시 포함)

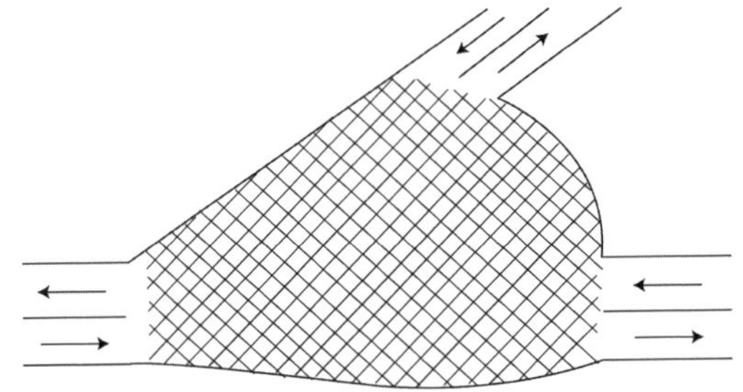

해설

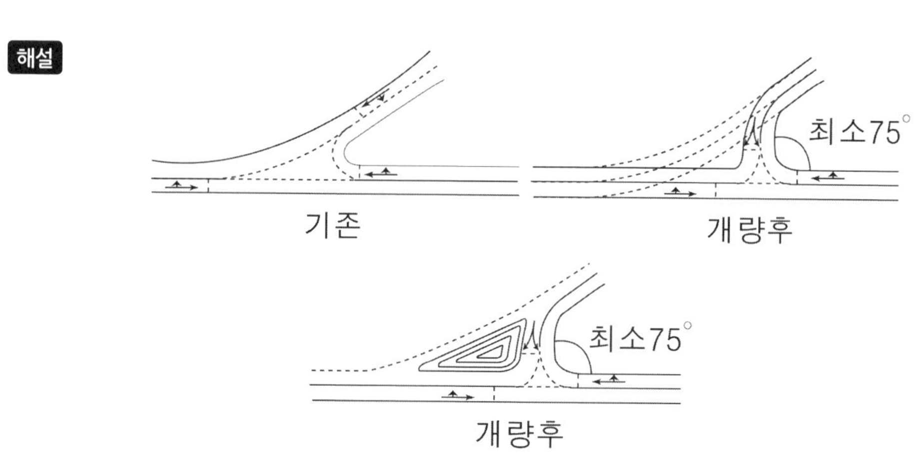

---

64 다음 그림에 있는 자전거횡단도의 교통섬을 연결할 때, 상충을 최소화하는 방향으로 개선하시오.

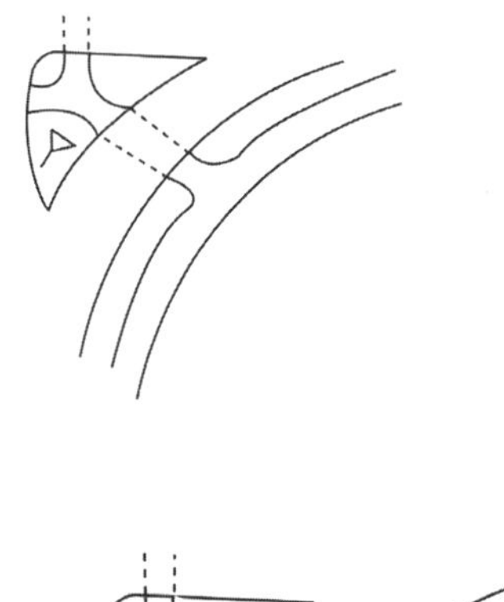

해설

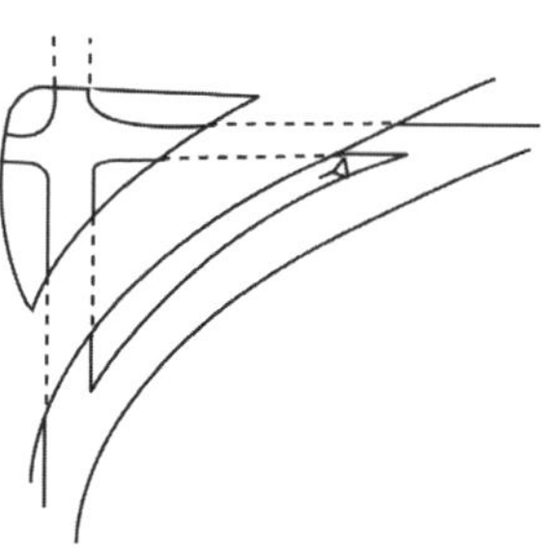

---

65 다음 Y자형 교차로를 개선하시오

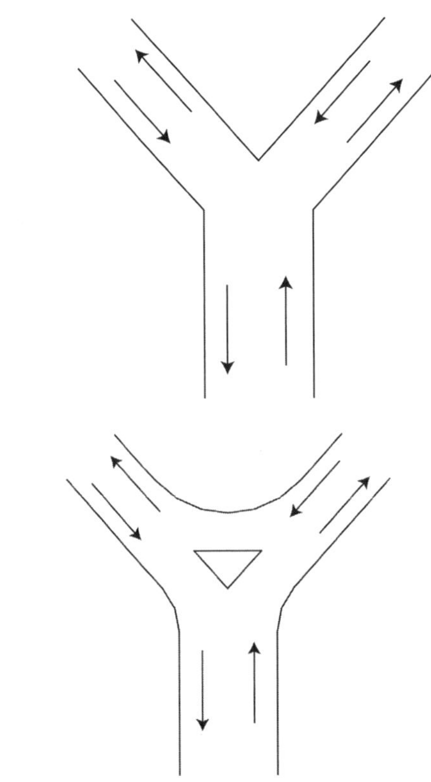

해설

---

66 교통운영의 효율성을 검정하는 일반적인 효과척도를 나열하시오.

해설 교통서비스의 질, 각종 기회에 대한 접근성, 경제적 효율성, 교통수요와 공급, 지역영향, 대기, 소음 및 수질오염, 융통성과 적용성, 미적인 질

---

67 4지 교차로상충 유형을 쓰고 설명하시오.

해설 교차상충(crossing conflict), 합류상충(merging conflict), 분류상충(diverging conflict)

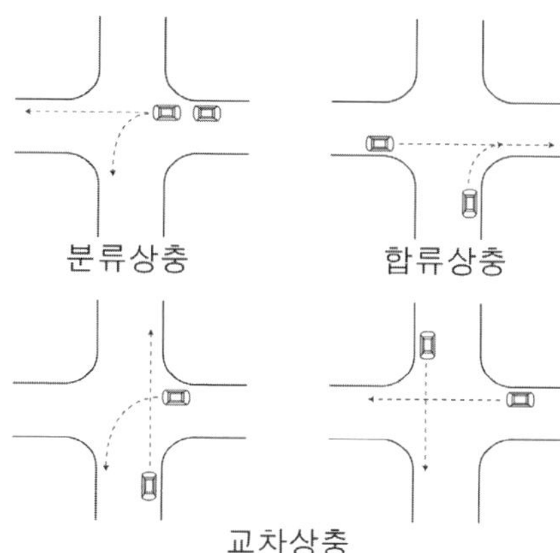

68 다음 그림에서 제시한 4지 교차로의 진행방향을 토대로 각 이동류별 상충점을 도시하시오.

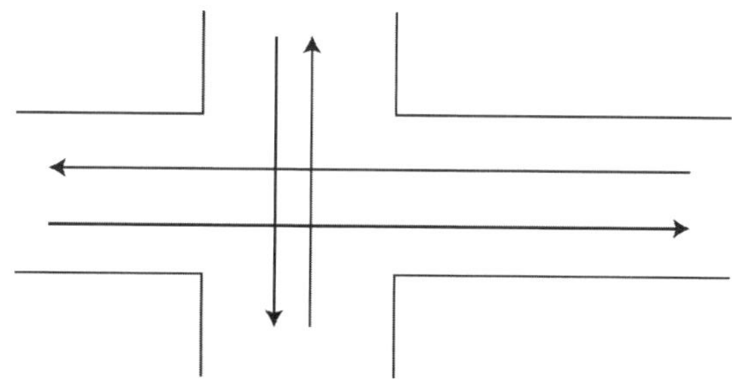

해설

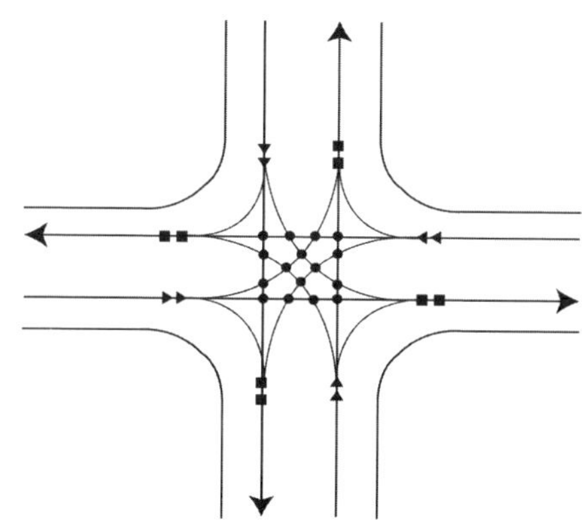

교차점(crossing point) : 16 + 합류점(merging point) : 8 + 분류점(divering point) : 8 = 상충점(conflict point) : 32개

【참고】 • 상충점의 수

갈래수	교차상충	합류상충	분류상충	계
3	3	3	3	9
4	16	8	8	32
5	49	15	15	79
6	124	24	24	172

---

69 일방통행과 직교하는 양방통행차로의 충돌점의 수를 구하시오.

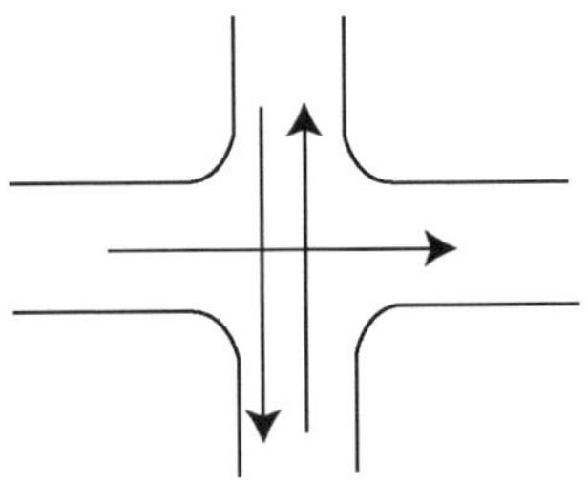

해설

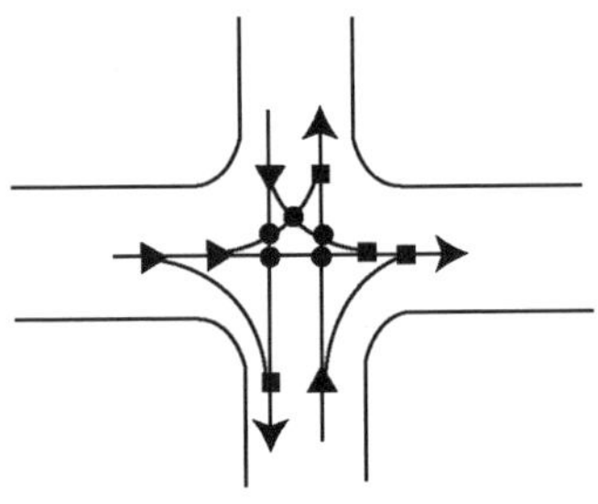

분류상충(▲) : 4
합류상충(■) : 4
교차상충(●) : 5

계 : 13

【참고】 • 일반통행 • 좌회전 금지

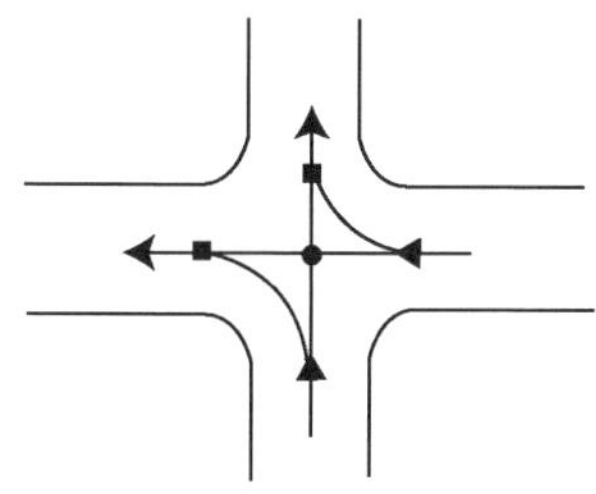

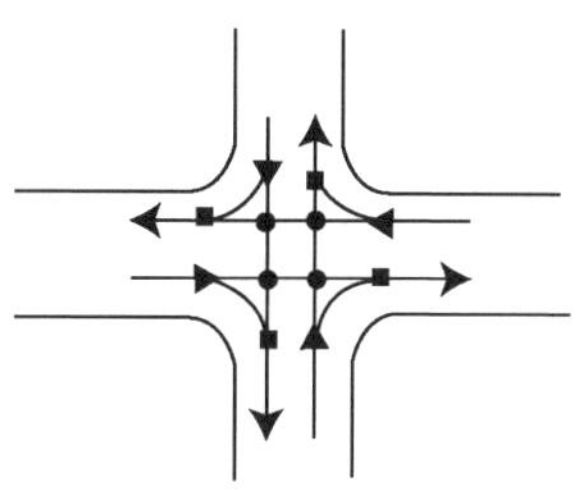

일반통행		좌회전 금지	
분류상충(▲)	2	분류상충(▲)	4
합류상충(■)	2	합류상충(■)	4
교차상충(●)	1	교차상충(●)	4
계	5	계	12

70 인터체인지 설계시 고려사항을 열거하시오.

해설 도로의 기능, 교통류, 설계속도, 도로폭, 지형, 경제적 측면

【참고】 • 교차로에 의한 인터체인지 분류

교차로 수	인터체인지 분류
3지 교차	직결형, 트렘펫형
4지 교차	다이아몬드형, 크로버형, 직결형, 트럼펫형
다지 교차	로타리형, 복합형, 직결형

71 완전 입체 교차하는 인터체인지의 종류를 열거하시오.

해설 클로버형, 직결형, 트럼펫형(3지), 2중 트럼펫형(4지교차)

72 불완전 입체교차로 램프의 종류를 나열하시오.

해설 다이아몬드형, 불완전클로버형, 준직결형, 트럼펫형(4지교차, 로터리형

73 엇갈림 발생 입체교차로 램프의 종류를 나열하시오.

해설 완전클로버형, 2중 트럼펫형, 로터리형

74 I.C 설계시 고려사항을 열거하시오.

해설 도로의 기능, 교통류특성, 설계속도, 출입제한의 정도, 교통표지, 경제적 측면지형, 도로의 폭

75 다이아몬드형 인터체인지의 장점과 단점을 설명하시오.

해설
- **장점** : 용지면적이 적게 소요
  공사비 저렴
  짧은 우회거리
  저급도로와의 교차시 적합
- **단점** : 2개의 평면교차로 인접
  병목현상 발생
  관리비 증대
  도로용량 과소

76 완전 클로버형 인터체인지의 장점과 단점을 설명하시오.

해설
- **장점** : 구조물 단순
  시공 용이
- **단점** : 용지면적 과다 소모
  엇갈림 현상 발생
  도로용량 저하
  도시부에서는 적용 불가능

77 트렘펫형 인터체인지의 장점과 단점을 설명하시오.

해설

- **장점** : 요금소 설치 용이
  구조물 단순
  시공 용이
  엇갈림 현상 미발생(2중 트럼펫 제외)

- **단점** : 용지면적 과다 소모
  우회거리 과다

78 직결형 인터체인지의 장점과 단점을 설명하시오.

해설

- **장점** : 엇갈림 현상 미발생
  좌회전 교통류 직결 처리(4지교차)
  고속도로 상호간 교차 적합

- **단점** : 구조물 설치 과다
  공사비용이 높고 공사가 복잡

79 다음 그림에 제시된 5지교차로를 개선하시오.

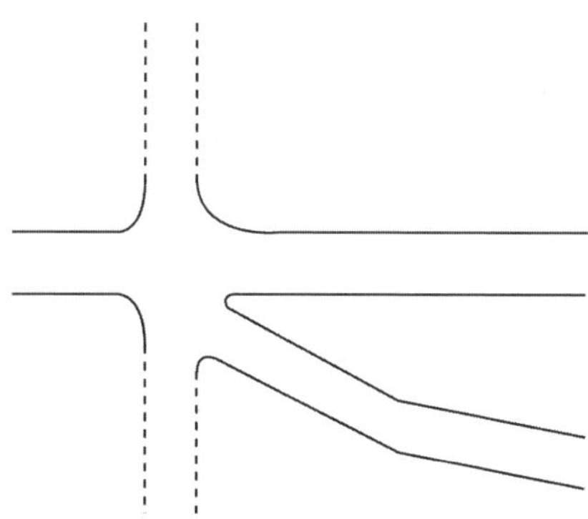

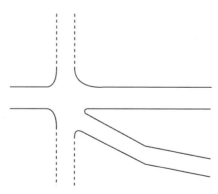

해설

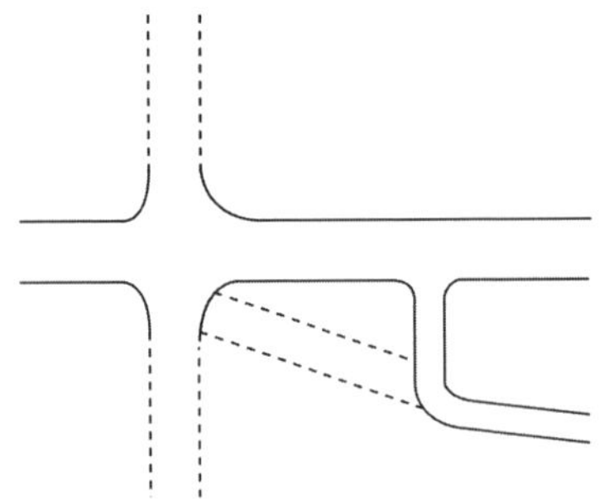

【참고】 • 엇갈림교차로 개선

기존

개선

• 3지교차로 개선(교통섬 1개有)

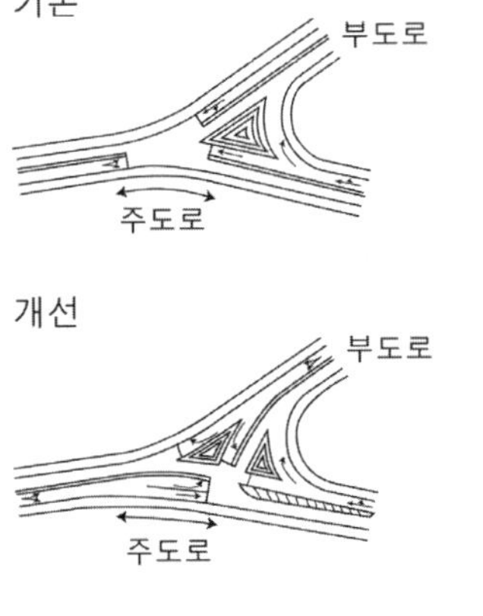

---

80 완전 클로버형 입체교차로의 형태와 진행방향을 도시하시오.

해설

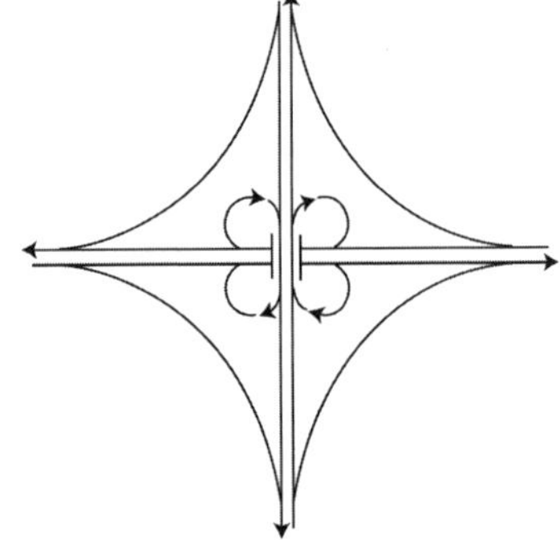

81 고속도로와 교차로와 교차하는 지점을 다이아몬드형 인터체인지를 설계하려고 한다. 각 이동류의 진행방향과 좌회전 진입방향을 화살표로 도시하시오.

해설

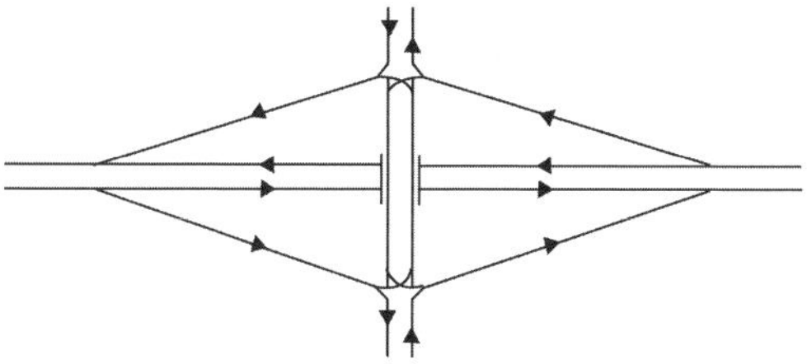

82 다음 보통형과 분리형 다이아몬드형 인터체인지의 진행방향을 도시하시오.

해설

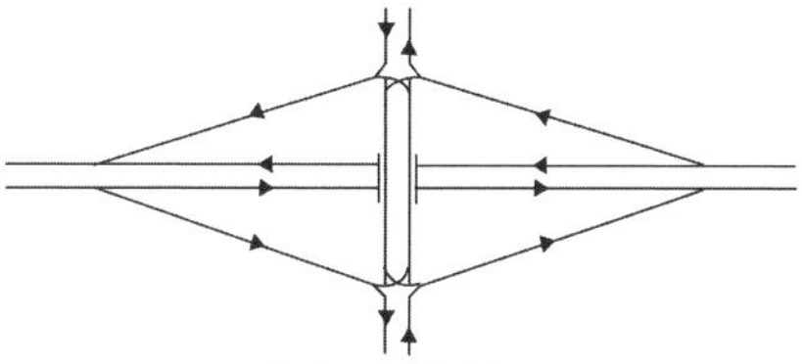

(a)보통형

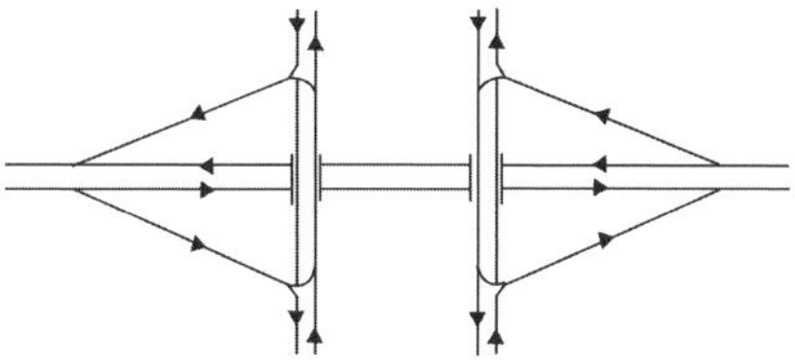

(b)분리형(양방향통행)

83 다음의 3지교차 트럼펫형 인터체인지를 도시하시오.

해설

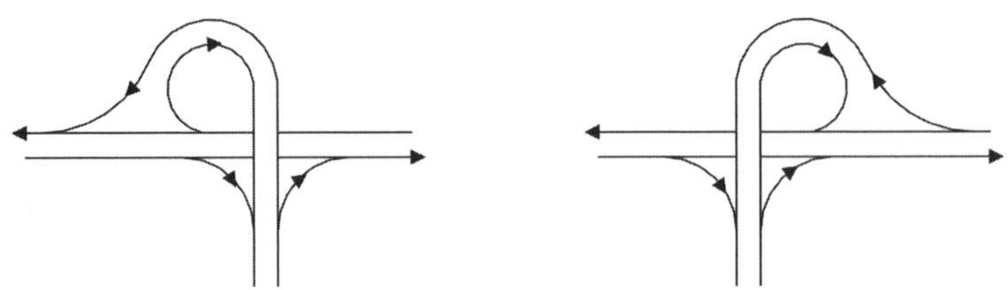

84 그림에 제시한 4지교차로에서 상대적으로 교통량이 많은 접근로의 이동류를 표시(※)해 놓았다. 이를 근거로 다이아몬드 인터체인지를 도시하고 교통흐름을 표시하시오.

해설

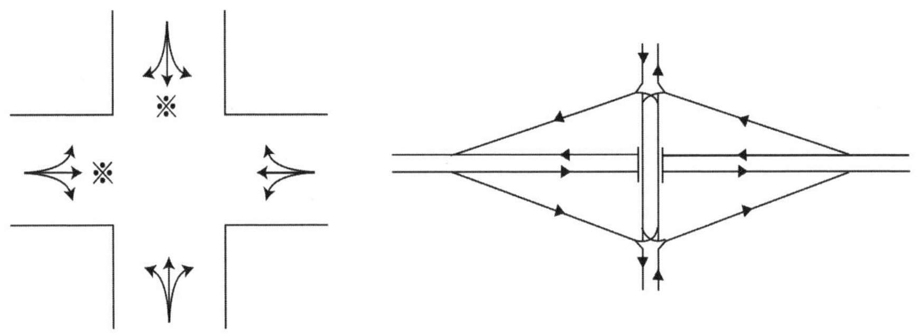

85 다음 3지교차로에 적합한 입체교차로로 개선하고자 한다. 화살표와 선으로 표시하시오.

2,000
300
900
300
2,000
300

해설

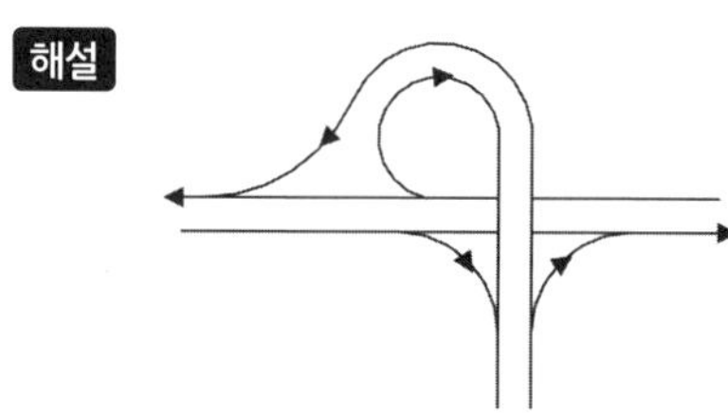

[팁] 3지트럼펫형 인터체인지는 좌회전교통량에 의해 결정되므로 교통량이 적은 방향을 루프방식(곡선반경이 적은 램프)으로 처리한다.

---

86 다음의 3지교차로를 트럼펫형 인터체인지로 만들고자 한다. 교통량의 특성이 맞게 설계하시오.

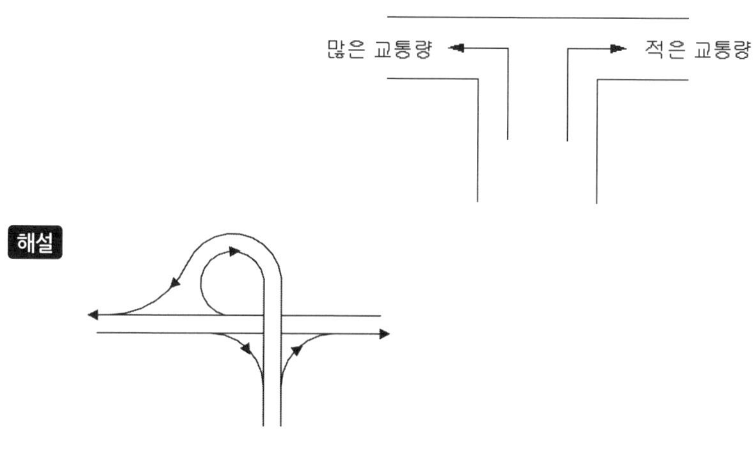

6 교통안전 및 시설

1 교통의 안전대책 3E를 영어를 설명하시오.

해설 Education(교육), Engineering(공학), Enforcement(규제)

【참고】 5E : Education(교육), Engineering(기술), Enforcement(통제), Environment(환경), Enactment(법령)

2 교통사고 대책수립순서를 설명하시오.

해설 문제점 있는 장소선정 → 문제점분석 → 대책수립 → 대안작성 및 대안에 대한 평가 → 사고방지대책의 시행 → 사후모니터링

3 교통사고 요인을 분류하시오.

해설 연쇄형(단순, 복잡), 집중형, 혼합형(복합형)

4 교통사고의 주요 3요소를 열거하시오.

해설 인적요인, 교통수단요인, 환경요인

5 교통사고분석 중에서 통계적, 사례적 조사방법을 열거하시오.

해설
- 통계적 조사방법 : 노선별, 차종별, 조직별, 연령별 분석방법
- 사례적 조사방법 : 차량의 안전도, 운전자 적성, 교통안전, 개별사고 분석

6 사고다발지점에 쓰이는 그림 2가지에 대해 설명하시오.

해설
- 현황도 : 현황도는 교통사고 다발지점에서의 중요한 물리적 현황을 축척에 맞추어 그린 것이다. 1/100~1/250의 축척으로 사고다발지점의 물리적 특성을 작도한다.
- 충돌도 : 충돌도는 화살표와 기호로 사고에 관련된 차량이나 보행자의 경로, 사고의 유형 및 정도를 도식적으로 나타낸다(사고의 패턴, 예방책의 연구에 사용).

7 사고다발지점(High Accident Frequency Location)의 선정방법에 대하여 설명하시오. or 위험지점 선정방법에는 대해 기술하시오.

해설
- 사고건수법 : 주어진 기간 동안에 도로의 구간이나 지점에서 발생한 교통사고 건수
- 사고율법 : 교통량 또는 차량의 운행거리를 이용한 교통사고율을 산정
- 사고건수·사고율법 : 사고건수법과 사고율법을 혼용한 방법
- 한계사고율법 : 지점 또는 구간의 사고율이 비슷한 특성을 지니는 유사지점과(Reference Site) 비교하여 사고위험도의 높낮이를 통계적으로 해석하는 방법
- 사고 심각도법(EPDO) : 교통사고의 심각도를 고려하여 사망, 부상 등 사회적 손실을 재산피해와 비교하여 가중치를 부여하는 방법

8 위험지점 선정방법을 열거하고 선정방법별 장 · 단점을 쓰시오.

해설

구분	장 점	단 점
사고건수법	· 사용 편리 · 자료습득 용이	· 교통량에 대한 고려가 없음 · 일시적인 외부변수(자연재해 등)에 의한 사고건수 증감 설명이 곤란
사고율법	· 교통량 또는 운행거리를 고려할 수 있음	· 지방도, 군도 등 교통량 수집자료가 미비한 도로의 경우 적용이 어려움
사고건수 · 사고율법	· 사고건수법 적용시 운행거리가 매우 적은 경우 · 사고율이 비상식적으로 높은 경우 · 위 두가지 경우에 발생되는 문제점 보완 가능	· 유사특성을 가진 평균사고율과 평균사고건수의 통계적 해석 무시
사고심각도법	· 사고심각도를 반영할 수 있으므로 비용-편익 고려 가능	· 사고심각도에 따른 객관적인 사상계수 산정이 어려움
한계사고율법	· 통계학적 해석이 가능하여 보다 합리적임	· 유사지점 결정의 뚜렷한 원칙 없이 분석가의 의지대로 결정 · 분석가 별로 상이한 결과 도출 가능성 내재

---

9 교통사고분석 방법을 분류하고 방법론에 대해 설명하시오.

해설

- 기본적인 사고통계 비교분석 : 국가, 지역 내, 지역 간, 도로종류별 사고통계, 사고발생주체별 사고통계, 사고발생구간 또는 지점별 사고통계 : 교통안전정책수립 및 예산배정의 근거자료로 사용
- 사고요인 분석 : 도로, 교통, 차량, 교통안전시설, 교통운영방법과 사고율과의 관계 : 교통사고방지대책수립의 근거자료 및 소요예산책정의 근거자료로 사용
- 위험도 분석 : 사고 많은 구간 또는 지점을 판별
- 사고원인 분석 : 사고 많은 지점 또는 특정한 사고에 대해서 그 원인을 분석하거나 규명하는 미시적 분석 : 사고방지대책수립의 근거자료로 사용, 특정사고의 사고유발 책임소재 규명

【참고】• **Smeed 교수(영)** : 교통사고사망자(D), 자동차보유대수(V), 인구(P)

$$D = 0.003\,V(\frac{P}{V})^{2/3}$$

---

10 사고다발지점 또는 위험지점의 안전개선계획을 수립 후 개선효과를 측정하기 위한 분석방법론에 대해 설명하시오

해설

• **유사지점에 의한 사전·사후 분석**
  - 사업시행 전 · 후의 효과측도의 퍼센트 변화를 동기간 동안 개선이 시행되지 않는 유사지점에서의 퍼센트 변화와 비교
  - 단, 개선이 없는 경우의 사업지점은 유사지점의 형태를 보일 것이며 사업지점과 유사지점간의 사고경험에서의 차이는 도로개선에 기인한다고 가정

• **사전·사후 분석**
  - 유사지점을 이용할 수 없거나 특정 독립변수의 통제가 중요하지 않을 경우 흔히 이용
  - 동일지점의 사업시행 전 · 후의 사고자료에 기초하며 두 가지의 기본가정 중 어느 하나가 잘못되었다면 부정확한 결론 도달
  - 첫째, 교통안전개선이 없을 경우 그 효과측도들은 같은 수준으로 계속되며 둘째, 사업시행 후에 측정된 효과측도의 변화는 그 개선에 기인

• **비교평행 분석**
  - 사업시행 전의 자료를 구할 수 없다는 것 외에는 유사지점에 의한 사전 · 사후 분석방법과 유사
  - 유사지점은 개선전의 사업지점과 유사한 결함을 보여야 하며 유사지점의 평균효과측도와 비교할 때 사업지점에서의 효과측도의 변화는 개선에 기인
  - 즉, 사업시행 후만 비교

• **추세 비교 분석**
  - 유사지점 선정이 필요 없고 사업지점만 분석
  - 공사 전, 공사 중, 공사 후 3단계를 비교 분석

---

11 교통사고조사 시 필요한 조사항목을 열거하시오.

해설 사고위치, 사고의 날짜 · 요일 · 시간, 사고종류, 피해정도, 사고에 연류된 차량종

류, 노면상태, 기후, 사고발생의 경위 및 사고 직전의 상황

---

12 표지나 노면표시를 제외한 도로 안전시설의 종류에 대해서 설명하시오.

해설
- 장애물표시 : 노면에 설치하지는 않지만, 임시 바리케이드, 배수구입구 등 도로 주변에 있는 중요한 장애물에 표시를 하거나 또는 그러한 장애물이 있다는 것을 나타내는 표지
- 반사체 : 도로변에 세워서 교통을 유도하거나 교통안전을 도모하기 위한 시설
- 차로유도표 : 반사체와 비슷한 기능을 수행하며, 경로를 잘 나타내기 위해 갓길을 따라 일정간격으로 세워두는 반사체 막대
- 방호책(baricade) : 공사 또는 정비유지 작업을 운전자에게 알리기 위해 사용되는 임시설비
- 교통콘(traffic cone) : 위해물 주위나 혹은 이를 지나치는 차량에게 안전한 주행선을 안내하는 일종의 이동차로 표시
- 노면요철(rumble strip) : 노면을 갈고리로 긁은 것처럼 작은 요철을 만들어 운전자에게 전방의 상황 변화를 예고하는데 사용
- 이정표 : 잘 알려진 지점을 기준으로 하여 어떤 지점의 정확한 위치를 나타내는 표지

---

13 방호책의 효과에 대해서 설명하시오.

해설
- 주행차량의 도로 이탈을 방지
- 도로 이탈차량의 진행 방향을 복원
- 운전자의 시선유도
- 보행자의 무단횡단을 억제

---

14 중앙분리대의 기능에 대해 설명하시오.

해설
- 왕복교통류 분리
- 정면 충돌사고 감소
- 비분리 다차로도로에서 대향차로 오인 방지
- U-turn 방지, 교통혼잡방지

– 교통관제시설 설치장소 제공
– 차량의 대기공간
– 횡단공간 제공

15 교통안전시설은 능동적(Active)시설과 수동적(Passive) 시설로 나눌 수 있다. 이 개념을 설명하고 그 예를 5가지 이상 제시하시오.

해설
- **능동적(Active) 시설** : 도로에 적절한 장소에 설치함으로써 사고 발생을 예방하려는 시설
  - 적절한 종 · 횡단 선형, 길어깨폭, 차선폭
  - 과속방지시설 : Hump(과속방지턱), Plateau(교차로 전체 과속방지턱)
  - 시선유도시설 : 시선유도표지, 갈매지표지, 표지병
  - 기타시설 : 노면요철포장, 조명시설, 반사경

- **수동적(Passive) 시설** : 교통사고 발생 후 피해를 최소화시키는 안전시설
  - 노변 및 중앙방호책
  - 충격쿠션
  - 브레이크웨이 지주
  - 안전벨트
  - ABS
  - 에어백

16 스카프마크(Scuff Mark)에 대해 설명하시오.

해설 차량이 선회운동을 하면 차체에는 원심력이 작용하고 이 원심력에 저항하는 것이 타이어의 횡방향 마찰력이므로 차량이 도로를 급선회할 때 횡미끄럼 차륜흔적 즉, Yaw Mark가 생성되면서 도로이탈 및 전도, 전복 등의 사고가 발생할 가능성이 높다. 노면 위에서 타이어가 구르면서 일부 마찰을 일으켜 발생되는 흔적들이며 크게 3종류로 구분한다.

① 요마크(Yaw Mark) : 다소 차축과 평행하게 미끄러지면서 타이어가 구를 때 만들어지는 스커프마크(Scuff Mark)
② 가속스커프(Acceleration Scuff) : 휠이 도로표면 위를 최소 1바퀴 돌거나 회전하는 동안 충분한 힘이 공급되어 만들어지는 스카프 마크

③ 플랫타이어마크(Flat Tire Mark) : 타이어의 적은 공기압에 의해 타이어가 과편향되어 만들어진 스커프 마크

【참고】 • 요(Yaw)란 원래 향해술 용어로써, 차량의 3가지 운동 중 하나이다.
- 피치(Pitch) : 액슬축의 가로방향으로 상하운동
- 롤(roll) : 액슬축의 세로방향으로 측면운동
- 요(Yaw) : 액슬축의 수직방향으로 좌우운동

---

17 차량주행 시 발생되는 저항 5가지에 대해 설명하시오.

해설

• **전행저항(Rolling Resistance)**
- 차륜이 수평노면 상을 굴러갈 때 발생하는 저항
- 전행저항은 노면상태와 차량의 총중량에 비례

• **공기저항(Air Resistance)**
- 역방향의 공기력에 의한 저항
- 공기저항은 공기밀도와 차량의 전면면적, 차량과 공기의 상대속도에 비례

• **경사저항(Grade Resistance)**
- 경사진 도로를 일정속도로 올라갈 때 차를 후퇴시키려는 저항
- 노면의 경사각과 차량의 총중량에 비례

• **곡선저항(Curve Resistance)**
- 곡선구간을 돌 때 앞바퀴를 안쪽으로 끄는 힘에 의한 저항
- 곡선저항은 차종, 곡선반경, 속도에 좌우됨

• **관성저항(Inertial Resistance)**
- 속도를 변하게 할 때 이겨야 할 저항
- 차량의 무게와 가속도의 크기에 비례

실전문제

실전시험과 같이 문제지에 답을 볼펜으로 작성해 보세요.

1 속도의 유형 및 개념을 설명하시오.

2 고속도로 기본구간의 일반적인 서비스(V/C)와 주행속도와의 관계를 그림으로 그리시오.

3 2차로도로의 이상적인 조건 4가지를 설명하시오.

4 엇갈림(Weaving)구간에 대해 서술하시오.

5 신호교차로 서비스수준 분석 과정을 간략히 설명하시오.

6 TMS의 특성을 4가지 이상 기술하시오.

7 TSM의 MOE(효과척도 : Measure Of Effectiveness)가 기술적으로 만족시켜야 할 점을 4가지만 나열하시오.

8 수요와 공급 측면에서 본 TSM 기법을 유형별로 쓰시오.

9 일방통행제의 장단점을 3가지씩 설명하시오.

10 가변차로 도입시 필요한 조건사항 3가지만 나열하시오.

11 교통통제설비 설계시 기본요소 4가지를 열거하시오.

12 신호주기의 구성요소 중 출발 손실시간, 진행연장시간, 소거손실시간, 유효녹색시간을 그림으로 나타내시오.

13 감응신호기의 장점 3가지를 설명하시오.

14 평면교차로 설계의 기본원리 5가지를 설명하시오.

15 교통섬 설계 원칙에 대해 설명하시오

16 도류화 설계원칙 4가지를 설명하시오.

17 도시부 도로의 기능상에 따라 분류하시오.

18 완전크로바형 입체교차로의 형태와 진행방향을 도시하시오.

19 ITS 분야 5가지를 쓰시오.

20 사고다발지점(High Accident Frequency Location)의 선정방법에 대하여 설명하시오.

제4부

교통공학(계산문제)

Chapter 1 교통류 조사기법

Chapter 2 교통용량

Chapter 3 교통신호 운영

Chapter 4 도로 및 교차로계획

Chapter 5 교통안전 및 시설

실전문제

교통류 조사기법

1 시험차량을 이용하여 도로의 일정구간을 주행하면서 얻은 결과가 아래와 같다고 할 때 북쪽방향과 남쪽방향에 대해 시간당 교통량과 평균주행시간을 구하시오.

주행방향 /조사대수	주행시간(분)	반대방향 주행차량수(대)	주행차량을 추월한 차량대수(대)	주행차량이 추월한 차량대수(대)
북쪽	–	–	–	–
1	2.75	80	1	1
2	2.55	75	2	1
3	2.85	83	0	3
4	3.00	78	1	1
남쪽	–	–	–	–
5	2.95	78	2	0
6	3.15	83	1	1
7	3.20	89	1	1
8	2.83	86	1	1

해설 북방향 주행시간=(2.75+2.55+2.85+3.00)=1.15/4=2.79분
북방향 평균반대방향 주행차량수=79대
북방향 시험차량을 추월한 차량평균수=1대
북방향 시험차량이 추월한 평균차량수=1.5대

남방향 주행시간=(2.95+3.15+3.20+2.83)=12.13/4=3.03분
남방향 평균반대방향 주행차량수=84대
남방향 시험차량을 추월한 차량평균수=1.25대
남방향 시험차량이 추월한 평균차량수=0.75대

– 방향별 교통량 및 평균주행시간의 계산

북방향 $Vn = \frac{60(Ms + On - Pn)}{Tn + Ts} = \frac{60(84 + 1 - 1.5)}{2.79 + 3.03} = 861$대/시

$\overline{Tn} = Tn - \frac{60(On - Pn)}{Vn} = 2.79 - \frac{60(1 - 1.5)}{861} = 2.82$분

남방향 $Vs = \frac{60(Mn + Os - Ps)}{Tn + Ts} = \frac{60(79 + 1.25 - 0.75)}{2.79 + 3.03} = 820$대/시

$\overline{Ts} = Ts - \frac{60(Os - Ps)}{Vs} = 3.03 - \frac{60(1.25 - 0.75)}{820} = 2.99$분

【참고】• 주행차량 이용법

– 구간교통량과 함께 구간운행속도를 구할 때 이용된다.
– 시종점시간과 함께 주행차량 반대편에서 주행차량과 만나는 차량수를 조사
– 주행차량을 추월하는 차량수와 추월당하는 차량수를 조사
– 운전자는 가능한한 추월이 균형을 이루도록 주행한다.

<교통량과 구간속도 산출공식>

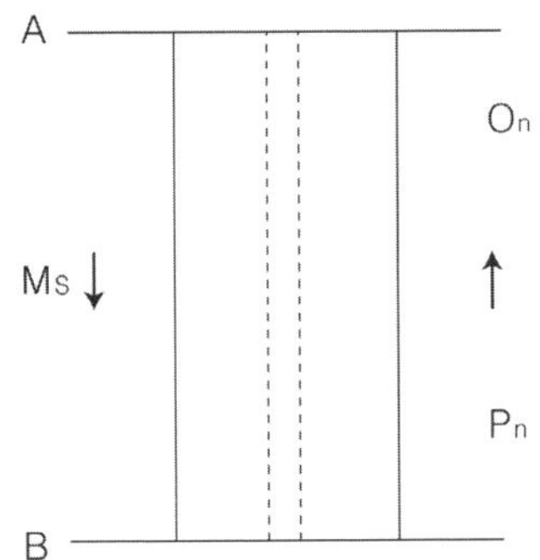

· $V_n = \frac{60(M_s + O_n - P_n)}{T_n + T_s}$ · $\overline{T_n} = T_n - \frac{60(O_n - P_n)}{V_n}$

위 그림에서

– ↑n=북쪽, ↓s=남쪽
– V_n=북방향 시간당 교통량
– M_s=주행차량이 남방향시 반대방향에서 만난 차량
– O_n=주행차량이 북방향시 주행차량을 추월한 차량
– P_n=주행차량이 북방향시 주행차량이 추월한 차량
– T_n=북방향 교통류의 평균주행시간
– $\overline{T_n}$=n방향 평균주행시간

2 A와 B의 두 구간의 시간당 교통량(Q), 평균통행시간(t), 평균통행속도(v), 밀도(K)를 구하기 위해 이동차량조사법을 이용하여 아래와 같이 $A\sim B$ 구간의 통행특성을 조사하였다.

> · $A \rightarrow B$ 방향 통행시간(ta) : 144.4초
> · $B \rightarrow A$ 방향 통행시간(tb) : 68.2초
> · $B \rightarrow A$ 진행시 반대편에서 오는 차량대수(X) : 102대
> · $A \rightarrow B$ 진행시 추월차량수가 추월당한 차량보다 4대(Z)가 적다.
> · A와 B 구간의 거리(ℓ) : 1,164(m)

위의 자료를 이용하여 A에서 B지점으로 진행시의 Q, t, $\overline{V}$, K를 구하시오.

해설

· $V_b = \dfrac{60(M_a + O_b - P_b)}{T_b + T_a}$ · $\overline{T_b} = T_b - \dfrac{60(O_b - P_b)}{V_b}$

① $Q = \dfrac{(X+Z)}{t_b + t_a} = \dfrac{(102+4)}{144.4+68.2} = 0.4986$대/초 $= 1795$대/시

② $t = 144.4 - \dfrac{4}{0.4986} = 136.4$초(2.273분)

③ $\overline{V} = \dfrac{\ell}{t} = \dfrac{1,164}{136.4} = 8.5m/\sec = 30.6km/h$

④ $K = \dfrac{Q}{V} = \dfrac{1,796}{30.6} = 58.7$대$/km$

3 A와 B의 두 구간의 시간당 교통량(Q), 평균통행시간(t), 평균통행속도(v), 밀도(K)를 구하기 위해 이동차량조사법을 이용하여 아래와 같이 $A\sim B$ 구간의 통행특성을 조사하였다.

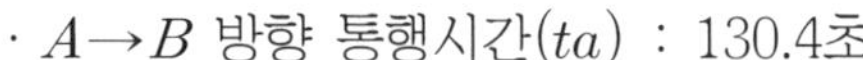

· $A \rightarrow B$ 방향 통행시간(ta) : 130.4초
· $B \rightarrow A$ 방향 통행시간(tb) : 70.3초
· $B \rightarrow A$ 진행시 반대편에서 오는 차량대수(X) : 110대
· $A \rightarrow B$ 진행시 추월차량수가 추월당한 차량보다 4대(Z)가 많다.
· A와 B 구간의 거리(ℓ) : 1,222(m)

위의 자료를 이용하여 A에서 B지점으로 진행시의 Q, t, $\overline{V}$, K를 구하시오.

해설

· $V_b = \dfrac{60(M_a + O_b - P_b)}{T_b + T_a}$ · $\overline{T_b} = T_b - \dfrac{60(O_b - P_b)}{V_b}$

① $Q = \dfrac{3,600(X+Z)}{t_b + t_a} = \dfrac{3,600(110-4)}{70.3+130.4} = 1,902$대/시

② $t = 130.4 - \dfrac{3,600(-4)}{1,901} = 137.95$초

③ $\overline{V} = \dfrac{\ell}{t} = \dfrac{1,222}{137.95} = 8.86m/\sec = 31.9km/h$

④ $K = \dfrac{Q}{V} = \dfrac{1,901}{31.91} = 59.6$대$/km$

---

4 속도조사를 위한 이동차량운행법이 있다. 여기에서 북방향 시간당 교통량(V_n)과 북방향 교통류의 평균주행시간($\overline{T_n}$)은?

M_s : 주행차량이 남쪽으로 주행할 때 반대방향에서 만나 차량수 : 450대
O_n : 주행차량이 북쪽을 주행할 때 조사차량을 추월한 차량수 : 15대
P_n : 주행차량이 북쪽을 주행할 때 조사차량이 추월한 차량수 : 10대
T_n : 북쪽으로 주행할 때의 주행시간 : 15분
T_S : 남쪽으로 주행할 때의 주행시간 : 13분

해설

$V_n = \dfrac{60(M_s + O_n - P_n)}{T_n + T_s} = \dfrac{60(450+15-10)}{15+13} = 975$대/시

$\overline{T_n} = T_n - \dfrac{60(O_n - P_n)}{V_n} = 15 - \dfrac{60(15-10)}{975} = 14.69$분

5 어느 도로구간에서의 속도조사를 위하여 이동차량주행법을 이용하였다. 그 결과가 아래와 같을 때 V_n(북방향 시간당 교통량)과 $\overline{T_n}$(북방향 교통류의 평균주행시간)을 구하시오.

M_s=460대, O_n=20대, P_n=15대, T_n=16분, T_S=12분

해설

$$V_n = \frac{60(M_s + O_n - P_n)}{T_n + T_s} = \frac{60(460+20-15)}{16+12} = 997\text{대/시}$$

$$\overline{T_n} = T_n - \frac{60(O_n - P_n)}{V_n} = 16 - \frac{60(20-10)}{997} = 15.7\text{분}$$

6 도로구간의 속도를 허용오차 ±2km/h의 수준으로 조사하기 위한 표본수를 결정하고자 한다. 유사한 도로(모집단)의 속도 표준편차가 10km/h로 나타나 있으며, 95%의 신뢰도에 대응한 표준화 변수 1.96을 이용하면 최소한 몇 대 이상의 차량속도를 조사해야 하는가?

해설 $n = (\frac{z\sigma}{d})^2 = (\frac{10 \times 1.96}{2})^2 = 96.04 ≒ 97$대

【참고】• 표본의 크기

모집단이 정규분포를 이루고 있다고 가정을 토대로 표본의 평균과 모집단평균의 추정치가 얼마의 오차가 있는지를 검토하는 것이 중요하다.

즉, 모집단의 평균 μ와 표본평균 χ간의 오차를 알아야 추출한 표본의 신뢰도를 분석할 수 있다.

$$n = (\frac{z\sigma}{d})^2$$

n : 표본 수　　　　z : 표준화변수 (유의수준 변수)

σ : 모집단표준편차　　　　d : 최대허용오차 (절대오차)

한편 제한속도인 85% 속도 산정에는 다음과 산정 표본수의 1.5배가 필요하므로 다음과 같은 식을 사용한다.

$$n = (\frac{z\sigma}{d})^2 \times 1.5$$

표준편차를 모를 때에는 모집단의 개체특성치의 비율을 추정하여 이용할 수 있다. 이때 절대적 오차 d대신 상대적 오차 r를 사용하여 분석의 편의를 도모한다.

$$n = \frac{z^2 P(1-P)}{(r \cdot P)^2} = \frac{z^2(1-P)}{r^2 \cdot P}$$

P : 모집단 개체특성치의 몫에 관한 관측값(%)

r : 상대적 허용오차 한계(%)

z : 유의수준변수(%)

또한 여기서 설문지를 이용한 표본추출의 경우에는 기대되는 발송회송률을 고려한다면

$$n = \frac{z^2 P(1-P)}{(r \cdot P)^2 \cdot S} = \frac{z^2(1-P)}{r^2 \cdot P \cdot S}$$

P : 모집단 개체 특성치의 몫에 관한 관측값(%)

r : 상대적 허용오차 한계(%)

z : 유의수준변수(%)

S : 우편기대회송률(%)

---

7 고속도로의 제한속도를 결정하고자 한다. 속도의 표준편차는 8.5km/h, 한계오차 2km/h의 경우 필요한 최소 표본수를 결정하시오.

해설 $n = (\frac{z\sigma}{d})^2 \times 1.5 = (\frac{8.5 \times 1.96}{2})^2 \times 1.5 = 104.08 \fallingdotseq 105$대

---

8 출근통행자의 표본수를 추정하려고 한다. 통행자 중 30%가 출근자로 조사되었다. 추정치의 오차허용범위를 ±5%, 95%의 신뢰구간을 적용할 때 표본의 크기와 우편엽서로 조사하는 경우 우편엽서 회송률이 45%일 때 표본의 크기를 구하시오.

해설 $P = 0.3$, $r = 0.05$, $z = 1.96$

$$n = \frac{(1.96)^2(0.7)}{(0.05)^2(0.3)} = 3,586$$

$P = 0.3$, $r = 0.05$, $z = 1.96$, $S = 0.45$

$$n = \frac{(1.96)^2(0.7)}{(0.05)^2(0.3)(0.45)} = 7,969$$

∴ 출근자 최소표본수는 3,586명이며, 우편엽서를 이용할 때에는 7,969명을 조사해야 한다.

---

9 어느 도로의 3m 구간의 2대의 차량을 조사한 결과 아래와 같은 결과를 얻었다. A차량 소요시간 0.5초, B차량 소요시간 1.0초일 때 시간평균속도와 공간평균속도는?(단위 ㎧)

해설 $U_a = 3/0.5 = 6m/s$　　$U_b = 3/1.0 = 3m/s$

$$U_t = \frac{6+3}{2} = 4.5m/s \qquad U_s = \frac{2}{\frac{1}{6}+\frac{1}{3}} = 4.0m/s$$

【참고】 • 속도측정방법

① 지점측정법 – 한 지점에서 ΔX만한 측정구간을 정하여 도로상에 표시하고 t초 동안 통과한 N대의 차량의 경과 시간(Δt)을 측정하여 그 속도를 구함

㉠ 시간평균속도($\overline{U_t}$) – 산술평균 : 모든 차량의 속도를 그 수로 나눈 값

$$\overline{U_t} = \frac{1}{N}\sum_{i=1}^{N}\frac{\Delta X}{\Delta t_i} = \frac{1}{N}\sum_{i=1}^{N}U_i$$

㉡ 공간평균속도($\overline{U_S}$) – 조화평균 : 모든 차량이 이동한 총 거리를 합하여 총 걸린 시간으로 나눈 속도

$$\overline{U_s} = \frac{1}{\frac{1}{N}\sum_{i=1}^{N}\frac{1}{U_i}} = \frac{N}{\sum_{i=1}^{N}\frac{1}{U_i}}$$

㉢ 시간평균속도와 공간평균속도의 관계

$$\overline{U_t} > \overline{U_S}\ ,\ \overline{U_t} = \overline{U_s} + \frac{\delta_s^2}{\overline{U_s}}$$

② 구간측정법-긴 구간(L) 내에 있는 M대의 차량이 짧은 시간(Δt) 동안 움직인 거리(S_i)를 측정하여 각 차량의 속도를 구함

$$\overline{U_s} = \frac{\sum S_i}{M \cdot \Delta t} = \frac{1}{M}\sum U_i$$

이때의 특징으로는 시간평균속도=공간평균속도

---

10 아래 그림에서와 같이 둘레가 1km인 원형트랙에 2대의 차량이 각 30km/시와 60km/시의 속도로 일정하게 주행하고 있는 상황을 가정하자. 차량A는 원형트랙을 1시간에 30회 순환하고, 차량B는 60회 순환한다. 이러한 교통류의 시간평균속도와 공간평균속도를 구하시오.

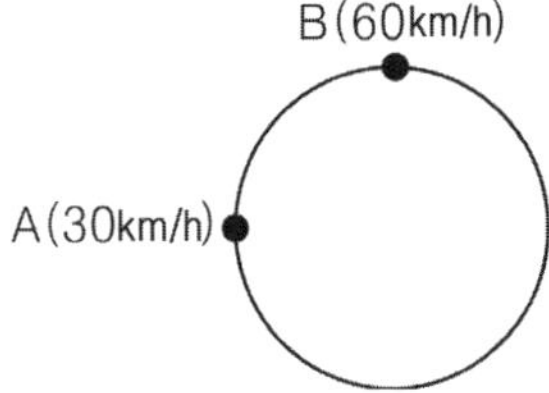

해설 트랙의 한 지점에서 통과하는 차량들의 속도를 관측하면, 1시간 동안 60km/시로 주행하는 차량이 60대, 30km/시로 주행하는 차량이 30대가 관측이 될 것이다. 반면, 1km의 원형트랙 상에는 항시 60km/시로 주행하는 차량 1대와 30km/시로 주행하는 차량 1대와 30km/시로 주행하는 차량 1대가 관측될 것이다. 이러한 상황은 구간연장 1km의 도로구간에서 이와 같은 일정한 교통류가 주행하는 상황과 같은 상태임을 알 수 있다.

$$TMS = \frac{1}{N}\sum_{i=1}^{N} U_i = \frac{(60\times 60)+(30\times 30)}{(60+30)} = 50kph$$

$$SMS = \frac{N}{\sum_{i=1}^{N}\frac{1}{U_i}} = \frac{(1\times 60)+(1\times 30)}{(1+1)} = 45kph$$

11 어느 200m 구간에서 속도조사를 실시하였다. 3개의 차량이 이 구간을 통과하는데 각각 10.5초, 9.7초, 11.7초로 나타났다.

(1) 공간평균속도는 얼마인가?

해설

$$SMS = N \times \frac{s}{\sum ti} = 3 \times \frac{200}{(10.5+9.7+11.7)} = 18.8m/s = 67.68km/h$$

(2) 시간평균속도는 얼마인가?

해설

$$TMS = \frac{1}{N} \times \sum \frac{s}{ti} = \frac{1}{3} \times (\frac{200}{10.5} + \frac{200}{9.7} + \frac{200}{11.7}) = 18.92m/s = 68.11km/h$$

12 시점조사에서 4대 차량의 지점속도가 30, 40, 50, 60km/h로 관측되었다. 이때, 시간평균속도와 공간평균속도를 산출하시오.

해설

$$TMS = \frac{\sum Vi}{N} = \frac{(30+40+50+60)}{4} = 45.0km/h$$

$$SMS = \frac{N}{\sum \frac{1}{Vi}} = \frac{4}{(\frac{1}{30} + \frac{1}{40} + \frac{1}{50} + \frac{1}{60})} = 42.1km/h$$

13 순간속도를 측정하기 위하여 30m의 측정구간을 설정하여 5대의 차량의 통과시간을 측정한 결과 다음과 같다. 시간평균속도와 공간평균속도를 구하시오.

차량번호	측정구간 통과 시간(초)
1	2.3
2	2.0
3	1.9
4	2.1
5	1.7

해설

$$TMS = (\frac{30}{2.3} + \frac{30}{2.0} + \frac{30}{1.9} + \frac{30}{2.1} + \frac{30}{1.7}) \times \frac{1}{5} = 15.15\,m/s$$

∴ 54.54km/h

$$SMS = \frac{30 \times 5}{2.3 + 2.0 + 1.9 + 2.1 + 1.7} = 15.0\,m/s$$

∴ 54km/h

---

14 지점속도조사에 관측된 4대 차량의 속도가 30, 40, 50, 60km/h일 때 다음의 물음에 답하시오.

(1) 시간평균속도는 얼마인가?

해설

$$U_t = \frac{30 + 40 + 50 + 60}{4} = 45km/h$$

(2) 공간평균속도는 얼마인가?

해설

$$U_s = \frac{1}{\frac{1}{N}(\Sigma \frac{1}{U})} = \frac{1}{\frac{1}{4}(\frac{1}{30} + \frac{1}{40} + \frac{1}{50} + \frac{1}{60})} = 42.11km/h$$

---

15 5분 간격으로 통과하는 차량의 속도를 측정한 결과 다음과 같다. 시간평균속도와 공간평균속도를 구하시오.

회	1	2	3	4	5	6	7	8	9	10	11	12
kph	50	65	81	100	92	58	79	83	59	102	88	92

해설

$$U_t = \frac{50 + 65 + 81 + 100 + 92 + 58 + 79 + 83 + 59 + 102 + 88 + 92}{12}$$

$$= 79.08\ km/h$$

$$U_s = \frac{1}{\frac{1}{12}(\frac{1}{50} + \frac{1}{65} + \frac{1}{81} + \frac{1}{100} + \frac{1}{92} + \frac{1}{58} + \frac{1}{79} + \frac{1}{83} + \frac{1}{59} + \frac{1}{102} + \frac{1}{88} + \frac{1}{92})}$$

$$= 75.22\ km/h$$

16 연속교통류의 평균주행속도를 항공사진을 이용한 구간측정법으로 구하고자 한다. 400m 구간 내에 있는 7대의 차량이 2초 동안 움직인 거리가 아래 표와 같이 측정되었다.

차량번호	2초 동안 움직인 거리(m)
1	35.86
2	27.72
3	36.38
4	39.64
5	33.62
6	33.92
7	27.76

(1) 시간평균속도를 구하시오.

해설 각 차량의 초속을 구하면

17.93, 13.86, 18.19, 19.82, 16.81 16.96, 13.88(m/s)

· 공간평균속도

$$= \frac{7}{\frac{1}{17.93}+\frac{1}{13.86}+\frac{1}{18.19}+\frac{1}{19.82}+\frac{1}{16.81}+\frac{1}{16.96}+\frac{1}{13.88}}$$

$= 16.515m/s = 59.45km/h$

공간평균속도는 거리의 합/시간의 합으로도 구할 수 있다.

(2) 시간평균속도를 구하시오.

해설 시간평균속도$= \frac{\sum 초속}{7} = \frac{117.45}{7} = 16.779\,m/s = 60.40km/h$

17

순간속도를 측정하기 위하여 30m의 측정구간(speed trap)을 설정하여 5대 차량의 통과시간을 측정한 결과 다음과 같다.

차량번호	측정구간 통과시간(초)
1	2.3
2	2.0
3	1.9
4	2.1
5	1.7

(1) 시간평균속도를 구하시오.

해설 시간평균속도 $= (\frac{30}{2.3} + \frac{30}{2.0} + \frac{30}{1.9} + \frac{30}{2.1} + \frac{30}{1.7}) \times \frac{1}{5} = 15.15m/s$
$= 54.54km/h$

(2) 공간평균속도를 구하시오.

해설 공간평균속도 $= \frac{30 \times 5}{2.3 + 2.0 + 1.9 + 2.1 + 1.7} = 15.0m/s = 54km/h$

18

50m 구간 $A-B$ 지점에서 차량의 통과시간을 스톱워치를 사용하여 측정하였다. 측정결과가 다음과 같을 때 시간평균속도를 구하시오.

차량수	A 지점(초)	B 지점(초)
1	0.10	3.20
2	0.50	4.10
3	0.10	3.50
4	0.10	2.90
5	0.30	3.90

해설 $V = \frac{d}{t_B - t_A}$ → $V_1 = \frac{50}{3.2 - 0.1} = 16.1m/s$ $V_2 = \frac{50}{4.1 - 0.5} = 13.8m/s$

$$V_3 = \frac{50}{3.5-0.1} = 14.7m/s \quad V_4 = \frac{50}{2.9-0.1} = 17.9m/s \quad V_5 = \frac{50}{3.9-0.3} = 13.9m/s$$

$$TMS = \frac{V_1 + V_2 + V_3 + V_4 + V_5}{N} = \frac{16.1+13.8+14.7+17.9+13.9}{5} = 15.28m/s$$

---

19 일반적으로 시간평균속도가 공간평균속도보다 크다. 그러나 짧은 시간 동안 거의 비슷함을 알 수 있다. 이를 증명하시오.

해설 $U_s = (\sum S_i)/(M) \times \Delta t) = (1/M) \times \sum(S_i/\Delta t) = (1/M)\sum U_i = U_t$

【참고】 · 시간평균속도 $= U_t = TMS\,(Time\ Mean\ Speed)$

· 공간평균속도 $= U_s = SMS\,(Space\ Mean\ Speed)$

---

20 2차로도로에서 승용차환산계수를 적용하여 구한 교통량이 3,200대/h일 때 평균속도가 40㎞/h였다. 다음 물음에 대해 답하시오.

(1) 밀도는?

해설

$$\frac{교통량}{속도} = \frac{\frac{3,200대/시}{2}}{40km/h} = 40대/km/\text{line}$$

(2) 차두시간은?

해설 $\frac{3,600}{Q} = \frac{3,600}{\frac{3,200}{2}} = 2.25초/대$

(3) 차두거리는?

해설 $\frac{1,000}{밀도} = \frac{1,000}{40} = 25m/대$

【참고】 • **차두간격, 차두거리, 차간간격**

– 차두거리(Spacing space headway) : 주행하는 차량의 맨 앞 부분부터 앞서 가는 차량의 맨 앞까지의 거리

$$S = \frac{1,000}{K}$$ S : 차두거리(m/대) K : 밀도(대/km)

- 차두시간(간격)−headway : 어느 한 지점을 통과하여 뒤에 오는 차량의 앞부분이 같은 지점을 통과할 때까지의 시간

$$h = \frac{3,600}{q}$$ h : 차두간격(sec/대) q : 교통량(대/hour)

- 차간간격 : 앞차의 뒷부분과 뒤차의 앞부분 사이의 거리로 초로 환산

$$g = h - \frac{l}{\overline{V}}$$ g : 차간간격(초) h : 차두간격(초)

$\overline{V}$: 속도(km/h) l : 차량길이(m)

- 평균차두시간 $(\bar{t}) = \frac{1}{Q} = \frac{1}{\overline{v_s} \cdot K}$
- 평균차두간격 $(\bar{S}) = \frac{1}{K} = \frac{\overline{v_s}}{Q}$

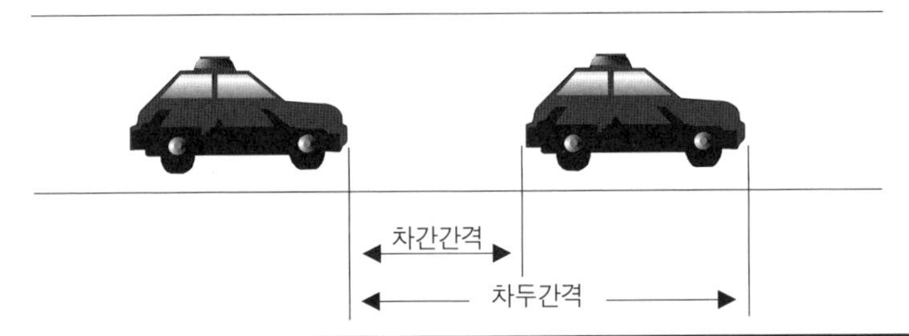

21 편도 4차로도로에서 승용차환산계수를 적용하여 구한 교통량이 6,600대/h일 때 평균속도가 35km/h였다. 다음 질문에 답하시오.

(1) 밀도

해설

$$\frac{교통량}{속도} = \frac{\frac{6,600대/시}{4}}{35km/h} = 47.14대/km/\text{line}$$

(2) 차두시간

해설 $\frac{3,600}{Q} = \frac{3,600}{1,650} = 2.18초/대$

(3) 차두거리

해설 $\frac{1,000}{밀도} = \frac{1,000}{47.14} = 21.21m/대$

---

22 편도 4차로도로에서 교통량이 5,000대/시간이고 평균속도가 40km/h일 때 다음 질문에 답하시오.

(1) 밀도

해설 $\frac{교통량}{속도} = \frac{\frac{5,000대/시}{4}}{40km/h} = 31.25대/km/\text{line}$

(2) 차두시간

해설 $\frac{3,600}{Q} = \frac{3,600}{1,250} = 2.88초/대$

(3) 차두거리

해설 $\frac{1,000}{밀도} = \frac{1,000}{31.25} = 32m/대$

(4) 차량의 길이가 4m일 때 차간시간

해설 $g = h - \frac{l}{v} = 2.88 - \frac{4}{11.11} = 2.52초$

23 차두간격 20m/대, 차두시간(h)=4.2초일 때 평균속도는?

해설

$$차두간격 = \frac{1,000}{K} \rightarrow K = \frac{1,000}{차두간격} = \frac{1,000}{20} = 50km/\text{km}$$

$$Q = \frac{3,600}{h} = \frac{3,600}{4.2} = 857대/시$$

$$평균속도(u) = \frac{Q}{K} = 857/50 = 17.14km/h$$

24 평균주행속도(u)=50km/h, 차두시간(h)=2.4초/대일 때 밀도는?

해설

$$Q = \frac{3,600}{h} = 3,600/2.4 = 1,500대/시$$

$$K = \frac{Q}{U} = \frac{1,500}{50} = 30대/km$$

25 앞의 A차량이 60km/h, 뒤의 B차량이 54km/h으로 주행하고 있을 때 이 두 차량의 차간간격을 구하시오.(단, A차량의 길이 : 10m, B차량의 길이 : 5m, 차두시간 : 5초)

해설 $g = h - \frac{l}{v}$ 여기서, $g = 5 - \frac{10}{60/3.6} = 4.4초$ ∴ 두 차량의 차간간격 4.4초

26 15분 동안에 교통량을 측정한 결과 700대가 관측되었다면 평균 차두시간은 얼마인가?

해설

$$Q = \frac{700}{15}대/분 = \frac{700}{15} \times 60대/h = 2,800대/h$$

$$h = \frac{1}{Q} = \frac{1}{2,800}h/대 = \frac{3,600}{2,800}초/대 = 1.29초/대$$

27 15분 동안에 교통량을 측정한 결과 600대가 관측되었다면 평균차두시간은 얼마인가?

해설

$$Q = \frac{600}{15}\text{대}/\text{분} = \frac{600}{15} \times 60\text{대}/h = 2{,}400\text{대}/h$$

$$h = \frac{1}{Q} = \frac{1}{2{,}400}h/\text{대} = \frac{3{,}600}{2{,}400}\text{초}/\text{대} = 1.5\text{초}/\text{대}$$

28 검지기 2m, 평균차량길이 3m이고 총조사시간 30초, 검지기점유시간이 각각 0.38, 0.45, 0.35, 0.53, 0.55초와 같다. 밀도를 산정하시오.

해설

$$\text{시간점유율}(O_t) = \frac{\sum t_\circ}{T} = \frac{0.38 + 0.45 + 0.35 + 0.52 + 0.55}{30} = 0.075$$

$$\therefore \text{밀도}(K) = \frac{1{,}000}{(L_v + L_d)} \times R_t = \frac{1{,}000}{3+2} \times 0.075 = 15\text{대}/km$$

[참고] • 교통류의 점유율

– 시간점유율(time occupancy : O_t) : 지점 S에 N대의 차량이 존재한 시간

· $O_t = \dfrac{\sum t_\circ}{T} = \dfrac{\sum \text{차량의 검지기 점유시간}}{\text{총 관측시간}}$

· 밀도$(K) = \dfrac{1000}{(L_v + L_d)} \times O_t = \dfrac{1000}{(\text{평균차량길이} + \text{검지기 길이})} \times O_t$

· 교통량$(Q) = \dfrac{3600 \cdot N}{T}$

– 공간점유율(Space occupancy : O_s) : 구간 S에 N대의 차량이 차지하는 거리

· $O_s = \dfrac{\sum l}{L} = \dfrac{\sum \text{통과한 차량 길이}}{\text{도로구간 길이}}$

· 밀도$(K) = \dfrac{1000}{l_m} \times O_s = \dfrac{1000}{\text{평균차량길이}} \times \text{공간점유율}$

29 검지기 2미터 승용차 3미터 30초 동안 5대의 검지시간에서 밀도와 평균속도를 구하시오.

차량번호	1	2	3	4	5	합계
감지시간(초)	0.40	0.47	0.37	0.54	0.57	2.35

해설

$$시간점유율(O_t) = \frac{\sum t_\circ}{T} = \frac{2.35}{30} = 0.0783$$

$$\therefore 밀도 = \frac{1000}{(L_v + L_d)} \times O_t = \frac{1000}{3+2} \times 0.0783 = 15.66 대/km$$

$$\therefore 평균속도 = \frac{3.6 \times N \times (L_v + L_d)}{O_t \times T} = \frac{3.6 \times 5 \times 5}{30 \times 0.0783} = 38.3km/h$$

30 다음 그림은 관측되는 시공영역 내의 차량의 경로이다.

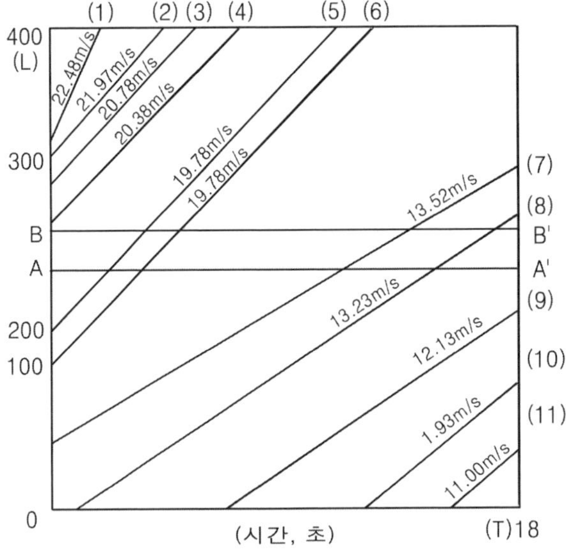

(1) 교통류율을 구하시오.

해설 교통류율$(q) = \frac{4대}{18초} \times 3,600/초h = 800vph$

18초 내에 $A-B$와 $A'-B'$ 구간 사이를 통과한 차량이 4대임을 알 수 있다.

(2) 차두시간(h)를 구하시오.

해설 차두시간$(h) = \frac{3,600}{q} = \frac{3,600}{800} = 4.5초/대$

(3) 시간평균속도(TMS)를 구하시오.

해설 $U_t = \frac{19.78 + 19.78 + 13.52 + + 13.23}{4} = 16.58m/s = 59.68km/h$

(4) 공간평균속(SMS)를 구하시오.

해설 $U_s = \frac{1}{\frac{1}{4}(\frac{1}{19.78} + \frac{1}{19.78} + \frac{1}{13.52} + \frac{1}{13.23})} = 15.96m/s = 57.45km/h$

---

31 속도와 밀도의 관계에서 Greenshield 모형의 기본식, 그래프, 특징에 대해 기술하시오.

해설 • **Greenshield 모형**

- 속도와 밀도의 직선관계 가정
- 수학적으로 단순한 반면 현실적으로 k_j(혼잡밀도, 또는 최대밀도)값을 나타낼 수 없으며, 모든 영역에서 직선관계가 아님
- 즉, 밀도가 매우 낮거나 높으면 비직선관계가 나타남

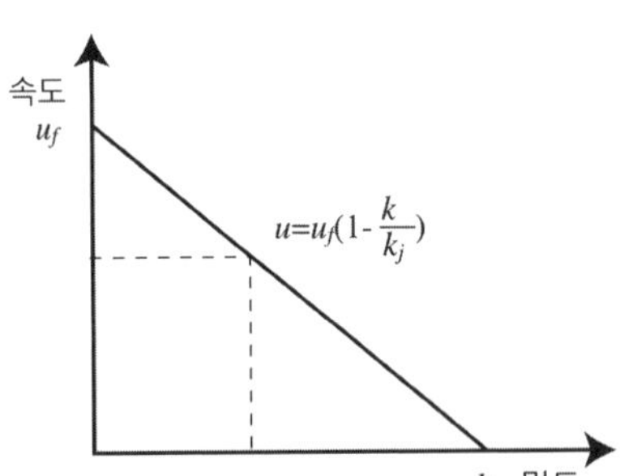

32 교통량(q) = 속도(u) · 밀도(k)식을 Greenshield 모형의 속도-밀도 관계식을 이용하여 임계밀도(k_m)는 혼잡밀도(k_j)의 1/2임을 유도하시오.

해설

$$q = u \cdot k$$

$$u = u_f\,(1-\frac{k}{k_j})$$

u 대신에 Greenshield 공식을 대입하면 다음과 같다.

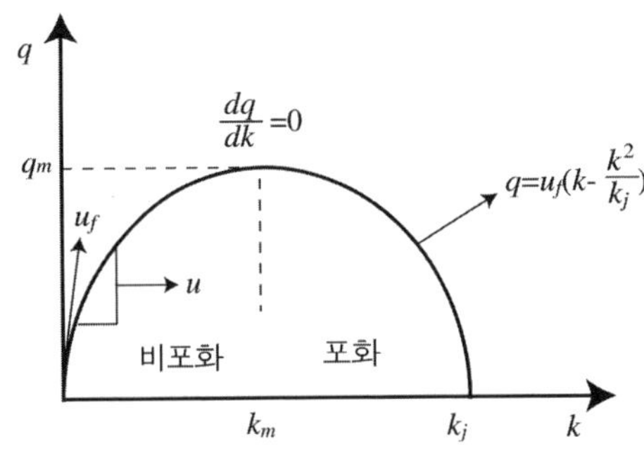

최대 교통량의 상태는 그림 [교통량-밀도의 관계곡선]에서 나타내는 식을 미분하여 기울기가 0인 경우이므로 $dq/dk=0$, $k=k_m$으로 계산하면

$$\frac{dq}{dk}=u_f(1-\frac{2k_m}{k_j})=0$$

여기서 $u_f \neq 0$, 따라서 $1-\frac{2k_m}{k_j}=0$, $k_m=\frac{k_j}{2}$일 때 교통량이 최대가 된다.

33 교통류속도와 밀도 간의 관계식이 $u = u_f\,(1 - \frac{k}{k_j})$로 표시되는 경우, 최대통과 교통량이 $q_m = \frac{u_f \cdot k_j}{4}$로 나타남을 증명하시오.

해설 $q = u \cdot k$

$u = u_f\,(1 - \frac{k}{k_j})$

u대신에 Greenshield 공식을 대입하면 다음과 같다.

$$q = u_f\,(k - \frac{k^2}{k_j})$$

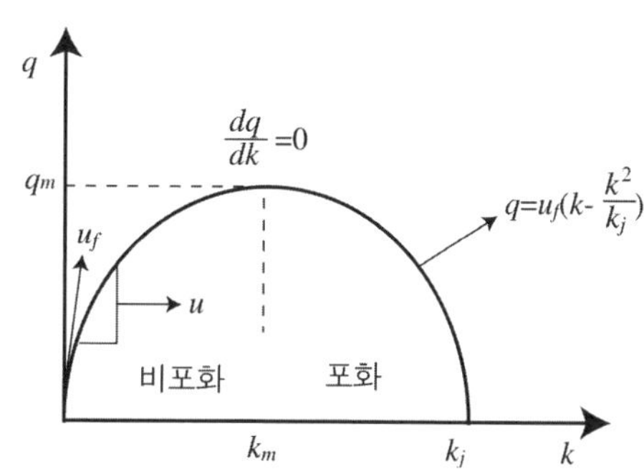

최대교통량의 상태는 그림 [교통량-밀도의 관계곡선]에서 나타내는 식을 미분하여 기울기가 0인 경우이므로 $dq/dk = 0$, $k = k_m$으로 계산하면

$$\frac{dq}{dk} = u_f(1 - \frac{2k_m}{k_j}) = 0$$

여기서 $u_f \neq 0$, 따라서 $1 - \frac{2k_m}{k_j} = 0$, $k_m = \frac{k_j}{2}$일 때 교통량이 최대가 된다.

마찬가지로 교통량-속도의 관계식도 유추해 보면 $u = \frac{u_f}{2}$인 지점이 교통량이 최대가 된다. 따라서 최대교통량은 $q_m = \frac{u_f \cdot k_j}{4}$일 때이다.

34 Greenshield 모형은 속도와 밀도의 관계를 $u = u_f(1-k/k_j)$의 식으로 도출하였다. u_f=60km/h이고 k_j=120대/km일 때의 다음 문제를 답하시오.(단, u_f: 자유속도, k_j: 혼잡밀도)

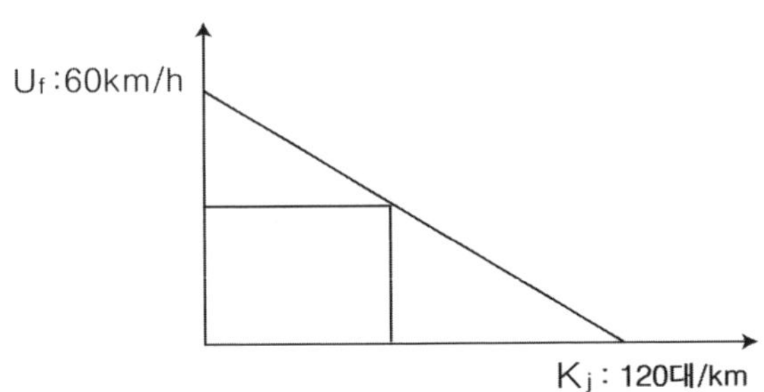

(1) k_m(임계밀도)를 구하시오.

해설 Greenshield는 속도와 밀도관계가 $u = u_f(1-k/k_j)$라고 정의하였다.

$u_f = 60\ km/h, \quad k_j = 120$ 대$/km$

$q = k \cdot u_f = (1-k/k_j)k = u_f(k - k^2/k_j)$

$dq/dk = 0$일 때, $k \rightarrow k_m$

$dq/dk = u_f(1-2k_m/k_j) = 0 \Rightarrow 1-2k_,/k_j = 0 \Rightarrow 1 = 2k_m/k_j$

$k_m = k_j/2 = 120/2 = 60$ 대$/km$

(2) u_m(임계속도)를 구하시오.

해설 $u_m = u_f(1-k_m/k_j) = 60(1-60/120) = 30km/h$

(3) q_{max}(최대교통량)을 구하시오.

해설 $q_{max} = u_m \times k_m = 30 \times 60 = 1{,}800$ 대/시

35 Greenshield 모형의 속도-밀도관계식이 $u=52.4-0.35k$로 주어졌을 때, Max Capacity, Optimum Speed, Jam Density를 구하시오.

(1) q_{max}(Max Capacity)

해설 $q=u \cdot k=(52.4-0.35k)k=52.4k-0.35k^2$

$dq/dk=0$일 때 $k \rightarrow k_m$, $\frac{dq}{dk}=52.4-0.7k_m=0$

$k_m=\frac{52.4}{0.7}=74.86$

단, k_m은 용량이 최대일 때의 밀도를 말한다.

$q_{max}=52.4 \times 74.86-0.35 \times 74.86^2=1,962$ 대$/h$

(2) u_o(Optimum Speed)

해설 $u_o=\frac{q_{max}}{k_o}=\frac{1,962}{74.86}=26.2\ km/h$

(3) k_j(Jam Density)

해설 속도-밀도 관계식에서 혼잡밀도(k_j)는 속도(u)가 0인 상태에서 밀도를 나타내므로

$u=52.4-0.35k \rightarrow 0=52.4-0.35k_j$

$k_j=\frac{52.4}{0.35}=149.6$ 대$/km$

[팁]
- q_m or q_{max}= Max Capacity, Max Flow(용량, 최대교통류율)
- u_m or u_o= Optimum Speed(임계속도)
- k_m or k_o= Optimum Density(임계밀도)
- u_f= Free Speed(자유류속도)
- k_j= Jam Density(혼잡밀도)

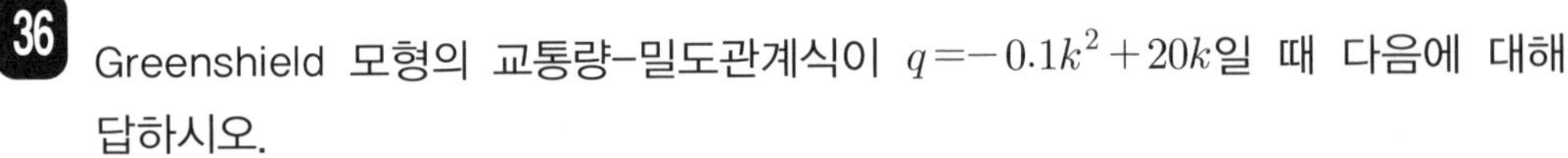

36 Greenshield 모형의 교통량-밀도관계식이 $q=-0.1k^2+20k$일 때 다음에 대해 답하시오.

(1) $q_{\max}$(최대교통량)을 계산하시오.

해설

$$\frac{dq}{dk} = -0.2k_m + 20 = 0$$

$$k_m = \frac{20}{0.2} = 100$$

$$q_{\max} = -0.1 \times 100^2 + 20 \times 100 = 1,000 \text{ 대}/h$$

(2) u_m(임계속도)을 계산하시오.

해설

$$u_m = \frac{q_m}{k_m} = \frac{1,000}{100} = 10\ km/h$$

(3) k_j(혼잡밀도)를 계산하시오.

해설 교통량-밀도관계에서 k_j는 q가 0인 상태에서 밀도를 나타내므로

$-0.1k_j^2 + 20k_j = 0 \rightarrow k_j(0.1k_j - 20) = 0$ k_j는 0이 아니므로

$k_j = 200$ 대$/km$

37 자료수집 결과 속도와 밀도의 관계가 $u = 54.51 - 0.24k$로 나타난다. 이때 $q_{\max}$, u_m, k_j 값을 구하시오.

(1) $q_{\max}$

해설

$q = u \times k = (54.51 - 0.24k)k = 54.51k - 0.24k^2$

$dq/dk = 0$일 때 $k \rightarrow k_m$,

$dq/dk = 54.51 - 0.24 \times 2 \times k = 0 \rightarrow k = 54.51/(0.24 \times 2) = 113.56$

$k_m = 113.56$

$Q_{\max} = 54.51k_m - 0.24k_m^2 = 54.51 \times 113.56 - 0.24 \times 113.56^2 = 3{,}095$ 대/시

(2) u_m

해설 $u_m = q_m / k_m = 3{,}095/113.56 = 27.25\ km/h$

(3) k_j

해설 교통량-밀도관계에서 k_j는 q가 0인 상태에서 밀도를 나타내므로

$u = 54.51 - 0.24k_j = 0 \rightarrow k_j = 54.51/0.24 = 227.13$

$k_j = 227.13$ 대$/km$

---

38 Greenberg 모형에서 속도와 밀도의 관계를 $u = u_m \ln(k_j/k)$으로 나타낸다. 이때 $k_m = k_j / e$임을 증명하라.

해설 $u = u_m \ln(k_j / k)$이며, u_m일 때 k_m이므로

$u_m = u_m \ln(k_j / k_m) \rightarrow \ln(k_j / k_m) = 1$

$k_m = k_j / e$

【참고】• Greenberg모형

- 속도와 밀도관계를 로그모형으로 표현
- 혼잡밀도에서는 잘 맞으나 낮은 밀도에서는 속도를 밀도로 설명하기 부적절
- $k \rightarrow 0$ 일 때, $u \rightarrow \infty$

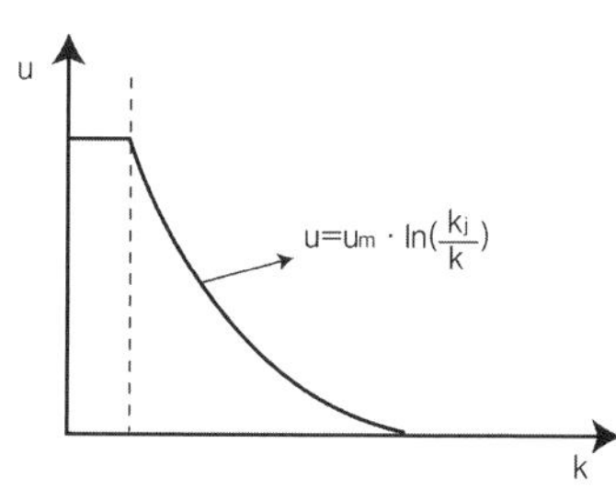

39 Underwood 모형에서 속도와 밀도의 관계를 $u = u_f e^{-k/k_m}$으로 나타낸다. 이때 $u_m = (u_f / e)$임을 증명하라.

해설

$u = u_f e^{-k/k_m}$이며, u_m일 때 k_m이므로

$u_m = u_f e^{-(k_m/k_m)} = u_f e^{-1}$

$u_m = u_f / e$

[참고] • **Underwood모형**

- Greenberg모형의 무한대 자유류속도(u_f)에 불만족하여 자유류속도(u_f)의 설명력을 보완한 모형
- 속도가 0에 도달하지 않고 혼잡밀도가 무한대
- 임계밀도 관측이 어려움
- 추후 Underwood모형의 단점보완을 위해 추후 Edie가 밀도가 낮을 때는 Underwood지수모형을 적용하고 밀도가 높을 때는 Greenberg지수모형 사용한 Two-regime모형 제시

• **Northwestern University모형**

- 모형식 : $u = u_f e^{-\frac{1}{2}(k/k_m)^2}$
- 특징 : 속도-밀도곡선이 S자 형태
  혼잡밀도가 되어도 속도가 0이 되지 않음

• **Drew모형**

- 모형식 : $u = u_f[1 - (\frac{k}{k_j})^{(\frac{n+1}{2})}]$
- 특징 : Greenshied모형에 Parameter 추가
  n=1일 때 Greenshied모형
  n=0일 때 포물선모형
  n=−1일 때 exponential모형

• **Pipe-Munjal모형**

- 모형식 : $u = u_f[1 - (\frac{k}{k_j})^n]$

- 특징 : n은 1보다 큰 실수이며 n=1일 때 Greenshied모형

---

40 Greenberg 모형은 속도와 밀도의 관계를 $u = u_m \times \ln(k_j/k)$으로 나타낸다. 이 때 $u_m = 40kph,\ k_j = 120vpk$일 경우 다음 문제에 답하시오.

(1) K_m(임계밀도)을 구하시오.

해설 $Q = u \cdot k = (u_m \ln(k_j/k)) \times k$

$dq/dk = 0$일 때, $k \rightarrow k_m$

$dq/dk = u_m \ln(k_j/k_m) - 1 = 0 \rightarrow \ln(k_j/k_m) - 1 = 0 \rightarrow \ln(k_j/k_m) = 1$

$\rightarrow k_j/k_m = e \rightarrow k_m = k_j/e = 120/e = 44.15$

$k_m = 44.15$ 대$/km$

(2) $Q_{\max}$(최대교통량)을 구하시오.

해설 $q_{\max} = u_m \times k_m = 40 \times 44.15 = 1,766$대/시

【참고】

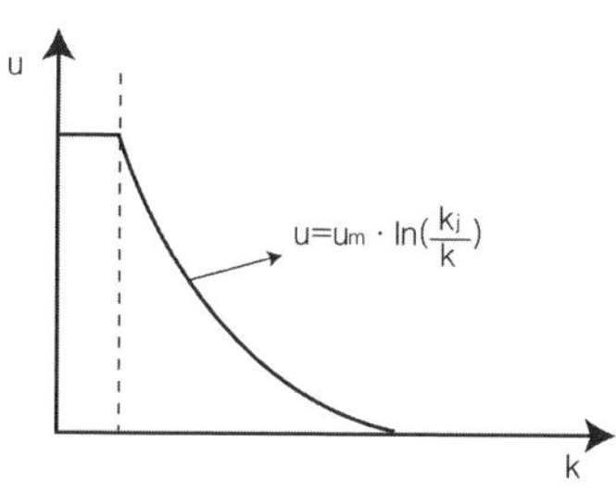

41 어느 지점에서 차량번호판 기법을 이용하여 속도조사를 실시하여 다음과 같은 결과가 나타났다.

속도간격(km/h)	차량대수	속도간격(km/h)	차량대수
10~20	0	60~70	32
20~30	4	70~80	16
30~40	7	80~90	8
40~50	18	90~100	5
50~60	54	100~110	1

X	f	X · f	X2 · f	%	누적%
10~20	0	0	0	0.0	0.0
20~30	4	100	2,500	2.8	2.8
30~40	7	245	8,575	4.8	7.6
40~50	18	810	36,450	12.4	20.0
50~60	54	2,970	163,350	37.2	57.2
60~70	32	2,080	135,200	22.1	79.3
70~80	16	1,200	90,000	11.0	90.3
80~90	8	680	57,800	5.5	95.8
90~100	5	475	45,125	3.4	99.2
100~110	1	105	11,025	0.8	100.0
합계	145	8,665	550,025		

(1) 지점 평균속도는 얼마인가?

해설

$$V = \frac{\Sigma f \cdot X}{N} = \frac{8,665}{145} = 59.76km/h$$

(2) 위의 차량들 평균속도의 속도표준편차는 얼마인가?

해설

$$S = (N \cdot \Sigma f \cdot X^2 - (\Sigma f \cdot X)^2)\frac{1}{N(N-1)}$$

$$= (145 \times 550{,}025 - 8{,}665^2)/145 \times 144$$

$$= 223.73$$

$$S = 14.96\,km/h$$

$$속도표준편차(s) = \sqrt{\frac{\sum (X - V)^2 f}{N-1}} \rightarrow$$

$$s = \sqrt{\frac{(-44.76)^2 \times 0}{145-1}} + \sqrt{\frac{(-34.76)^2 \times 4}{145-1}} + \sqrt{\frac{(-24.76)^2 \times 7}{145-1}}$$
$$+ \sqrt{\frac{(-14.76)^2 \times 18}{145-1}} + \sqrt{\frac{(-4.76)^2 \times 54}{145-1}} + \sqrt{\frac{5.24^2 \times 32}{145-1}}$$
$$+ \sqrt{\frac{15.24^2 \times 16}{145-1}} + \sqrt{\frac{25.24^2 \times 8}{145-1}} + \sqrt{\frac{35.24^2 \times 5}{145-1}}$$
$$+ \sqrt{\frac{45.24^2 \times 1}{145-1}} = 14.96$$

(3) 위의 차량들의 공간평균속도는 얼마인가?

해설 $SMS = TMS - \dfrac{S^2}{TMS} = 59.8 - \dfrac{223.73}{59.8} = 56.0\,km/h$

(4) 위의 차량들의 최빈속도는 얼마인가?

해설 최빈속도는 가장빈도가 높은 속도로서 55km/h가 된다.

(5) 위의 차량들의 중위속도는?

해설 약 54km/h

【참고】 중위속도란 속도조사에서 얻어진 속도를 크기의 순서로 나열한 속도의 중앙치를 말한다. 따라서 누적률 50% 사이에 있는 계급값들을 원단위법에 적용시켜 중위속도를 산출한다.

(6) 위의 결과로 제한속도를 설치하고자 할 때 그 속도는?

해설 약 73km/h(운전자의 85%가 주행하는 속도)

42 교통량이 180대/시라고 한다. 한 시간 내에 도착하는 자동차 대수가 poisson 분포를 따른다고 가정할 때, 1분간에 4대의 자동차가 도착할 확률을 구하시오.

해설

$$\lambda(\text{평균도착률}) = \frac{180}{3,600} = 0.05\text{대/초}, \quad t = 60\text{초}$$

$$m(\text{평균도착대수}) = \lambda \cdot t = 0.05 \times 60 = 3\text{대/분}, \quad x = 4$$

$$P(x) = \frac{m^x e^{-m}}{x!} \rightarrow P(4) = \frac{3^4 \times e^{-3}}{4\,!} = 0.168 \qquad \therefore\ 16.8\%$$

【참고】• **포아송분포**

완전히 무작위로 발생하는 이산형 사상 나타내는데 사용

계수기준을 한 시행(trial)으로 보고 이 때 일어난 평균사상수 m일 때 한 시행에서 x개의 사상이 일어날 확률

$$P(x) = \frac{m^x e^{-m}}{x!}$$

x=0, 1, 2, ⋯

x=일정시간 내 도착(or 도로구간 내에 있는)하는 차량대수

$P(x)$=계수 기준 내(한 시행)에 x대 도착(있을)확률

m=계수 기준 내 도착할(있을) 평균차량 대수

---

43 어느 주차장에 도착하는 차량이 1,000대/시이다. 이 주차장에 30초당 3대가 도착할 확률을 구하시오.(단, 주차장 도착차량의 분포는 포아송분포에 따른다고 가정한다)

해설

$$\lambda(\text{평균도착률}) = \frac{1,000}{3,600} = 0.2778\text{대/초}, \quad t = 30\text{초},$$

$$m(\text{평균도착대수}) = \lambda \cdot t = 0.2778 \times 30 = 8.334\text{대}, \quad x = 3$$

$$P(x) = \frac{m^x e^{-m}}{x!} \rightarrow P(3) = \frac{8.334^3 \times e^{-8.334}}{3\,!} = 0.0232 \qquad \therefore\ 2.32\%$$

44 어느 도로의 임의도착 교통류에서 도착차량이 시간당 600대 있다. 이 도착차량의 분포가 poisson분포를 따른다고 가정할 때, 30초 동안에 3대가 도착할 확률을 구하시오.

해설

$$\lambda(\text{평균도착률}) = \frac{600}{3600} = \frac{1}{6}\text{대/초},\quad t = 30\text{초},$$

$$m = \lambda \cdot t = \frac{1}{6} \times 30 = 5\text{대},\quad x = 3$$

$$P(x) = \frac{m^x e^{-m}}{x!} \rightarrow P(3) = \frac{5^3 \times e^{-5}}{3\,!} = 0.1404 \qquad \therefore\ 14.04\%$$

45 주기가 120초인 교차로에 좌회전 포켓길이를 구하려고 한다. 임의로 도착하는 차량의 분포가 poisson분포를 따른다고 가정할 때, 좌회전교통량은 150대/시를 95% 수용할 수 있는 확률의 좌회전 포켓길이를 산정하시오.(단, 이전 주기에 남아있는 좌회전차량은 없다고 가정하고, 대기차량의 차두거리를 6m로 가정한다)

해설

$$1\text{시간주기당주기횟수} = \frac{3,600}{120} = 30$$

$$\text{주기당좌회전교통량}(m) = \frac{150}{30} = 5\text{대}$$

$$P(x) = \frac{m^x e^{-m}}{x!}$$

차량대수(X)	누적확률	차량대수(X)	누적확률
0	0.006738	5	0.615961
1	0.040428	6	0.762183
2	0.124652	7	0.866628
3	0.265026	8	0.931906
4	0.440493	9	0.968172

$P(0) + P(1) + P(2) + \ldots + P(9) = 0.9682$

좌회전 포켓길이=차량대수×차량길이=9대×6m=54m

∴ 좌회전교통량의 95%를 수용할 수 있는 좌회전 포켓길이는 54m이다.

46 면허증소지자 30,120인 5년간 사고발생건수조사를 조사했더니 전체 7,000건이다. 5년 동안 3번 이상 발생자를 상습범이라고 하자. 전체사고건수 중 상습범은 몇 명인가?

해설

$$P(x) = \frac{m^x \cdot e^{-m}}{x\,!} \qquad m = \frac{7,000}{30,120} = 0.23$$

x가 3회 이상이므로 $1-[P(O)+P(1)+P(2)]$

$$P(0) = \frac{0.23^0 \times e^{(-0.23)}}{0!} = 0.7945$$

$$P(1) = \frac{0.23^1 \times e^{(-0.23)}}{1!} = 0.1827$$

$$P(2) = \frac{0.23^2 \times e^{(-0.23)}}{2!} = 0.021$$

교통사고를 3회 이상 일으킬 확률

$P(x \geq 3) = 1 - P(x \leq 2) = 1 - [P(0) + P(1) + P(2)]$

$= 1-\{0.7945+0.1827+0.021] = 0.0018$

∴ 교통사고 상습자는 30,120인×0.0018=54.2인 ≒ 55인

47 운전면허 소지자 50,000인이 지난 5년간 사고경력을 조사하였다. 전체 교통사고는 15,000건이다. 지난 5년간 3회 이상 교통사고를 일으킨 사람을 교통사고 상습자로 관리하고자 한다. 교통사고 상습자는 몇인인지 산출하시오.

해설

$$P(x) = \frac{m^x \cdot e^{-m}}{x\,!} \qquad m = \frac{15,000}{50,000} = 0.3$$

x가 3회 이상이므로 $1-[P(O)+P(1)+P(2)]$

$$P(0) = \frac{0.3^0 \times e^{(-0.3)}}{0!} = 0.7408$$

$$P(1) = \frac{0.3^1 \times e^{(-0.3)}}{1!} = 0.2222$$

$$P(2) = \frac{0.3^2 \times e^{(-0.3)}}{2!} = 0.0333$$

교통사고를 3회 이상 일으킬 확률 =

$P(x \geq 3) = 1 - P(x \leq 2) = 1 - [P(0) + P(1) + P(2)]$

$=1-\{0.7408+0.2222+0.0333]=0.0037$

∴ 교통사고 상습자는 50,000인×0.0037=185인

48 어느 버스터미널의 시간당 버스도착대수가 평균 100대일 때 5분 동안 8대의 버스가 도착할 확률을 구하시오.(단, 버스의 도착분포는 포아송분포를 따른다고 가정)

해설 $\lambda(\text{평균도착률})=\dfrac{100}{3,600}=0.02778\text{대/초},\ t=300\text{초},$

$m(\text{평균도착대수})=\lambda\cdot t=0.2778\times 300=8.334\text{대},\quad x=8$

$$P(x)=\frac{m^x e^{-m}}{x!}\to P(8)=\frac{8.334^8\times e^{-8.334}}{8\,!}=0.1386 \qquad \therefore\ 13.86\%$$

49 T형 교차로에서 보조도로에서 주도로로 진입하는 교통량 중 60%가 우회전 40%가 좌회전을 하고 있다. 5대의 차량이 보조도로에서 주도로로 진입할 때 우회전차량이 1대 이상 3대 이하의 경우의 확률은 얼마인가?

해설 (이항분포) $B(x)=\binom{n}{x}p^x q^{n-x}=\dfrac{n!}{x!(n-x)!}p^x q^{n-x}$

시행의 수(n)=5

n번의 시행에서 일어나는 사상의 수(x)

한 시행에서 한 사상이 일어날 확률(p)=0.6

$q=1-p=1-0.6=0.4$

$$B(1)=\frac{5!}{1!(5-1)!}0.6^1 0.4^{(5-1)}=\frac{5!}{1!4!}0.6^1 0.4^4=0.0768$$

$$B(2)=\frac{5!}{2!(5-2)!}0.6^2 0.4^{(5-2)}=\frac{5!}{1!3!}0.6^2 0.4^3=$$

$$B(3)=\frac{5!}{3!(5-3)!}0.6^3 0.4^{(5-3)}=\frac{5!}{3!2!}0.6^3 0.4^2=0.3456$$

$B(1\le x\le 3)=B(1)+B(2)+B(3)=0.0768+0.2304+0.3456=0.6528$

$\therefore$ 65.28%

【참고】• 이항분포

계수기준이 주차면수 or 차량대수인 경우에 많이 사용

계수기준을 구성하는 차량 한 대(or 한 면)가 하나의 시행으로 보고 n번의 시행에서 x개의 사상이 일어날 확률

$$B(x) = \binom{n}{x} p^x q^{n-x} = \frac{n!}{x!\,(n-x)!} p^x q^{n-x}, \quad x = 0,\ 1,\ 2, \cdots$$

$B(x)$: n번의 시행에서 x번의 사상이 일어날 확률
n : 시행의 수(계수기준이 되는 차량대수)
x : n번의 시행에서 일어난 사상의 수
p : 한 시행에서 한 사상이 일어날 확률
q : 한 시행에서 사상이 일어나지 않을 확률

특징 : 확률변수 x의 평균은 np, 분산은 npq, 분산이 평균보다 항상 적다. 따라서 분산/평균이 1보다 적은 교통량 많은 교통류에 사용

$$B(0) = q^n, \quad B(x) = \frac{n+1-x}{x} \cdot \frac{p}{q} \cdot B(x-1)$$

---

50 Y형 교차로에서 우회전확률이 2/3, 좌회전확률이 1/3이다. 3대 차량 중 2대 이하가 우회전할 확률을 구하시오.

해설 이항분포 $B(x) = \binom{n}{x} p^x q^{n-x} = \frac{n!}{x!(n-x)!} p^x q^{n-x}$

시행의 수(n)=3

n번의 시행에서 일어나는 사상의 수(x)

한 시행에서 한 사상이 일어날 확률(p)=2/3

$q = 1 - p = 1 - 1/3 = 2/3$

$$B(0) = \frac{3!}{0!(3-0)!}\left(\frac{2}{3}\right)^0\left(\frac{1}{3}\right)^{(3-0)} = \frac{3!}{0!3!}\left(\frac{2}{3}\right)^0\left(\frac{1}{3}\right)^3 = 0.0370$$

$$B(1) = \frac{3!}{1!(3-1)!}\left(\frac{2}{3}\right)^1\left(\frac{1}{3}\right)^{(3-1)} = \frac{3!}{1!2!}\left(\frac{2}{3}\right)^1\left(\frac{1}{3}\right)^2 = 0.2222$$

$$B(2) = \frac{3!}{2!(3-2)!}\left(\frac{2}{3}\right)^2\left(\frac{1}{3}\right)^{(3-2)} = \frac{3!}{2!1!}\left(\frac{2}{3}\right)^2\left(\frac{1}{3}\right)^1 = 0.4444$$

$$B(0 \le x \le 2) = B(0) + B(1) + B(2) = 0.7036 \qquad \therefore 70.36\%$$

51 삼거리에서 좌회전교통량 1/4, 우회전교통량이 3/4이다. 총 3대가 올 때 우회전이 2대 이하일 확률은?

해설 이항분포 $B(x) = \binom{n}{x} p^x q^{n-x} = \frac{n!}{x!(n-x)!} p^x q^{n-x}$

시행의 수(n)=3

n번의 시행에서 일어나는 사상의 수(x)

한 시행에서 한 사상이 일어날 확률(p)=0.75

$q = 1 - p = 1 - 0.6 = 0.05$

$B(0) = \frac{3!}{0!(3-0)!} 0.75^0 0.25^{(3-0)} = \frac{3!}{0!3!} 0.75^0 0.25^3 = 0.0156$

$B(1) = \frac{3!}{1!(3-1)!} 0.75^1 0.25^{(3-1)} = \frac{3!}{1!2!} 0.75^1 0.25^2 = 0.1406$

$B(2) = \frac{3!}{2!(3-2)!} 0.75^2 0.25^{(3-2)} = \frac{3!}{2!1!} 0.75^2 0.25^1 = 0.4219$

$B(0 \le x \le 2) = B(0) + B(1) + B(2) = 0.0156 + 0.1406 + 0.4219 = 0.5781$

$\therefore$ 57.81%

52 다음 그림과 같은 Y 자형 3지교차로에서 우회전 교통량이 1/3, 좌회전교통량이 2/3이다. 4대의 진입차량 중 2대 이하의 차량이 우회전할 확률을 구하시오.

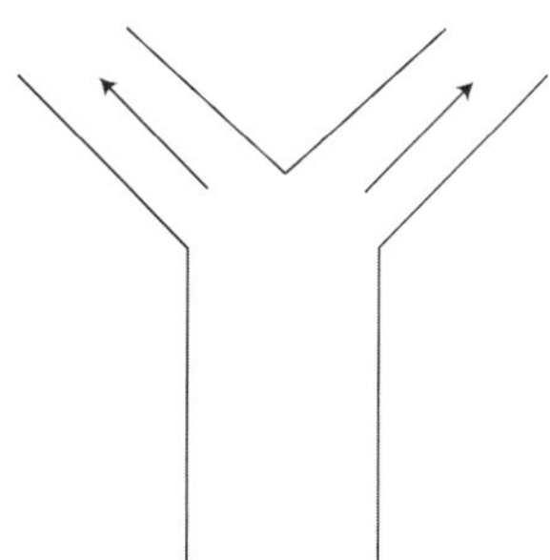

해설 이항분포 $B(x) = \binom{n}{x} p^x q^{n-x} = \frac{n!}{x!(n-x)!} p^x q^{n-x}$

시행의 수(n)=4

n번의 시행에서 일어나는 사상의 수(x)
한 시행에서 한 사상이 일어날 확률(p)=1/3

$q = 1 - p = 1 - 1/3 = 2/3$

$$B(0) = \frac{4!}{0!(4-0)!}(\frac{1}{3})^0(\frac{2}{3})^{(4-0)} = \frac{4!}{0!4!}(\frac{1}{3})^0(\frac{2}{3})^4 = 0.1975$$

$$B(1) = \frac{4!}{1!(4-1)!}(\frac{1}{3})^1(\frac{2}{3})^{(4-1)} = \frac{4!}{1!3!}(\frac{1}{3})^1(\frac{2}{3})^3 = 0.3951$$

$$B(2) = \frac{4!}{2!(4-2)!}(\frac{1}{3})^2(\frac{2}{3})^{(4-2)} = \frac{4!}{2!2!}(\frac{1}{3})^2(\frac{2}{3})^2 = 0.2963$$

$B(0 \le x \le 2) = B(0) + B(1) + B(2) = 0.8889$ $\quad \therefore 88.89\%$

---

53 총 100명 중에서 대중교통이용자가 75명이고 승용차 이용자는 25명이다. 앞으로 8명 더 조사할 때 5명이 대중교통일 확률을 구하시오.

해설 대중교통을 이용할 확률(m)=75명/100명=0.75
시행의 수(n)=8
n번의 시행에서 일어나는 사상의 수(x)
한 시행에서 한 사상이 일어날 확률(p)=0.75

$q = 1 - p = 1 - 0.75 = 0.25$

8명 중에서 5명이 대중교통을 이용할 확률

$$B(5) = \frac{8!}{5!(8-5)!}(0.75)^5(0.25)^{(8-5)} = \frac{8!}{5!3!}(0.75)^5(0.25)^3 = 0.2076$$

$\therefore 20.76\%$

---

54 복잡한 도심지 교차로에서 임의도착 교통량을 15초 단위로 64회 측정한 결과 평균값(x)=7.469, 분산(S)=3.999를 얻었다. 이를 이항분포에 적합시키기 위한 확률을 구하시오.

해설

$$n = \frac{x^2}{x-s},\ p = \frac{x}{n},\ q = 1 - p$$

$$n = \frac{7.469^2}{7.469 - 3.999} = 16.08$$

$$p = \frac{7.469}{16} = 0.467 = 1 - p = 1 - 0.467 = 0.533$$

55 교통류의 구성이 트럭 10%, 승용차 90%로 이루어져 있다. 3번째 트럭이 통과하기까지 6대의 승용차가 통과할 경우 확률을 구하시오.

해설 (음이항 분포) $N(x) = \frac{(x+k-1)!}{x!(k-1)!}p^k q^x$

한 시행에서 사상이 일어날 확률(p)=0.1

$$q = 1 - p = 1 - 0.1 = 0.9$$

n번의 시행에서 마지막 시행이 k 번째의 성공(k)=3

x=1

$$N(x) = \frac{(x+k-1)!}{x!(k-1)!}p^k q^x = \frac{(6+3-1)!}{(6!(3-1)!}\times(0.1)^3(0.9)^6 = 0.0149 \qquad \therefore\ 1.5\%$$

【참고】• 음이항분포

k번째 사상을 얻기 위해(성공 위해) x번 실패해야 할 확률. 즉 $(k+x)$번 시행해야 함. 마지막 n번째 $(=k+x)$의 시행이 k번째의 성공이 될 때까지 x번 실패가 있을 확률을 음이항분포로

$$N(x) = {}_{x+k-1}C_x \cdot p^k q^x = \frac{(x+k-1)!}{x!(k-1)!}p^k q^x \qquad x = 0, 1, 2, \ldots$$

$N(x)$= k번째의 성공을 얻기 위해 x번의 실패를 할 확률

즉, k번의 성공을 위해서 시행횟수가 $n = k + x$일 확률

p = 한 시행에서 사상이 일어날 확률

$q = 1 - p$

$k = n$ 번의 시행에서 마지막 시행이 k번째의 성공

56 교통량이 적은 도로에서 임의도착분포를 갖는 교통류가 있다. 시간당 도착교통량이 600대일 때 차두시간이 4초보다 적을 확률을 구하시오.(단, 임의도착교통량의 분포는 음지수분포에 따른다)

해설

음지수분포 $\lambda = \dfrac{600}{3,600} = \dfrac{1}{6}$ 대/초

$P(h<4) = 1 - P(h \geq 4) = 1 - e^{-\lambda t} = 1 - e^{-4/6} = 0.48658$ $\quad \therefore$ 48.66%

【참고】• 음지수분포

간격분포의 가장 기본적 형태로 포아송분포에서 나온 것. 평균도착대수 λ인 포아송분포에서 t시간 사이에 차량이 0대 도착할 확률

$P(0) = e^{-\lambda t}$에서 말을 바꿔 두 차량 사이의 차두간격이 t보다 클 확률

$$\int_t^{\infty} f(t)dt = e^{-\lambda t}$$

$f(t)$=차두시간의 분포를 나타내는 확률분포함수, λ=평균도착류율

이를 좀 더 간략화 하면 $P(0) = P(h \geq t) = e^{-\lambda t}$로 나타나 주어진 시간 t동안 차량이 한 대도 도착하지 않을 확률을 나타냄

또한 주어진 시간 내에 차량이 관측(또는 도착)될 확률은 $\mathrm{P}(\mathrm{h} < \mathrm{t}) = 1 - \mathrm{e}^{-\lambda \mathrm{t}}$로 나타낼 수 있다.

---

57 어떤 주차장에 2시간 동안 360대의 차량이 도착한다고 한다. 1분 동안 차량이 한 차량이 한 대로 도착하지 않을 확률을 구하시오.(단, 주차시간의 분포는 음지수분포에 따른다)

해설 음지수분포 $\lambda = \dfrac{360}{2 \times 60} = 3$대/분, $P(0) = e^{-\lambda t} = e^{-3 \cdot 1} = 0.0498$

$\therefore$ 4.98%

---

58 어느 주차장의 평균주차시간은 2시간이다. 한 대의 차량이 도착했을 때 이 차량이 1시간미만 주차할 확률은?(단, 주차시간의 분포는 음지수분포에 따른다)

해설 음지수분포 $P(h<1) = 1 - P(h \geq 1)$이므로 $e^{-\lambda t} = e^{\frac{t}{t}}$

따라서 $1 - e^{-\frac{1}{2}} = 0.3934$

$\therefore$ 39.34%

59 임의 도착하는 교통류의 교통량이 600대이다. 평균최소허용 차두시간이 1.5초일 때 차두시간이 4초보다 적을 확률을 이동된 음지수분포를 이용하여 구하시오.

해설 • **이동된 음지수분포**

$$\lambda = \frac{600}{3{,}600} = \frac{1}{6} \text{대/초} \qquad \mu = \frac{1}{\lambda} \rightarrow \therefore \ \mu = 6\text{초/대}$$

$$P(h < 4) = \int_{1.5}^{4} \frac{1}{6-1.5} e^{-((t-1.5)/(6-1.5))} dt$$

$$= \int_{4}^{1.5} \frac{1}{4.5} e^{-((t-1.5)/(4.5))} dt$$

$$= [e^{-((t-1.5)/(4.5))}]_{1.5}^{4} = 1 - e^{-(2.5)/(4.5)} = 0.4262$$

$\therefore$ `42.62``%

【참고】• **이동된 음지수분포**

한 차로에서 차간시간은 0이 될 수 없으며 최소한의 안전차두시간을 갖는다. 그러므로 음지수분포는 최소허용차두시간 h만큼 오른쪽으로 이동된다.

$$P(h \le t) = \int_{h}^{t} \frac{1}{\mu - h} e^{-\frac{t-h}{\mu-h}} dt$$

60 임의 도착하는 교통류의 교통량이 500대이다. 최소허용 차두시간이 1.5초일 때 차두시간이 3초보다 적을 확률을 이동된 음지수분포를 이용하여 산출하시오.

해설 이동된 음지수분포

$$\lambda = \frac{500}{3,600} = 0.1389대/초 \qquad \mu = \frac{1}{\lambda} \rightarrow \therefore \ \mu = 7.2초/대$$

$$P(h < 4) = \int_{1.5}^{3} \frac{1}{7.2-1.5} e^{-((t-1.5)/(7.2-1.5))} \, dt$$

$$= \int_{1.5}^{3} \frac{1}{5.7} e^{-((t-1.5)/(5.7))} \, dt$$

$$= [e^{-((t-1.5)/(5.7))}]_{1.5}^{3} = 1 - e^{-(1.5)/(5.7)} = 0.2314$$

∴ `23.14``%

---

61 어느 도로에 대한 개선이 이루어지기 전후의 속도를 측정한 결과가 다음과 같다. 유의수준 5%에서 도로개선으로 인한 속도증가효과에 대해 검정을 하시오.(유의수준 : α =0.05일 때 1.96)

$$개선\ 전 : U_1 = 35.5km/h,\ s_1 = 5.2km,\ n_1 = 300$$

$$개선\ 후 : U_2 = 37.4km/h,\ s_2 = 4.3km,\ n_2 = 400$$

해설

$$S_d = \sqrt{\frac{s1^2}{n1} + \frac{s2^2}{n2}} = \sqrt{\frac{5.2^2}{300} + \frac{4.3^2}{400}} = 0.37$$

$$\frac{|U_1 - U_2|}{Z} = \frac{|35.5 - 37.4|}{1.96} = 0.97$$

$\therefore \ \frac{|U_1 - U_2|}{Z} > S_d$이므로 도로개선으로 인한 속도증가의 효과가 존재한다.

---

62 자료가 아래와 같을 때 표지판 설치 전후의 속도감소 효과를 유의수준 5%에서 검정하시오.(유의수준 : α =0.05일 때 1.96)

	설치 전	설치 후
X(km)	42	38
표준편차	4.2	5.4
표본수	50	100

해설

$$S_d = \sqrt{\frac{s\,1^2}{n1} + \frac{s\,2^2}{n\,2}} = \sqrt{\frac{4.2^2}{50} + \frac{5.4^2}{100}} = 0.803$$

$$\frac{|U_{1} - U_2|}{Z} = \frac{|\ 42 - 38\ |}{1.96} = 2.041$$

$$\therefore \frac{|U_{1} - U_2|}{Z} > S_d$$ 이므로 도로개선으로 인한 속도감소의 효과가 존재한다.

---

63 전방교통류와 후방교통류의 특성이 다음과 같을 때 AA'(충격파)의 속도를 구하시오.

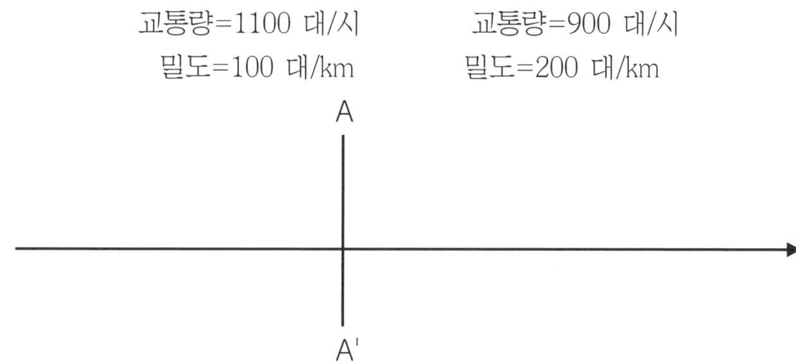

해설

$$u_w = \frac{(q_2 - q_1)}{(k_2 - k_1)} = \frac{(900 - 1,100)}{(200 - 100)} = -\ 2km/h$$

【참고】• 충격파 이론

교통특성은 시간–거리에 따라 항상 끊임없이 변화하여 이때 한 상태와 또 다른 상태의 교통류 간에는 속도 등의 변화에 따른 경계선이 생기게 마련이다. 교통류이론에서 이 경계선을 충격파(shock wave)라고 하며, 이는 경우에 따라 매우 완만하거나 때론 급격한 특징을 갖는다. 전자는 양방향 2차로 도로에서 저속차량과 고속차량 사이의 예를 들 수 있고, 후자는 신호교차로에 정지하여 대기하고 있는 차량들을 향해 접근하는 승용차 흐름을 그 예로 들 수 있다.

경계선의 특성에 따라 충격파는 6개의 구분이 가능하다.

- 전면 정지(frontal stationary)
- 후면 정지(rear stationary)

- 전방 형성(forward forming)
- 후방 형성(backward forming)
- 전방 소멸(forward recovery)
- 후방 소멸(backward recovery)

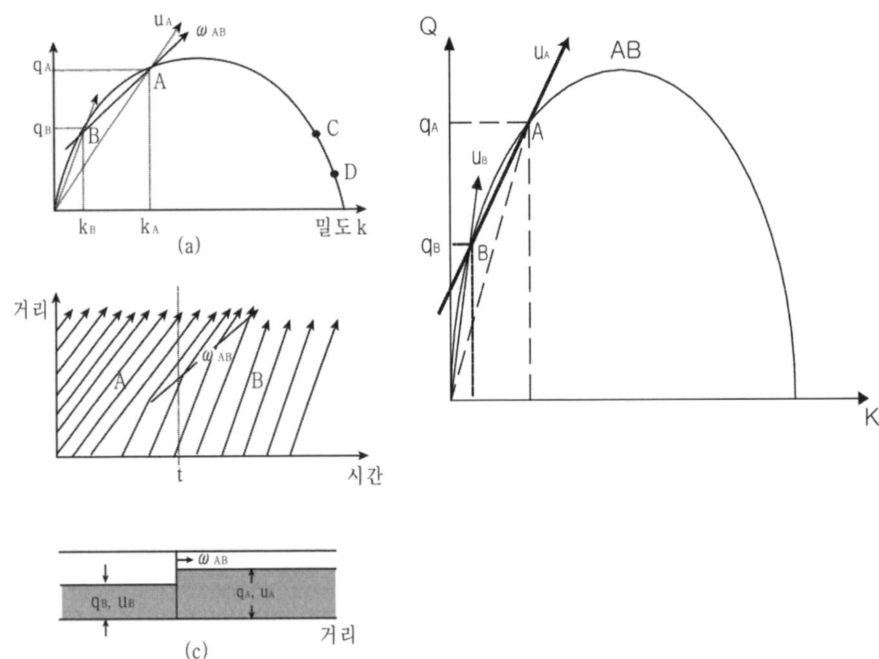

① 충격파 방정식

(b)

한 연속류 도로구간의 교통량-밀도곡선이 [그림 (a)]와 같이 설정되었다고 하자. 이 그림에서 보는 바와 같이 A교통류 상태가 본래의 교통흐름이라 하고 이때의 교통량, 밀도, 속도는 q_A, k_A, u_A로 표시한다. A교통류 다음으로는 교통량이 감소하고 이에 따라 새로운 교통류 B가 나타난다(q_B, k_B, u_B). B교통류에서는 그림에서 보는 대로 아직 용량에 도달하기 이전 상태이므로 교통량 감소는 곧 속도의 증가로 나타나고($u_B > u_A$), 그 결과 B교통류의 차량들이 A교통류의 차량들을 따라 잡게 된다.

이를 보다 구체적으로 나타내기 위해[그림 (b),(c)]를 추가로 도식한다. [그림 (b)]는 거리-시간 관계도이며 이 그림에서 A, B상태에서의 차량속도를 나타내는 기울기는 의도적으로 [그림 (a)]의 속도를 나타내는 원점과 A, B점간을 연결하는 직선의 기울기와 평행하도록 작도되었다. [그림 (b)]에서 굵은 선 ω_{AB} 는 A, B교통류간 충격파를 표시하고 있는데 이는 B교통류의 고속차량들이 A교통류의 저속차량들을 따라잡는 모습을 보여 주는 거리-시간 관계도이다.

[그림 (c)]는 시점 t에서 나타나는 교통류 A, B의 형상을 나타낸 것이다. 이 그림에서는 세 종류의 속도가 표시되고 있는데 u_A가 u_B에 비해 낮은 값을 갖기 때문에 충격파의 방향은 분명하다. 그러나 이는 단순한 경우에 불과하며 교통류간 변화상태가 복잡해지게 되면 충격파의 진행방향은 쉽게 알 수 없게 된다. 따라서 이러한 경우에서는 일단 충격파의 진행방향을 전방, 즉 교통류의 진행방향과 같다고 가정해서 분석한 후, 그 결과에 따라 충격파 진행방향을 결정하는 것이 좋다.

다음으로 충격파 방정식의 산출과정을 보면 개념적으로 A, B교통류의 경계면을 중심으로 양 교통류에서 차량대수는 같아야 한다. 그런데 도로의 상류에서 주행하는 B교통류의 속도를 충격파를 기준으로 해서 표시하면 $(u_B - \omega_{AB})$가 되고 하류부 교통류의 경우 $(u_A - \omega_{AB})$가 된다. 따라서 이 두 식을 이용해서 두 교통류의 시간 t동안의 교통량을 각각 다음과 같이 표시 할 수 있다.

$$N_B = q_B \cdot t = [(u_B - w_{AB}) \cdot k_B]t$$
$$N_A = q_A \cdot t = [(u_A - w_{AB}) \cdot k_A]t$$

경계면이 충격파 w_{AB}에서 이 두 값은 같으므로

$$\omega_{AB} = \frac{u_A k_A - u_B k_B}{k_A - k_B} = \frac{q_A - q_B}{k_A - k_B} = \frac{\Delta q}{\Delta k}$$

결국 두 교통류간에서 발생하는 충격파의 속도는 두 교통류간 밀도차이와 교통량 차이의 비율로 나타남을 알 수 있는데 이는 [그림 (a)]에서 확인할 수 있다.

---

64 차량의 자유속도가 60km/h일 경우 앞 차량의 정지로 인한 충격파의 속도와 출발하는 차량의 속도가 40km/h일 때 차량의 자유속도가 80km/h일 경우 충격파의 속도를 구하시오.(단, $n_1 = 0.6$)

해설 ① 정지로 인한 충격파 : $u_w = -u_f n_1 = -60(0.6) = -36km/h$

② 출발로 인한 충격파 : $u_w = -(u_f - u_2) = -(80-40) = -40km/h$

【참고】• Greenshield모형에 의해

$u_i = u_f(1-\frac{k_i}{k_j})$에서 $\frac{k_i}{k_j} = n_i$ 라 하면 $u_f(1-n_1)$와 $u_2 = u_f(1-n_2)$이다.

또는 $q_1 = u_1 k_1,\quad q_2 = u_2 k_2$ 이므로 위 식에 대입하여 정리하면 다음과 같다.

$$u_w = u_f[1-(n_1+n_2)]$$

① 유사한 밀도시 충격파 : $u_w = u_f[1-(n_1+n_2)] = u_f(1-2n)$

(n_1, n_2이 거의 유사할 때)

② 출발로 인한 충격파 : $u_w = u_f[1-(1+n_2)] = -u_f n_2 = -(u_f - u_2)$

($n_2 = [1-(\frac{u_2}{u_f})]$일 때)

③ 정지로 인한 충격파 : $u_w = u_f[1-(n_1+1)] = -u_f n_1$

---

65 Q=1800대/시 K=40대/km인 추월이 불가능한 2차로도로에서 사고로 인해 3분간 도로가 차단되었다. 이때의 충격파 속도와 정지로 인한 대기행렬의 길이와 대기행렬 차량대수를 구하시오.(단, 대기행렬의 K_j는 160대/km)

해설 $q_1 = 1,800,\ q_2 = 0,\ k_1 = 40,\ k_2 = 160$

이를 식에 대입하면 충격파의 속도 u는

$$u_{12} = \frac{0-1,800}{160-40} = -15km/시$$

- 충격파속도 : −15km/시
- 성장속도 : 0−(−15)=15km/시
- 최대대기행렬 : 정지상황이 3분이므로 15km/시×(3/60)시=0.75km
- 대기차량대수 : 160대/km×0.75km=120대

---

66 2차로 도로구간의 교통량은 각 방향별로 1,000대/시이다. 상향구배 방향의 공간평균속도는 밀도가 25대/km일 경우 40km/시로 추정되며 도로에 인접한 건설현장으로부터 흙을 가득 실은 큰 덤프트럭이 교통류에 들어와 흙을 적하할

장소로 유출하기 전 상향구배 2.4km구간에서 20km/시의 속도로 주행하고 있다. 이후 밀도 50대/km와 교통량 1,275대/시를 갖는 차량군이 형성되고 있다. 그리고 반대방향 도로구간의 상대적으로 높은 교통량 때문에 어떤 차량도 그 트럭을 추월할 수 없다. 이런 교통상황에서 트럭이 흙을 유출할 동안 대기차량 대수를 산정하시오.

해설 $q_1 = 1,000,\ q_2 = 1,275,\ k_1 = 25,\ k_2 = 50$으로 정할 수 있다.
이를 식에 대입하면 충격파의 속도 u는

$$u_w = \frac{1,275 - 1,000}{50 - 25} = 11\,km/h$$

차량군의 앞쪽은 차량진행 방향을 기준으로 할 때 앞쪽으로 충격파가 20km/시의 속도로 진행하며, 차량군의 뒤 쪽 역시 교통류 진행방향으로 11km/시의 속도로 충격파가 진행한다.
따라서 차량군의 성장속도는 (20－11)=9km/시의 속도를 나타내게 된다.

또한 유고시 트럭이 도로상에 주행한 시간을 계산하면

(2.4/20)=0.12시

트럭이 도로에서 유출하는 시간까지 차량군의 길이를 구하면
유고시간×성장속도=0.12시×9km/시=1.08km

1.08km 내에 차량대수를 구하려면
밀도×차량군의 길이=50대/km×1.08km=54대

∴ 이 충격파에 의한 대기차량군에 속해 있는 대기차량대수는 54대이다.

---

67 시간당 교통량 1,200대/시, 밀도가 40대/km인 고속도로에서 유고가 발생하여 도로가 완전히 차단되었다. 30분 후에 1,800대/시의 교통류율로 통행이 재개되었다면 이때 유고지점 후방의 최대대기차량길이(차량대수)와 충격파속도를 산출하시오.(단, 대기행렬의 최대밀도는 120대/km)

해설 $q_1 = 1,200,\ k_1 = 40$

$q_2 = 0\ ,\ k_2 = 120$

$$u_{12} = \frac{q_2 - q_1}{k_2 - k_1} = \frac{0 - 1,200}{120 - 40} = -15\ km/h$$

· 충격파 속도 : −15km/시
· 성장속도 : 0−(−15)=15km/시
· 최대대기행렬 : 정지상황이 30분이므로 15km/시×(30/60)시=7.5km
· 대기차량대수 : 120대/km×7.5km=900대

---

68 교통량 1,000대/시, 밀도가 25대/km인 추월이 불가능한 2차로도로에서 한 대 차량의 고장으로 10km/시로 감속하여 주행하며 교통량 1,200대/시를 나타낸다. 10분 후에 문제의 차량은 도로를 빠져 났으며 이와 함께 차량군 앞쪽에 있던 차량들이 20km/시의 속도와 70대/km의 밀도로 풀리기 시작한다. 이때 10km/시로 진행하던 차량군이 소멸되기까지 소요되는 시간을 산출시오.

해설 $q = u \cdot k$ 공식을 이용하여 교통상황별 충격파 형태를 다음과 같이 정리할 수 있다.

① 상황 : $q_1 = 1,000,\ u_1 = 40,\ \ k_1 = 25$

② 상황 : $q_2 = 1,200,\ u_2 = 10,\ \ k_2 = 120$

③ 상황 : $q_3 = 1,400,\ u_3 = 20,\ \ k_3 = 70$

각 상황별 충격파의 형태를 도시하며, 다음 그림과 같다.

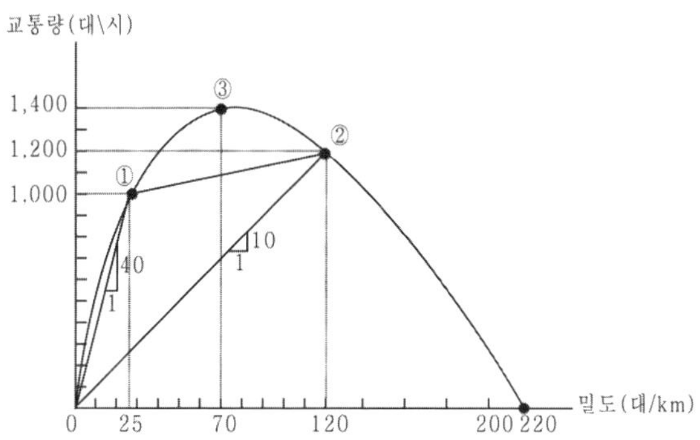

$$u_{12} = \frac{1,200 - 1,000}{120 - 25} = 2.1km/시$$

차량군의 앞쪽은 차량진행 방향을 기준으로 할 때 앞쪽으로 충격파가 10km/시의 속도로 진행하며, 차량군의 뒤 쪽 역시 교통류 진행방향으로 2.1km/시의 속도로 충격파가 진행한다.
따라서 차량군의 성장속도는 (10−2.1)=7.9km/시의 속도를 나타내게 된다.

차량군이 풀릴 때의 조건은 [그림]에서 ③상황을 의미한다.
10분 후에는 이 차량군의 크기를 구하면 7.9km/시×10/60시=1.3km
1.3km 내에 들어갈 수 있는 차량대수는 1.3km×120대/km=156대

트럭이 빠지고 나면 차량군 내에서 다음의 충격파가 발생

$$u_{23} = \frac{1,400 - 1,200}{70 - 120} = -4km/시$$

따라서 차량군 앞쪽의 충격파는 뒤쪽으로 4km/시의 속도로 진행하며 차량군 뒤쪽의 충격파는 변동 없이 앞쪽으로 2.1km/시의 속도로 진행하므로 이 두 충격파간의 상대속도는 4+2.1=6.1km/시이다.

트럭이 빠지기 바로 직전에 차량군 크기는 1.3km이므로 두 충격파간에 발생한 상대속도 6.1km/시에 의해 다음 시간이 지나면 소멸된다.

(1.3/6.1)×60=12.7분

맨 마지막 차량이 차량군에서 벗어나고 나서 이 마지막 차량의 전방과 사이에서 충격파가 발생하며 이 충격파의 속도는 다음과 같다.

$$u_{31} = \frac{1,400 - 1,000}{70 - 25} = 8.9km/시$$

충격파의 방향은 도로의 앞쪽 방향이다.

69 도로용량이 1,500대/시인 편도 2차로 고속도로에서 사고를 인해 통행이 금지되었다. 통행금지 후 15분 뒤에 통행금지가 해제되었다. 편도 2차로 고속도로의 유입교통량이 2,000대/시로 일정할 때 다음 질문에 답하시오.

(1) 시간당 유입교통량과 도로용량의 관계를 Queueing Diagram을 작성하시오.

해설 2차로 고속도로의 용량은 1,500대/시×2차로=3,000대/시

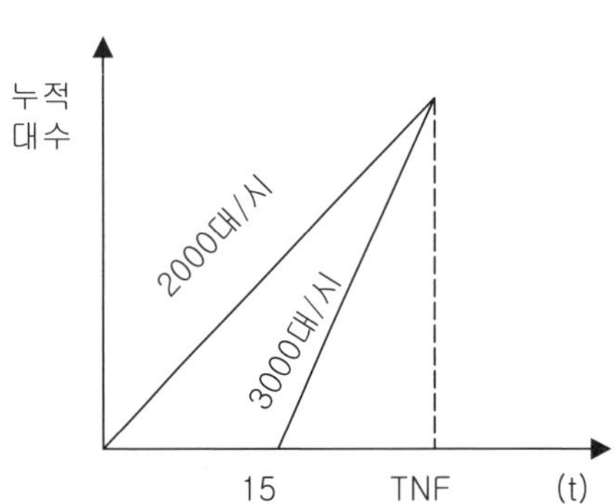

(2) 사고 이후 완전히 회복될 때까지의 시간을 산출하시오.

해설 15분=0.25시간

2,000× TNF=3,000×(TNF−0.25) → TNF=0.75시간=45분

∴ 사고 이후 대기행렬 해소시간 : 45분

【참고】 · 사고로 용량 감소(부분 폐쇄)

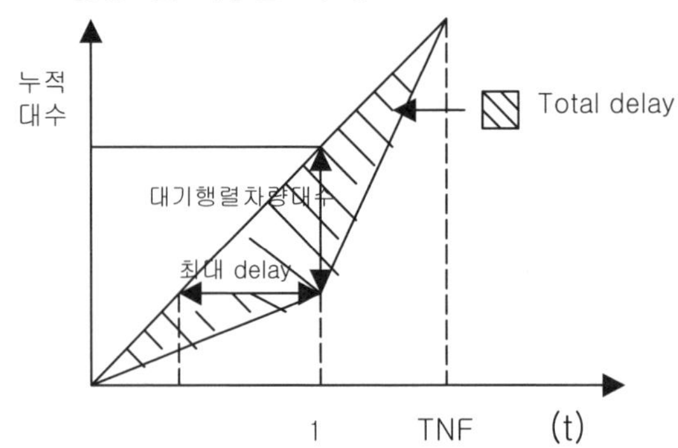

70 편도 3차로인 고속도로에서 첨두시에 교통사고가 발생하였다. 사고 발생 직후 45분 경과 후의 모든 사고처리를 끝냈다. 다음의 교통조건을 고려하여 대기행렬 해소시간과 최대대기행렬의 차량대수를 산출하시오.

교 통 조 건
• 용량 : 6,000pcph(편도3차로) • 첨두시간 교통수요는 용량의 80% • 사고발생시 45분간 지속, 1개 차선의 용량만큼 감소

해설 • **대기행렬 해소시간**

45분=0.75시간

$4,800 \times TNF = (4,000 \times 0.75) + (6,000 \times (TNF - 0.75))$

$TNF = 1.25$시간=75분

∴ 45분 경과 후 대기행렬 해소시간 : 75분−45분=30분

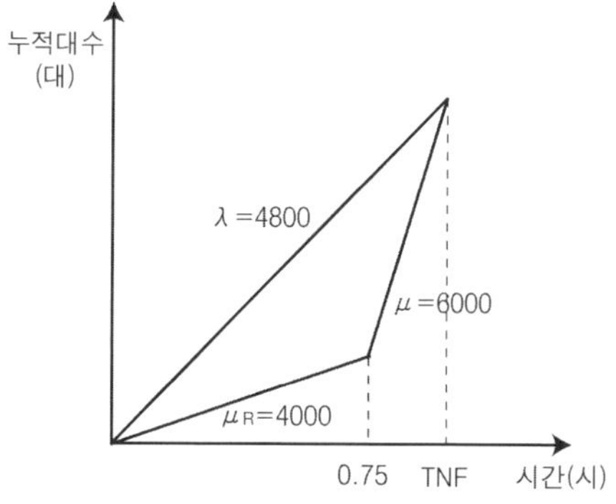

• **최대대기행렬의 차량대수**

$(4,800 \times 0.75) - (4,000 \times 0.75) = 600$대

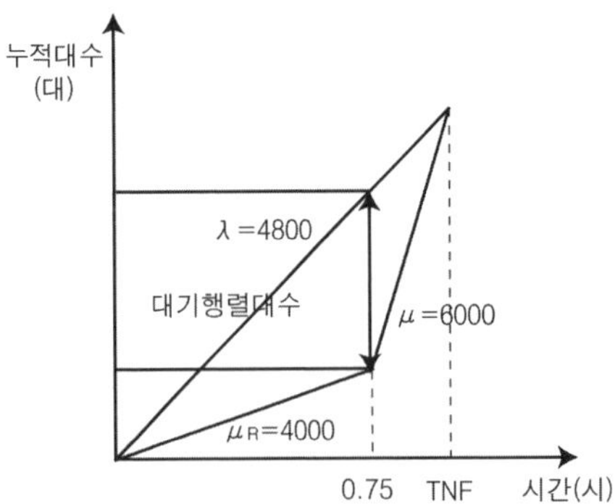

71 일방향 3차로인 고속도로에서 교통사고가 발생하였다. 사고발생 직후 15분 경과 후의 모든 사고처리를 끝냈다. 다음의 물음에 답하시오.

교 통 조 건
• 고속도로에서 정지상태의 차량행렬로부터 출발하는 교통량 : 1,500pcphpl
• 첨두시간 15분간 1차로 차단
• 차로 차단 해제 후 첨두시간 도착교통량 : 5,500pcph(3차로)

(1) 15분 경과 후 완전히 대기행렬이 해소되는 시간을 구하시오.

해설 일방향 3차로의 출발교통량 : 1,500×3=4,500대/시
15분간 1차로 차단시 : 3,667대/시
$4{,}500\times TNF=(3{,}667\times0.25)+(5{,}500(TNF-0.25))$
$TNF=0.458$시간=27.5분
∴ 15분 경과 후 회대기행렬 해소시간 : 27.5−15=12.5분

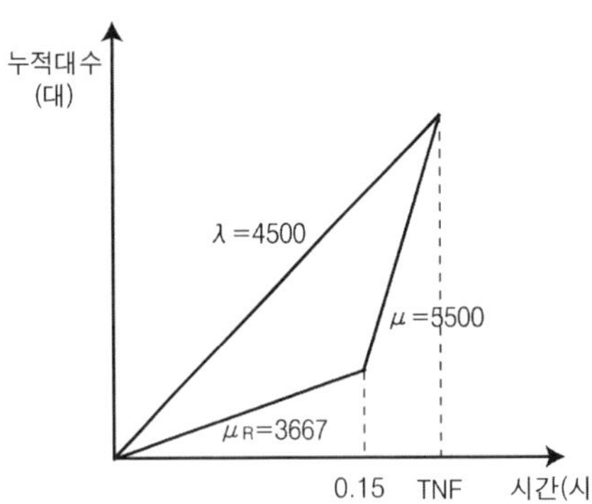

(2) 최대대기행렬의 차량대수를 구하시오.

해설 $(4{,}500 \times 0.25) - (3{,}667 \times 0.25) = 208$대

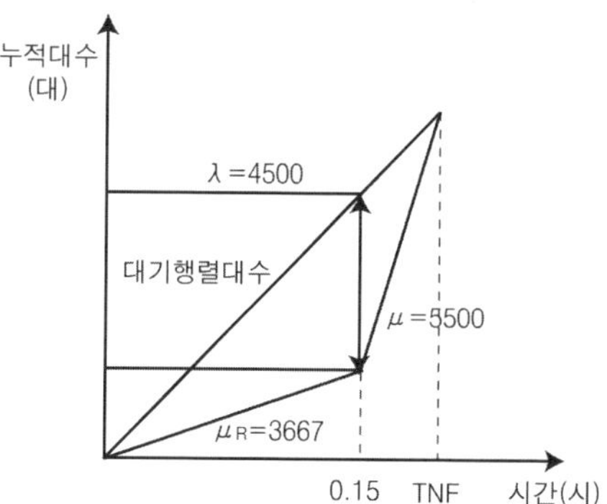

---

72 단독서비스 창구에서 평균도착율 120대/시, 평균서비스율 150대/시이다. 이 창구의 도착분포형태가 poisson분포를 따르고 유출형태가 지수함수 형태일 때 다음 물음에 답하시오.

(1) 시스템 내에 한 대도 없을 확률

해설 $\rho = \dfrac{\lambda}{\mu} = \dfrac{120}{150} = 0.8 \qquad P(0) = (1-\rho) = 1 - 0.8 = 0.2$

(2) 시스템 내에 3대가 있을 확률

해설 $P(3) = \rho^n\,(\rho - 1) = 0.8^3(1 - 0.8) = 0.1$

(3) 시스템 내의 평균대기행렬 길이

해설 $E[Lq] = \dfrac{\rho^2}{1-\rho} = \dfrac{0.8^2}{1-0.8} = 3.2$대

(4) 평균대기시간

해설 $E(Tq) = \dfrac{\lambda}{\mu(\mu - \lambda)} = \dfrac{120}{150 \times (150 - 120)} = 0.027$시간 $= 96$초

【참고】• **차량의 대기행렬모형**

대기행렬 분석이론은 거시적 분석과 미시적 분석으로 구분할 수 있다.

여기서 거시적 분석이란 시설물로 도착하는 수요의 형태와 시설물의 서비스 형태를 연속적인 변수로 설명할 수 있는 경우를 의미하며, 미시적 분석이란 이들이 불연속적 변수를 설명할 때를 의미한다. 일반적으로 거시적 분석은 도착률과 서비스율이 높을 때 적용하며 미시적 분석은 도착률과 서비스율이 낮을 때 적용한다.

대기행렬의 분석에서 필요한 입력자료는 다음과 같다.

· 평균도착률
· 도착분포의 형태
· 평균서비스율
· 서비스분포의 형태
· 대기행렬의 형성형태

평균도착률은 교통량 또는 차두간격 등의 개념으로써 일반적인 표현방식은 대/시 또는 대/초의 형태를 갖는다. 도착분포의 형태는 결정론적 분석방법과 확률론적 분석방법으로 구분할 수 있으며, 우리가 흔히 사용하는 수요라는 개념과 대체로 일치한다고 볼 수 있다.

평균서비스률은 교통공학에서의 용량과 일치하는 개념이라 할 수 있다. 서비스분포의 형태 또한 결정론적 분석방법과 확률론적 분석방법으로 구분한다.

대기행렬의 형성형태는 대기행렬이 어떤 방식으로 형성되는가 하는 것을 규명하는 항목으로써, 그 필요성이란 톨게이트와 같이 먼저 온 사람이 먼저 서비스받는 방식과 엘리베이터와 같이 늦게 온 사람이 오히려 먼저 내릴 수 있는 방식이 존재하는 것을 생각해 볼 때 반드시 규명되어져야 하는 것임을 알 수 있다. 전자의 경우는 가장 보편적인 대기행렬의 형성형태로서 FIFO(first in, first out)라고 부르며 후자를 FILO(first in, last out)라고 부른다. 한편 도착순서에 상관없이 무작위적으로 서비스받는 형태는 SIRO(served in random order)라고 한다.

대기행렬 공식 유도과정을 살펴보면 평균도착률을 λ라 하면 도착간의 평균시간 간격 $1/\lambda$이 되고, 평균서비스율을 μ라 하면 평균서비스시간은 $1/\mu$이 된다. 교통강도 $\rho = \lambda/\mu$는 $\rho < 1$ 이어야 하며, $\rho \geq 1$이면 대기행렬이 무한정 길어진다.

시각 t에 n개가 시스템 내에 있을 확률을 $P_n(t)$라고 할 때, $t + \triangle t$의 상황을 고려하고자 하는데 이때, $\triangle t$는 매우 짧아서 이 시간동안에는 하나의 차량만이 시스템으로 들어오거나 나갈 수 있다.

① $\triangle t$동안 다음의 4가지의 확률이 존재한다.

- $\lambda \triangle t$ = 한 대의 차량이 시스템 내로 들어올 확률
- $1 - \lambda \triangle t$ =한대의 차량도 시스템 내로 들어오지 않을 확률
- $\mu \triangle t$ = 한 대의 차량이 시스템을 나갈 확률
- $1 - \mu \triangle t$ =한 대의 차량도 시스템을 나가지 않을 확률

② 시각 $t + \triangle t$에 시스템 내에 n대의 차량이 있는 경우는 다음의 세 가지 경우가 있다.

- 시각 t에 n대가 있고, $\triangle t$동안 한 대의 차량도 들어오거나 나가지 않을 때 ($\triangle t$동안 동시에 출발과 도착이 있을 확률은 "0" 이라고 가정)
- 시각 t에 $n-1$대가 있고, $\triangle t$동안 한 대의 차량이 도착할 때
- 시각 t에 $n+1$대가 있고, $\triangle t$동안 한 대의 차량이 출발할 때

③ 시각 $(t + \triangle t)$에 n대의 차량이 시스템 내에 있을 확률은 다음과 같다.

$$P_n(t + \triangle t) = P_n(t)[(1 - \lambda \triangle t)(1 - \mu \triangle t)] + P_{n-1}(t)[\lambda \triangle t(1 - \mu \triangle t)]$$
$$+ P_{n+1}(t)[(1 - \lambda \triangle t)\mu \triangle t] \quad (\text{for } n \geq 1)$$
$$P_n(t + \triangle t) - P_n(t) = -P_n(t)(\mu + \lambda)\triangle t + P_{n-1}(t)\lambda \triangle t$$
$$+ P_{n+1}(t)\mu \triangle t + \mu\lambda(\triangle t)^2[P_n(t) - P_{n-1}(t) + P_{n+1}(t)]$$

$(\triangle t)^2 \simeq 0$이라고 가정하고, $\triangle t$로 나누면,

$$\frac{P_n(t + \triangle t) - P_n(t)}{\triangle t} = \lambda P_{n-1}(t) - (\mu + \lambda)P_n(t) + \mu P_{n+1}(t)$$

$\triangle t \rightarrow 0$라고 하자

$$\frac{dP_n(t)}{dt} = \lambda P_{n-1}(t) - (\mu + \lambda)P_n(t) + \mu P_{n+1}(t), n = 1, 2, 3, \ldots\ldots$$

④ 시각 $t + \triangle t$에 시스템 내에 차량이 한 대도 없을 확률은 다음의 두 가지가 있을 수 있다.

- 시각 t에 차가 한 대도 없고, 시간 $\triangle t$동안 한 대도 도착하지 않을 때
- 시각 t에 차가 한 대 있고, 시간 $\triangle t$동안 한 대가 출발하고 한 대도 도착하지 않을 때

이 관계를 식으로 나타내면,

$$P_0(t+\triangle t) = P_0(t)(1-\lambda\triangle t) + P_1(t)[(\mu\triangle t)(1-\lambda\triangle t)]$$

$\triangle t$로 나누면,

$$\frac{P_0(t+\triangle t) - P_0(t)}{\triangle t} = \mu P_1(t) - \lambda P_0(t)$$

$\triangle t \to 0$라고 하자.

$$\frac{dP_0(t)}{dt} = \mu P_1(t) - \lambda P_0(t)$$

⑤ 시스템이 steady state이므로, 결과는 다음과 같다.

$$\frac{dP_n(t)}{dt} = 0(\text{시각 } t\text{에 모든 } n\text{에 대해})$$

$$\mu P_{n-1}(t) + \lambda P_{n+1} = (\lambda+\mu)P_n (n > 0)$$

$\mu P_1 = \lambda P_0$, $n=0$일 때

$t \to \infty$에 따라 P_n는 $P_n(t)$의 값이 된다.

$$\lambda P_0 = \mu P_1$$

$$\lambda P_0 + \mu P_2 = (\lambda+\mu)P_1$$

$$\lambda P_1 + \mu P_3 = (\lambda+\mu)P_2$$

$\rho = \lambda/\mu$로 대체하면,

$$P_1 = \rho P_0$$

$$P_2 = (\rho+1)P_1 - \rho P_0 = \rho^2 P_0$$

$$P_3 = (\rho+1)P_2 - \rho P_1 = \rho^3 P_0$$

$$\vdots$$

$$P_n = \rho^n P_0$$

모든 확률의 합은 1이므로,

$$\sum_{n=0}^{n\to\infty} P_n = 1$$

$$1 = P_0 + \rho P_0 + \rho^2 P_0 + \ldots$$

$$= P_0(1+\rho+\rho^2+\rho^3+\ldots)$$

$$= P_0\left(\frac{1}{1-\rho}\right) \quad (\rho < 1)$$

$\therefore P_n = \rho^n(1-\rho)$

통상 기사시험에 나오는 단일서비스 대기행렬의 관계식들을 정리하면 다음과 같다.

① 확률모형-시스템 내의 차량이 x대 있을 확률

$$f(x) = P[X=x] = \rho^x(1-\rho),\ x = 0, 1, 2 \cdots$$

$$\rho = \frac{\lambda}{\mu}$$

λ=단위시간당 고객도착률

μ=단위시간당 고객서비스율

② 평균고객수(즉 기대치) : 평균차량대수 : 시스템 내 고객수

$$E[X] = \frac{\rho}{1-\rho}$$

③ 평균 대기행렬의 길이 : 서비스를 기다리는 고객수 : 신호를 기다리는 차량수

$$E[Lq] = \frac{\rho^2}{1-\rho},\ 즉 E(X)-\rho$$

④ 한 고객이 서비스시설을 이용하는데(통과하는데) 걸리는 시간 : 평균체류시간

$$E(T) = \frac{1}{\mu-\lambda},\ 즉 \frac{E(X)}{\lambda}$$

⑤ 한 고객이 대기행렬 속에서 소비하는 시간(평균체류시간-평균서비스시간)

$$E(Tq) = \frac{\lambda}{\mu(\mu-\lambda)}$$

$$즉\ \frac{1}{\mu-\lambda} - \frac{1}{\mu} = \frac{\lambda}{\mu(\mu-\lambda)}$$

⑥ 한 시스템 내의 차량대수의 분산 $Var(n)$

$$Var(n) = \frac{\rho}{(1-\rho)^2} = \frac{\lambda\mu}{(\mu-\lambda)^2}$$

73 평균도착율 6대, 평균서비스율 8대일 경우 평균대기행렬의 길이와 시스템 내에 2대가 있을 확률과 시스템 내 평균대기행렬길이와 평균대기시간을 구하시오. (단, 도착분포형태는 poisson분포를 따르고 유출형태는 지수함수 형태이다)

해설

$$\rho = \frac{\lambda(\text{도착률})}{\mu(\text{서비스율})} = \frac{6}{8} = 0.75$$

시스템 내에 2대가 있을 확률 :

$$P(2) = \rho^n\ (\rho - 1) = 0.75^2(1 - 0.75) = 0.1406$$

시스템 내의 평균대기행렬 길이 : $E[Lq] = \frac{\rho^2}{1-\rho}$

$$E[Lq] = \frac{\rho^2}{1-\rho} = \frac{0.75^2}{1-0.75} = 2.25\text{대}$$

평균대기시간 : $E(Tq) = \frac{\lambda}{\mu(\mu-\lambda)} = \frac{6}{8\times(8-6)} = 0.375\text{시간} = 22.5\text{분}$

74 실제 도착교통량 398대/시, 단일창구에서 서비스 도착교통량이 720대/시일 때 다음을 계산하시오.

(1) 교통강도

해설 $\rho = \frac{398}{720} = 0.55$

(2) 존재하지 않을 확률

해설 $P(0) = (1-\rho) = 1 - 0.55 = 0.45$

(3) 시스템 내의 평균대기행렬 길이

해설 $E[Lq] = \frac{\rho^2}{1-\rho} = \frac{0.55^2}{1-0.55} = 0.67\text{대}$

(4) 평균대기시간

해설 $E[Tq] = \dfrac{\lambda}{\mu(\mu - \lambda)} = \dfrac{398}{720 \times (720 - 398)} = 0.00172시간 = 6.18초$

---

75 서비스율이 μ 이고 도착률이 λ 일 때 이용계수를 ρ 라 하자. 시스템 내에 차량이 한 대도 없을 확률을 이용계수식으로 쓰시오.

해설 이용계수식 : $\rho(교통강도) = \dfrac{\lambda(도착률)}{\mu(서비스율)} \rightarrow \rho_o = 1 - \rho$

---

76 은행고객들이 점원이 한사람인 창구에 12인/시의 속도로 도착하고 있다. 한 고객당 서비스시간은 평균 3분이며 도착분포형태가 Poisson분포를 따르고 유출형태가 지수함수 형태일 때 다음사항을 계산하시오.

(1) 은행점원이 일이 없어 대기하는 시간의 백분율

해설 $\lambda(도착률) = 12인/시,\ \mu(서비스율) = 60/3(인/시),\quad \rho = \dfrac{\lambda}{\mu} = \dfrac{12}{20} = 0.6$
$P(0) = (1 - \rho) = 1 - 0.6 = 0.4$

(2) 은행에 다섯 명의 고객이 있을 확률

해설 $P(5) = \rho^n\ (\rho - 1) = 0.6^5(1 - 0.6) = 0.031$

(3) 은행에 존재하는 평균고객수

해설 $E[X] = \dfrac{\rho}{1 - \rho} = \dfrac{0.6}{1 - 0.6} = 1.5인$

(4) 대기행렬의 길이

해설 $E[Lq] = \dfrac{\rho^2}{1 - \rho} = \dfrac{0.6^2}{1 - 0.6} = 0.9대$

(5) 은행에서 고객들의 평균체류시간

해설 $E[v] = \dfrac{1}{(\mu - \lambda)} = \dfrac{1}{(20 - 12)} = 0.125시간 = 450초$

77

아래의 합류구간에서 주방향 교통류의 원활한 흐름을 위하여 램프구간에 신호제어기를 설치하여 6초에 1대만 통과하도록 설치하였다. 도착하는 차량은 시간당 350대이고 도착분포형태가 Poisson분포를 따르고 유출형태가 지수함수 형태일 때 다음 문제에 답하시오.

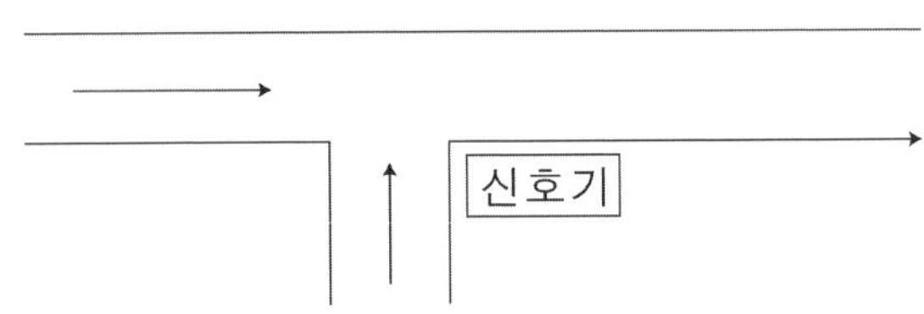

(1) 한 대도 도착하지 않을 확률은?

해설 λ(도착률) = 350대/시,

μ(서비스율) = 1/6(대/초) × 3,600(초/시) = 600대/시

$$\rho = \frac{\lambda}{\mu} = \frac{350}{600} = 0.5833$$

$$P(0) = (1-\rho) = 1 - 0.5833 = 0.4167$$

(2) 한 번에 3대가 도착할 확률은?

해설 $P(3) = \rho^n\ (\rho - 1) = 0.5833^3(1 - 0.5833) = 0.083 =$

(3) 램프에 대기하는 차량의 평균대수는?

해설 $E[X] = \dfrac{\rho}{1-\rho} = \dfrac{0.5833}{1-0.5833} = 1.4$대

(4) 평균대기열의 길이는 얼마인가?

해설 $E[Lq] = \dfrac{\rho^2}{1-\rho} = \dfrac{0.5833^2}{1-0.5833} = 0.82$대

(5) 각 차량의 평균대기시간은?

해설 $E(Tq) = \frac{\lambda}{\mu(\mu - \lambda)} = \frac{350}{600(600-350)} = 0.0023\text{시} = 8.4\text{초}$

2 교통용량

1 첨두1시간 내에 15분단위로 교통량을 조사한 결과 1,100대/15분, 1,000대/15분, 950대/15분, 1,050대/15분으로 측정되었다. 첨두시간계수(PHF)를 산출하시오.

해설 PHF=피크1시간 교통량/(4×15분 간 최대교통량)

$$=\frac{1,100+1,000+950+1,050}{4\times1,100}=\frac{4,100}{4,400}=0.93$$

2 첨두 한 시간 교통량은 4,300vph이며 첨두시간계수(PHF)는 0.896일 때 첨두 15분 교통량을 구하시오.

해설

$$PHF=\frac{PHV}{4\times V_{15}}=\frac{4,300}{4\times0.896}=1,200\rightarrow V_{15}=1,200\text{대}/15\text{분}$$

3 첨두1시간 교통량은 4,500vph이며 첨두시간계수(PHF)는 0.87일 때 첨두15분 교통량을 구하시오.

해설 $PHF = \frac{PHV}{4 \times V_{15}} = \frac{4,500}{4 \times 0.87} = 1,293 \rightarrow V_{15} = 1,293$대/15분

---

4 어느 도시가로의 첨두시간계수는 0.95로 조사되어 있다. 이 가로에서 첨두1시간 교통량을 조사하여 3.800대/시의 교통량을 얻었다면, 이 때 15분간에 조사할 수 있는 교통량 중 높은 교통량은 얼마인가?(소수점 이하는 반올림하시오)

해설 $PHF = \frac{PHV}{4 \times V_{15}} = \frac{3,800}{4 \times 0.95} = 1,000 \rightarrow V_{15} = 1,000$대/15분

---

5 다음은 어느 교차로의 한 접근로에서 조사된 교통량을 나타낸 표이다. 다음을 구하시오.

시간		교통량	시간		교통량
7:45	8:00	320	9:15	9:30	460
8:00	8:15	420	9:30	9:45	320
8:15	8:30	500	9:45	10:00	270
8:30	8:45	600	10:00	10:15	220
8:45	9:00	640	10:15	10:30	310
9:00	9:15	520			

(1) 첨두시간대는 언제인가?

해설 8:15-9:15

(2) 첨두시간교통량은 얼마인가?

해설 2,260대/시

(3) 첨두시간계수는 얼마인가?

해설 $PHF = \frac{PHV}{(4 \times V_{15})} = \frac{2,260}{4 \times 640} = 0.88$

---

6 첨두시간 1시간 동안 15분 간격으로 교통량을 조사한 결과가 아래와 같다. 다음 물음에 답하시오.

시간	교통량
8:00~8:15	1,100
8:15~8:30	1,250
8:30~8:45	1,200
8:45~9:00	1,050
8:00~9:00	4,600

(1) 첨두15분 교통류율은?

해설 첨두15분 교통류율=1,250대/15분

(2) 첨두시간계수는 얼마인가?

해설 $PHF = \frac{PHV}{(4 \times V_{15})} = \frac{4,600}{4 \times 1,250} = 0.92$

---

7 첨두시간 1시간 동안 15분 간격으로 교통량을 조사한 결과가 아래와 같다. 다음 물음에 답하시오.

시간	교통량
18:00~18:15	1,000
18:15~18:30	1,100
18:30~18:45	1,200
18:45~19:00	1,000
18:00~19:00	4,300

(1) 첨두15분 교통류율은?

해설 첨두15분 교통류율=1,200대/15분

(2) 첨두시간 계수는 얼마인가?

해설 $PHF = \frac{PHV}{(4 \times V_{15})} = \frac{4,300}{4 \times 1,200} = 0.9$

---

8 평지구간의 4차로 고속도로 구간에 버스가 5%, 트럭이 10%인 교통류가 주행하고 있다. 이때의 중차량 보정계수 값을 구하시오.(E_t=1.5, E_B=1.3)

해설 평지이므로

$$f_{HV} = \frac{1}{[1+P_T(E_T-1)+P_B(E_B-1)]} = \frac{1}{1+0.1(1.5-1)+0.05(1.3-1)}$$

=0.94

【참고】• 중차량 보정계수 f_{HV} 산정

승용차 환산계수와 각 중차량의 구성비에 대해 다음 식에 따라 중차량 보정계수를 계산한다.

– 일반지형의 경우

$$f_{HV} = \frac{1}{[1+P_{T_1}(E_{T_1}-1)+P_{T_2}(E_{T_2}-1)]} \quad (\text{평지})$$

$$f_{HV} = \frac{1}{[1+P_{HV}(E_{HV}-1)]} \quad (\text{구릉지, 산지})$$

– 특정 경사구간의 경우, 종단경사 3% 이상이 500m 이상 계속되는 구간으로 별도 분리

$$f_{HV} = \frac{1}{[1+P_{HV}(E_{HV}-1)]}$$

여기서,

E_{T_1}, E_{T_2} = 중형차량, 대형차량의 승용차환산계수

P_{T_1}, P_{T_2} = 중형차량, 대형차량의 구성비

E_{HV} = 중차량에 대한 승용차 환산계수

P_{HV} = 중차량 구성비

---

9 평지구간에 용량이 2200pcphpl 상태에서 중차량 환산계수(트럭·버스 : 1.5, 트레일러 : 1.9), 중차량 혼입율(트럭·버스 : 15%, 트레일러 : 5%), 추월불가능구간 0%일 때 용량을 산정하시오.

해설 추월불가능구간 0%란 2차로 도로의 경우를 말한다.

$$f_{HV} = \frac{1}{[1+Pt(Et-1)+Pb(Eb-1)]} = \frac{1}{[1+0.15(1.5-1)+0.05(1.9-1)]}$$

$= 0.893$

용량=2200 × f_{HV}=2200×0.893=1965vph

---

10 승용차 80%, 트럭 10%, 버스 10%의 혼입율을 가지며 트럭과 버스의 환산계수가 각각 3.0과 4.0이라 할 때 f_{HV}를 구하시오.

해설 $P_c = 0.8$, $P_t = 0.1$, $P_b = 0.8$, $E_t = 3.0$, $E_B = 4.0$

$$f_{HV} = \frac{1}{1+Pt\,(Et-1)+Pb\,(Eb-1)} = \frac{1}{1+0.1(3-1)+0.1(4-1)} = 0.67$$

---

11 구릉지인 경우, 중차량의 승용차환산계수가 2이고, 중차량의 혼입율이 20%일 때 중차량의 혼입에 따른 보정계수는 얼마인가?

해설 $P_{HV} = 0.2$, $E_{HV} = 2$

구릉지이므로 $f_{HV} = \frac{1}{[1+P_{HV}\,(E_{HV}-1)]} = \frac{1}{1+0.2(2-1)} = 0.83$

12 설계속도 100km/h인 4차로 고속도로 기본구간에 대한 서비스수준(LOS)과 v/c를 구하시오.(단. LOS 판단은 아래문제에 제시된 표를 참고하시오)

> · 첨두시간교통량 : 2,500대/시　　· 최대허용교통량 : 2,200대/시
> · PHF : 0.95　　· 측방여유폭 : 0.8
> · 차량구성비 : (트럭 · 버스 20%), (트레일러 : 5%)
> · $E_{T1} = 1.5$,　$E_{T2} = 2.0$

해설

$$v/c = \frac{SF}{(C_j \times N \times f_w \times f_{HV})}$$

$C_j = 2{,}200pcphpl$,　$N = 2$,　$E_{T1} = 1.5$,　$E_{T2} = 2.0$

$$f_{HV} = \frac{1}{P_T(E_T - 1) + P_B(E_B - 1)} = \frac{1}{(1 + 0.2 \times 0.5 + 0.05 \times 1)} = 0.87$$

$$SF = 2{,}500/0.95 = 2{,}632\ vph$$

$$v/c = \frac{2{,}632}{(2{,}200 \times 2 \times 0.87 \times 0.8)} = 0.86$$

∴ 서비스수준(LOS) E

13 〈고속도로 기본구간의 서비스수준〉 표를 보고 4차로 고속도로 기본구간에 대한 서비스수준(LOS)과 v/c를 구하시오.(단, 설계속도 : 100km/h, 현재교통량 : 2,600대/시, 용량 : 2,200대/시, F_{HV} : 0.84, F_w : 0.96)

<고속도로 기본구간의 서비스수준>

서비스 수준	밀도 (pcpkmpl)	설계속도 120 kph		설계속도 100 kph		설계속도 80 kph	
		교통량 (pcphpl)	v/c비	교통량 (pcphpl)	v/c비	교통량 (pcphpl)	v/c비
A	≤6	≤700	≤0.3	≤600	≤0.27	≤500	≤0.25
B	≤10	≤1,150	≤0.5	≤1,000	≤0.45	≤800	≤0.40
C	≤14	≤1,500	≤0.65	≤1,350	≤0.61	≤1,150	≤0.58
D	≤19	≤1,900	≤0.83	≤1,750	≤0.8	≤1,500	≤0.75
E	≤28	≤2,300	≤1.00	≤2,200	≤1.00	≤2,000	≤1.00
F	>28	–	–	–	–	–	–

해설 $v/c = \frac{SF}{(C_j \times N \times f_w \times F_{HV})}$, $C_j = 2,200pcphpl$, $N = 2$

$$v/c = \frac{2,600}{(2,200 \times 2 \times 0.96 \times 0.84)} = 0.73$$

$\therefore$ 서비스수준(LOS) D

---

14 설계속도가 100kph인 평지부 고속도로의 용량을 산정하시오.(차로수=3, 기본용량=2,200대/시, 차로폭보정계수=0.9, 측방여유폭 보정계수=0.97, 중형차구성비=15%, 대형차구성비=3%, 중형차의 승용차 환산계수=1.5, 대형차의 승용차 환산계수=2.0)

해설

$$f_{HV} = \frac{1}{1 + 0.15(2.5-1) + 0.03(2-1)} = 0.905$$

$$C = C_j \times N \times f_W \times f_{HV} = 2,200 \times 0.9 \times 0.97 \times 3 \times 0.905 = 5,125\text{대}/\text{시}/3\text{차로}$$

---

15 2현시 운영의 신호교차로에서 신호주기 시간이 80초이고, 주기당 손실시간은 6초일 때 교차로 전체의 주 이동류의 v/c비는?(각 현시별 주이동류의 교통수요와 포화유율은 1현시 V=700, S=1,500, 2현시 V=400, S=1,000)

해설 • **각 접근로별 V/S비 계산과 주 이동류 파악**

• **1현시** : $\frac{V}{S} = \frac{700}{1,500} = 0.47$

• **2현시** : $\frac{V}{S} = \frac{400}{1,000} = 0.40$

• **주기별 유효녹색시간**

유효녹색시간(g)=신호주기(C)−주기당 손실시간$(L) = 80 - 6 = 74$초

• **교차로** v/c

교차로 $v/c = \frac{C}{C-L} \times \sum_j (v/s)_j = \frac{C}{g} \times \sum_j (v/s)_j = \frac{80}{74} \times (0.47 + 0.4) = 0.94$

---

16 신호등 교차로에서의 한 접근로의 포화류율은 2,250대/시간, 녹색시간비 g/c는 0.4이다. 이 접근로의 용량은 얼마인가?

해설

$C_i = S_i \times (\frac{g_i}{C})$=2,250×0.4=900대/시

---

17 신호등 교차로에서의 한 접근로의 포화류율(s) 2,450대/시간, 유효녹색시간비 (g/c)는 0.4이다. 이 접근로의 용량은 얼마인가?

해설

$C_i = S_i \times (\frac{g_i}{C})$=2,450×0.4=980대/시

---

18 일주일간의 교통량이 요일당 아래와 같을 때 목요일 조사값을 보정하기 위한 Daily Factor의 값은 얼마인가?

요일	월	화	수	목	금	토	일
교통량	1,700	1,850	1,900	1,710	1,580	1,150	800

해설 TOTAL 교통량=10,690, 일평균교통량=10,690/7=1527.14=1,528

$$DF = \frac{\text{일평균교통량}}{\text{특정일교통량}} = \frac{1,528}{1,710} = 0.894$$

---

19 어느 도로구간에서 10월 둘째주 목요일 7:00~9:00시 동안에 조사한 교통량이 3,600대였다. 이 구간동안의 교통량은 일일 교통량의 17%를 차지하며 목요일에 대한 변동계수는 0.97, 10월에 대한 변동계수는1.43일 때 이 도로의 연평균 일교통량($AADT$)를 산출하시오.

해설 $AADT$= 교통량×(100/일일교통량비율)×요일변동계수×월변동계수

$$= 3,600 \times \frac{100}{17} \times 0.97 \times 1.43 = 29,374\text{대/일}$$

---

20 어느 구간에서 10월 둘째주 목요일 하루의 전역조사 교통량이 37,000대였다. 이 도로부근에 있으면서 교통량 변동패턴이 비슷하여 같은 GROUP 내에 있다고 판단되는 상시조사지점에서 얻은 교통량의 월변동계수($AADT$: 1월평균 평일교통량)와 요일변동계수(월평균 평일 교통량/월평균 평일의 요일 교통량)는 다음과 같다. 이 도로구간의 $AADT$를 산출하시오.

월 변동계수($AADT$/월평균 평일 교통량)

월	1	2	3	4	5	6	7	8	9	10	11	12
월변동계수	1.05	0.98	0.9	1.08	1.09	1.03	1.03	0.94	0.96	1.0	0.96	0.96

요일 변동계수(10월평일)

월	요일	월	화	수	목	금
10	요일변동계수	1.0	1.0	0.99	0.99	0.99

해설 10월 평일의 평균교통량=37,000×0.99=36,630대/일

$AADT$=36,630×1.0=36,630대/일

21 어느 도로구간에서 10월 첫째주 화요일 7:00~9:00시 동안에 조사한 교통량이 3,300대였다. 이 구간동안의 교통량은 일일 교통량의 15%를 차지하며 화요일에 대한 변동계수는 0.95, 10월에 대한 변동계수는1.43일 때 이 도로의 $AADT$를 구하시오.

해설 $AADT=$ 교통량$\times$(100/일일교통량비율)$\times$요일변동계수$\times$월변동계수

$$= 3{,}300\times\frac{100}{15}\times 0.95\times 1.43 = 29{,}887\text{대/일}$$

22 어느 교통량이 상시 측정지점에서의 요일별 일평균 교통량의 표와 같다. 이 표를 토대로 요일별교통량의 교통량 보정계수를 구하시오.

요일	교통량	누적퍼센트(%)
일	1,000	8.66
월	1,500	12.99
화	2,500	21.65
수	1,800	15.58
목	2,300	19.91
금	1,400	12.12
토	1,050	9.09

해설 전체 교통량=11,550, 일평균 교통량=11,500/7=1,650대/시

$$\text{일요일 } DF=\frac{\text{일평균 교통량}}{\text{특정일 교통량}}=\frac{1{,}650}{1{,}000}=1.65$$

$$\text{월요일 } DF=\frac{\text{일평균 교통량}}{\text{특정일 교통량}}=\frac{1{,}650}{1{,}500}=1.1$$

$$\text{화요일 } DF=\frac{\text{일평균 교통량}}{\text{특정일 교통량}}=\frac{1{,}650}{2{,}500}=0.66$$

$$\text{수요일 } DF=\frac{\text{일평균 교통량}}{\text{특정일 교통량}}=\frac{1{,}650}{1{,}800}=0.92$$

$$\text{목요일 } DF=\frac{\text{일평균 교통량}}{\text{특정일 교통량}}=\frac{1{,}650}{2{,}300}=0.72$$

$$\text{금요일 } DF=\frac{\text{일평균 교통량}}{\text{특정일 교통량}}=\frac{1{,}650}{1{,}400}=1.18$$

$$토요일\ DF = \frac{일평균\ 교통량}{특정일\ 교통량} = \frac{1,650}{1,050} = 1.57$$

23 요일별 변동계수를 구하시오.

요일	월	화	수	목	금	토	일
평균교통량	2,450	2,400	2,450	2,450	2,600	2,300	2,000

해설 전체교통량=16,650, 일평균교통량=16,650/7=2,379대/시

$$월요일\ DF = \frac{일평균\ 교통량}{특정일\ 교통량} = \frac{2,379}{2,450} = 0.97$$

$$화요일\ DF = \frac{일평균\ 교통량}{특정일\ 교통량} = \frac{2,379}{2,400} = 0.99$$

$$수요일\ DF = \frac{일평균\ 교통량}{특정일\ 교통량} = \frac{2,379}{2,450} = 0.97$$

$$목요일\ DF = \frac{일평균\ 교통량}{특정일\ 교통량} = \frac{2,379}{2,450} = 0.97$$

$$금요일\ DF = \frac{일평균\ 교통량}{특정일\ 교통량} = \frac{2,379}{2,600} = 0.92$$

$$토요일\ DF = \frac{일평균\ 교통량}{특정일\ 교통량} = \frac{2,379}{2,300} = 1.03$$

$$일요일\ DF = \frac{일평균\ 교통량}{특정일\ 교통량} = \frac{2,379}{2,000} = 1.19$$

24 어느 도로구간 내에서 얻은 자료로부터 $AADT$가 36,000대, K_{30}계수의 값이 0.06, 중차량비율이 20%로 나타났다. 방향별 교통량 분포가 60:40일 때 이 도로의 중방향 설계시간 교통량을 구하시오.(단, 중차량의 승용차환산계수는 1.8로 한다)

해설 $K_{30} = 0.06,\ D = 0.6$

$DDHV = AADT \times K_{30} \times D = 36,000 \times 0.06 \times 0.6 = 1,296$ 대/시

$\therefore\ (1,296 \times 0.8 + 1,296 \times 0.2 \times 1.8) = 1,504$ 대/시

【참고】 $DHV(설계시간\ 교통량) = AADT \times K_{30}$

$DDHV(중방향\ 설계시간\ 교통량) = AADT \times K_{30} \times D$

$$PDDHV(\text{첨두시 중방향 설계시간 교통량}) = \frac{AADT \times K_{30} \times D}{PHF}$$

① 설계시간계수 K는 지방부 12~18%, 도시부 5~12% 사이

② 중방향계수 D는 지방부 0.65, 도시부 0.60을 보통 사용

---

25 계획 중인 어떤 고속도로의 설계지정항목 중에서 계획년도$AADT$=57,600대, K계수=0.15, D계수=0.6, 설계속도(V)=120km/h, 계획서비스수준 v/c=0.75, 차로당 용량(c)=2,200vph이다.

(1) 양방향 차로수는?

해설

$$\text{차로수}(N) = \frac{AADT \cdot D \cdot K}{SFi} = \frac{AADT \cdot D \cdot K}{c \cdot (v/c)}$$

$$= \frac{57,600 \times 0.15 \times 0.6}{2,200 \times 0.75} = 3.14$$

∴ 왕복 8차로 설계

(2) 소요차로가 건설되었을 때 v/c비는?

해설

$$\text{차로수}(N) == \frac{AADT \cdot D \cdot K}{SFi} = \frac{AADT \cdot D \cdot K}{c \cdot (v/c)}$$

$$v/c = \frac{AADT \cdot D \cdot K}{c \cdot N} = \frac{57,600 \times 0.15 \times 0.6}{2,200 \times 4} = 0.59$$

---

26 상시조사지점의 교통량이 40,000대이고 K값(30HV/$AADT$)이 14%이고 또 조사지점에서의 중방향 교통량 비율(D계수)과 대형차 구성비(T계수)가 각각 60%와 15%일 때 이 도로구간의 설계시간교통량을 구하시오.(단 대형차의 승용차 환산계수(PCE)는 1.8이다)

해설 30HV=40,000×0.14=5,600대/시 (양방향)

중방향 30HV=5,600×0.6=3,360대/시

양방향 설계시간 교통량 =3,360×2=6,720대/시

∴ 승용차단위 양방향 설계시간 교통량
=(6,720×0.15×1.8)+(6,720×0.85)=7,526 대/시

---

27 상시조사지점 자료로부터 K값($30HV/AADT$)이 15%임을 알았다. 29,700의 $AADT$의 이 도로에서 또 중방향 비율(D계수)과 대형차 구성비(T계수)가 각각 60%와 15%일 때 이 도로구간의 설계시간 교통량을 구하시오.(단 대형차의 승용차 환산계수(PCE)는 1.8이다)

해설 $30HV$=29,700×0.15=4,455대/시(양방향)
중방향 $30HV$=4,455×0.6=2,673대/시
양방향 설계시간 교통량 =2,673×2=5,346대/시
∴ 승용차단위 양방향 설계시간 교통량
=(5,346×0.15×1.8)+(5,346×0.85)=5,988 대/시

---

28 고속도로 서비스수준 B 이상 만족하기 위한 차로수 계획을 세우려 한다. 이 고속도로의 차로수를 산정하시오. (설계속도 : 100Km/h, 서비스교통량 : 2,350 대/h, F_{HV} : 0.72, F_w : 0.96, F_P : 1.00, 서비스수준 B의 V/C : 0.45)

해설
$$N=\frac{SFi}{C_j\times(v/c)i\times f_{HV}\times f_W\times f_P}=\frac{2,350}{2200\times0.45\times0.72\times0.96\times1.00}$$
$$=3.43$$

∴ 위의 서비스를 만족시키기 위해서는 편도 4차로가 필요하다.

【참고】• 서비스교통량

주어진 도로조건과 교통조건에 대한 서비스 교통량(vph)은 이상적인 조건의 최대 서비스교통량(pcphpl)을 기준으로 차로폭 및 측방여유폭과 중차량을 고려하여 산출한다.

$$SF_i = MSF_i\times N\times f_W\times f_{HV}$$
$$= C_j\times(V/C)_i\times N\times f_W\times f_{HV}$$

여기서,

SF_i = 서비스수준 i에서 주어진 도로 및 교통 조건에 대한 서비스교통량(vph)
N = 편도 차로 수
f_W = 차로폭 및 측방여유폭 보정계수
f_{HV} = 중차량 보정계수
MSF_i = 서비스수준 i에서 차로당 최대 서비스교통량(pcphpl)

---

29 차로계획 중인 어떤 고속도로의 설계지정항목(design designation)의 값은 다음과 같다. 계획연도의 $AADT$=57,600대, K계수=0.18, D계수=0.6, 설계속도 =120kph 계획서비스수준 v/c=0.75, 차로당 용량이 23,00대/시간일 때 이 도로의 양방향 차로수를 구하고 소요차로가 건설되었을 때의 v/c비를 산정하시오.

해설
- 중방향 예상교통량 : $DHV = 57,600 \times 0.18 \times 0.6 = 6,220$ 대/시
- 차로당 서비스교통량 : $SF_i = 2,300 \times 0.75 = 1,725$ 대/시
- 소요차로수(중방향) : $N = \dfrac{6,220}{1,725} = 3.6 \rightarrow$ 4차로

∴ 양방향 8차로의 도로가 필요하다.
∴ 소요된 차로수 대로 건설되었을 때의 v/c =6,220/(2,300×4)=0.6

---

30 지방부 고속도로, 설계속도 100kph, 서비스수준 B,(V/C)=0.61, 용량=2,200 대/시, 표년도 $AADT$=35,000대/시, K계수=0.18, D계수=0.6, 이중 첨두시간에 중형(2.5톤 이상 트럭과 버스) 구성비 20%, 대형(특수차량)의 구성비 5%와 PHF 0.90일 때 기본구간 차로수(평지부 일반 E_{t1}=1.5, E_{t2}=2)를 설계하고 이때 v/c비를 산정하시오.

해설

$$DHV = \frac{35,000 \times 0.18 \times 0.6}{0.90 \times f_{HV}}$$

$$f_{HV} = \frac{1}{[1 + 0.2(1.5 - 1) + 0.05(2 - 1)]} = 0.87$$

- $DHV = \dfrac{35,000 \times 0.18 \times 0.6}{0.90 \times 0.87} = 4,828$ 대/시
- $SF_i = 2,200 \times 0.61 = 1,342$대/시

· $N=\dfrac{4,828}{1,342}=3.598$ → 4차로

∴ 양 방향 8차로 필요

· 용량 C=2,200×4=8,800대/시

· 설계된 차로수로 운영할 때 $v/c=\dfrac{4,828}{8,800}=0.55$

---

31 다음과 같은 도로 및 교통 조건을 갖는 도시지역 고속도로가 있다. 이 지역의 교통 수요는 매년 4%정도의 증가 추세를 보일 것으로 예측된다. 현재와 3년 후의 서비스수준을 평가하고 확장이 필요한 시기를 결정하라.

도로 조건	교통 조건
· 설계속도 80kph · 양방향 6차로 · 차로폭 3.5m · 측방여유폭 1.5m · 지형은 평지	· 첨두시간계수(PHF) 0.95 · 첨두시간 교통량(일방향 : 3,000 vph(현재), 3,375 vph(3년 후) · 중차량 구성비 10%

가 정

· 포장 상태와 기후 조건은 양호한 상태로 가정
· 중차량 구성은 2.5톤 이상의 중형 트럭으로 가정
· 확장이 요구되는 서비스수준은 D(하한치)로 가정

고속도로 기본구간 서비스수준

서비스수준	밀도 (pcpkmpl)	설계 속도 120 kph		설계 속도 100 kph		설계 속도 80 kph	
		교통량 (pcphpl)	v/c비	교통량 (pcphpl)	v/c비	교통량 (pcphpl)	v/c비
A	≤6	≤700	≤0.3	≤600	≤0.27	≤500	≤0.25
B	≤10	≤1,150	≤0.5	≤1,000	≤0.45	≤800	≤0.40
C	≤14	≤1,500	≤0.65	≤1,350	≤0.61	≤1,150	≤0.58
D	≤19	≤1,900	≤0.83	≤1,750	≤0.8	≤1,500	≤0.75
E	≤28	≤2,300	≤1.00	≤2,200	≤1.00	≤2,000	≤1.00
F	>28	–	–	–	–	–	–

해설 · 차로폭 및 측방여유폭 보정계수 : $f_W=1.00$

· 중차량 보정계수 f_{HV}

$P_{T_0} = P_{T_2} = 0$, $P_{T_1} = 0.1$, $E_{T_1} = 1.5$ 이므로,

$$f_{HV} = \frac{1}{1 + P_{T_0}(E_{T_0} - 1) + P_{T_1}(E_{T_1} - 1) + P_{T_2}(E_{T_2} - 1)} = \frac{1}{1 + 0.1(1.5 - 1)}$$

$= 0.95$

· 첨두시간 환산 교통량 : $V_P = \dfrac{V}{PHF}$

$= \dfrac{3,000}{0.95} = 3,158vph$(현재)

$= \dfrac{3,375}{0.95} = 3,553vph$(3년후)

· 주어진 도로 및 교통 조건에 대한 용량(C)을 산출시 80kph일 때 용량 $C_j = 2,000$

$C = C_j \times N \times f_W \times f_{HV} = 2,000 \times 3 \times 1.0 \times 0.95 = 5,700vph$

· 현재와 3년 후의 V/C비를 산정하여 밀도를 산출, 서비스수준 판정

∴ 현재 : V/C = 3,158/5,700 = 0.55 → 밀도 = 13.3 → 서비스수준 C

∴ 3년 후 : V/C = 3,553/5,700 = 0.62 → 밀도 = 15.2 → 서비스수준 D

· 교통량이 확장 서비스수준(LOS D) 하한치를 초과할 때의 연도를 구함

설계속도 100kph에서 Cj = 2,000, V/C = 0.75이므로,

$SF_i = C_j \times (V/C)_i \times N \times f_W \times f_{HV}$ 에서

$SF_D = 2,000 \times 0.75 \times 3 \times 1.0 \times 0.95 = 4,275vph$

$3,158 \times 1.04^n = 4,275$에서 $n = 7.72$년

∴ 따라서, 확장 사업 완공이 되어야 하는 시기는 7년 후이며, 공사 기간이 3년이 소요된다면 4년 후 확장을 시작해야 한다.

---

32 $AADT$=10,000, D=60%, K=10%, 교통량이 연평균 20% 증가할 때 3년 후의 설계시간 교통량은 얼마인가?

해설 K=0.1 D=0.6

$DHV = AADT \times K \times D = 10,000 \times 0.1 \times 0.6 = 600$

$600 \times (1 + 0.2)^3 = 1,037$ 대/시

33 톨게이트 상류에서 조사한 첨두시간 교통수요는 6,650대 이었다. 톨게이트를 지난 후의 도로용량이 5,000(대/시)이며 톨게이트의 요금징수 시간이 차량당 평균 10초이다. 도로운영에서 톨게이트를 통과하는 시간당 차량대수와 도로 용량이 일치하는 것이 좋다. 톨게이트의 적정 요금징수소(Booth)의 수를 구하시오.

해설 적정 톨게이트 통과율=톨게이트를 지난 후의 도로용량=5,000대/시

5,000/3,600=1.39대/초

요금징수소의 수(x)

톨게이트 요금 징수시간=10초/대

초당 톨게이트 이용차량수=(x/10) 대/초

적정 톨게이트 통과율=초당 톨게이트 이용차량수

$1.39=x/10 \rightarrow x=10\times1.39=13.9$

∴ 14개

34 다음 4지 신호교차로에서 각 접근로별 평균제어지체는 아래 표와 같다. 이 교차로의 서비스수준을 결정하시오.

접근로	1	2	3	4
교통량(vph)	500	1,300	350	1,500
평균제어지체(초/대)	45.4	23.7	24.8	34.9

해설

$$\text{평균지체} = \frac{\text{접근로 총지체시간}}{\text{접근로 총교통량}}$$

$$= \frac{(500\times45.4)+(1,300\times23.7)+(350\times24.8)+(1,500\times34.9)}{500+1,300+350+1,500} = 31.4\text{초/대}$$

∴ 서비스수준 C

【참고】 • 신호교차로의 서비스수준

서비스수준	차량당 제어지체
A	≤ 15초
B	≤ 30초
C	≤ 50초
D	≤ 70초
E	≤ 100초
F	≤ 220초
FF	≤ 340초
FFF	> 340초

35 전체 도로 폭이 4.3m인 보행자도로의 한쪽은 연석 폭원은 0.5m이며, 다른 쪽은 상점이 있다. 15분 첨두 보행교통량이 1,827(인/15분)일 때 첨두 15분 동안 평균적인 상황에서의 서비스수준을 판정하시오.(상점 디스플레이로 영향을 받는 방행폭원은 0.9m라고 가정)

해설 ① 총 보도폭에서 연석과 상점디스플레이에 의한 방해폭원을 빼주면 유효보도폭이 결정된다.

$W_E = W_T - W_O = 4.3 - 0.5 - 0.9 = 2.9m$

② 15분간 보행교통량을 보행교통류율(인/분/m)로 환산한다.

$V_P = V_{15} / (15 \times W_E) = 1{,}827 / (15 \times 2.9) = 42\text{인}/\text{분}/m$

∴ 서비스수준 C

【참고】 • 보행자 서비스수준

서비스수준	보행자교통류율 (인/분/m)	점유공간 (㎡/인)	밀도 (인/㎡)	속도 (m/분)
A	≤ 20	≥ 3.3	≤ 0.3	≥ 75
B	≤ 32	≥ 2.0	≤ 0.5	≥ 72
C	≤ 46	≥ 1.4	≤ 0.7	≥ 69
D	≤ 70	≥ 0.9	≤ 1.1	≥ 62
E	≤ 106	≥ 0.38	≤ 2.6	≥ 40
F	–	< 0.38	> 2.6	< 40

36 보행신호가 2현시로 운영, 총 주기가 120초, 황색시간 6초 그리고 다음 그림과 같이 횡단보도가 설치된 신호교차로에서 보행자 지체와 보행자 공간을 이용하여 횡단보도의 서비스수준을 판정하시오. 분석대상 횡단보도에서 횡단보도 길이(L=14.0m), 횡단보도 폭(W=5.0m), 횡단보도 진입보행량(V_i=450인/15-분), 횡단보도 진출보행량(V_o=204인/15-분), 보행자 녹색시간(G=25.0초), 보행자 속도는 1.2m/초로, 손실시간은 없다고 가정한다.

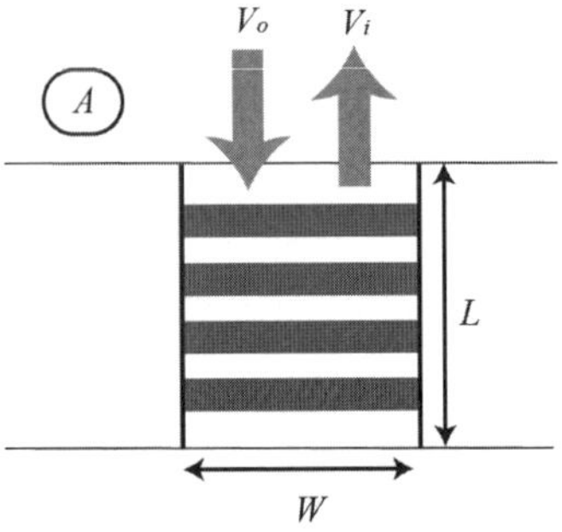

V_o V_i Ⓐ L W	V_i : A지점으로 들어오는 횡단보도 진입보행량 V_o : A지점으로 들어오는 횡단보도 진출보행량 L : 횡단보도 길이(m) W: 횡단보도 폭(m)

해설 (1) 보행자 지체 기준으로 서비스 수준을 산정하시오.

- 횡단보도를 횡단하고자 하는 보행자의 평균지체 시간을 계산

$$d_p = \frac{(C-G)^2}{2C} = \frac{(120-25)^2}{2(120)} = 37.6\text{초}$$

여기서, d_p : 평균 보행자 지체(초)
G: 보행자 녹색시간(초)
C: 주기(초)

∴ 서비스수준 C

(2) 점유공간 기준으로 서비스 수준을 산정하시오.

- 보행량(15분단위)를 주기 당 보행자수로 바꿈

$$V_i = (\frac{450}{15})\frac{120}{60} = 60\text{ 인/주기}$$
$$V_o = (\frac{450}{15})\frac{120}{60} = 32\text{ 인/주기}$$

- 보행자 녹색시간이 시작될 때 대기 중이던 보행자수

$$N = \frac{V_o(C - G_c)}{C} = \frac{32(120-25)^2}{120} = 25.3\text{인/주기}$$

- 25.3명의 보행자가 횡단하는데 필요한 시간

$$t = 3.2 + \frac{L}{S_p} = (0.81 \times \frac{N}{W_e}) = 3.2 + \frac{14}{1.2} + (0.81 \times \frac{25.3}{5}) = 18.97\text{초}$$

여기서, t : 총 횡단시간(초)
L : 횡단보도 길이(m)
S_p : 보행자의 평균 속도(m/s)
N_{ped} : 한 주기동안 횡단한 보행자(인)
W_e : 유효 횡단보도 폭(m)
3.2 : 보행자 $start - up\ time$(초)

- 횡단보도에서 제공되는 총 여유 공간(시간-공간, ㎡-초) 계산

$$TS = L_d W_e (G_c - \frac{L}{2S_p}) = (14)(5)(25 - \frac{14}{2.4}) = 1341.6\text{㎡} - \text{초}$$

여기서, TS: 시 - 공간 면적(㎡ - 인)

- 총 횡단보도 점유시간(인-초) 계산

$$T = (V_i + V_o)t = (60+32)(18.97) = 1745.2\text{인} - \text{초}$$

- 보행자 1인당 점유공간은 $M = \frac{1341.6}{1745.2} = 0.77$㎡/인

∴ 서비스수준 E

【참고】 • 신호횡단보도 서비스수준

서비스수준	평균 보행자지체(초/인)
A	≤ 15
B	≤ 30
C	≤ 45
D	≤ 60
E	≤ 90
F	> 90

3 교통신호 운영

1 신호교차로에서 지체시간을 측정하기 위하여 다음과 같은 자료를 수집하였다. 총 지체도, 정지차량당 평균지체도, 접근차량당 평균지체도를 소수 둘째자리까지 구하시오.(단위선정시간 15초)

	+0	+15	+30	+45초	정지 차량수	지나간 차량수
5:00	0	2	7	9	11	6
5:01	4	0	0	3	6	14
5:02	9	16	14	6	18	0
5:03	1	4	9	13	17	0
5:04	5	0	0	2	4	17
합계	19	22	30	33	56	37

(1) 총지체도는?

해설 총지체도=차량수의 합×선정단위시간=104×15=1,560대·초

(2) 정지차량당 평균지체도는?

해설 정지차량당 평균지체도=총지체도/정지차량수
=1,560대·초/56대=27.86초

(3) 접근차량당 평균지체도는?

해설 접근차량당 평균지체도

=총지체도/접근교통량(정지차량수+지나간 차량수)
=1,560대·초/(56+37)대=16.78초

【참고】• 교차로에서의 접근차량과 교차로 총지체 산정법
- 총지체도=차량수의 합×선정단위시간
- 정지차량당 평균지체도=총지체도/정지차량수
- 접근차량당 평균지체도=총지체도/접근교통량

---

2 중앙로와 남북로가 만나는 한 접근로의 조사결과가 다음과 같다. 총지체도와 접근차량당 평균지체도를 구하시오.(주기 110초, 선정단위시간 15초)

조사기간	+0	+15	+30	+45초	교통량
8:00	3	6	4	8	45
8:01	3	4	4	0	26
8:02	8	4	3	4	35
8:03	6	4	2	5	35
8:04	6	4	3	2	15
총계	83				156

해설 - 총지체도=차량수의 합×선정단위시간=83대×15초=1,245대·초
- 접근차량당 평균지체도=총지체도/접근교통량=1,245대·초/156대=7.98초

---

3 주기 130초 동안 16초 간격의 지체조사 결과는 아래와 같다. 접근차량 1대당 지체는?(단 교통량은 900대)

조사시간	0	16	32	48	64	80
정지차량수	13	9	10	14	12	17

해설 - 총지체도=차량수의 합×선정단위시간= 75대×16초=1,200대·초
- 접근차량당 평균지체도=총지체도/접근교통량=1,200대·초/900대=1.33초

4 어느 접근로의 지체도를 측정하기 위해서 조사를 실시하였다. 측정자료가 아래와 같을 때 다음의 질문에 대해 답하시오.(주기 100초, 선정단위 15초)

조사기간	+0	+15	+30	+45초	교통량
8:00	6	2	7	4	40
8:01	3	2	4	0	30
8:02	2	4	5	5	50
8:03	1	2	4	2	72
8:04	3	2	8	4	15

(1) 총지체도는?

해설 총지체도=정지차량수의 합×단위선정시간

$= (6+3+2+\cdots+5+2+4) = 70 \times 15 = 1,050$대 · 초

(2) 접근차량당 평균지체도는?

해설 접근차량당 평균지체도=총지체도/접근교통량

$= \dfrac{1,050}{(40+30+50+72+45)} = \dfrac{1,050}{207} = 5.07$초

접근차량당 평균지체도=총지체도/접근교통량

=1,050대 · 초/207대=5.07초

5 어느 접근로의 지체도를 측정하기 위해서 조사를 실시하였다. 측정자료가 아래와 같을 때 다음의 질문에 대해 답하시오.(주기 100초, 선정단위 시간 15초)

조사기간	+0	+15	+30	+45초	교통량
8:00	7	3	7	7	50
8:01	3	3	4	4	40
8:02	3	4	6	5	50
8:03	4	3	4	3	60
8:04	3	3	9	5	50

(1) 총지체도는 얼마인가?

해설 총지체도=정지차량수의 합×단위선정시간

$=(7+3+3+\dots+5+3+5)=90\times15=1,350$대·초

(2) 접근차량당 평균지체도는 얼마인가?

해설 접근차량당 평균지체도=총지체도/접근교통량

$=\dfrac{1,350}{(50+40+50+60+50)}=\dfrac{1,350}{250}=5.4$초

---

6 포화교통량을 산출하시오.

차량	출발시의 headway	차량	출발시의 headway
1	4.3	6	2.0
2	4.0	7	2.0
3	3.5	8	2.0
4	2.0	9	2.0
5	2.0	10	2.0

해설 포화차두시간=2초

포화교통량=3,600/2=1,800대/시(pcphgpl)

7 다음과 같이 출발 차두시간을 구하였을 때 포화교통량을 산출하시오.

1	2	3	4	5	6	7	8	9	10
3.4s	2.7s	2.4s	2.2s	2.2s	2.2s	2.2s	2.2s	2.2s	2.2s

해설 포화차두시간=2.2초　　포화교통량=3,600/2.2=1,637대/시(pcphgpl)

8 신호교차로에서 대기차량들이 정지선 통과상태에서 5번째 차량 이후부터는 모든 차량이 포화유율 0.5로 출발시 총통과 차량수는 10대, 총통과 시간은 24초 소요된다면 출발지연시간을 산출하시오.

해설 차두시간(초/대)=1/포화교통류율=1/0.5=2초
출발지연=24−(10×2)=x　∴ x=4(초)

9 출발차두시간이 다음 그림과 같을 때 손실시간을 산출하시오.

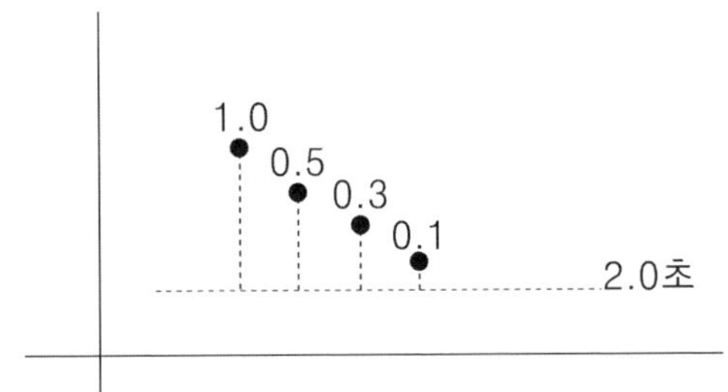

해설 포화차두시간=2.0초
출발손실시간=1.0+0.5+0.3+0.1=1.9초

10 신호교차로에서 신호등이 푸른색으로 바뀌면서 한 차로에 대한 차두 간격시간이 아래와 같을 때 포화시간간격, 포화교통량, 출발손실시간을 계산하시오.

대기행렬에 있는 차량번호	차두간격(초)	대기행렬에 있는 차량번호	차두간격(초)
1	2.6	5	1.8
2	2.4	6	1.8
3	2.2	7	1.8
4	2.1	8	1.8

해설 포화차두시간=1.8초
포화교통량=3,600/1.8=2,000대/시(pcphgpl)
출발손실시간=0.8+0.6+0.4+0.3=2.1초

11 신호교차로에서 대기차량들의 정지선 통과 상태에서 5번째 차량 이후부터는 모든 차량이 포화유율 1,900대/시로 출발하였다. 이때 총 통과차량수는 10대이고 총 통과시간은 24초 소요되었다. 출발지연시간은 얼마인가?

해설 $h=\frac{3,600}{1,900}$ h=1.89초 $L_1 = 24 - 10(1.89) = 5.1$초

12 녹색시간 42초, 출발지연시간 2.5초, 진행연장시간 1.5초일 때 유효녹색시간을 산출하시오.

해설 유효녹색시간 $= G - L_1 + L_2 = 42 - 2.5 + 1.5 = 41$초

13 주기가 100초 4현시고 이루어지는 교차로에서 출발지연시간이 2.7초이고 진행연장시간이 2초, 황색시간이 3초일 때 시간당 총 손실시간은 얼마인가?

해설 100초당 손실시간=4×(2.7+3−2)=14.8

1시간당 총손실시간 $14.8 \times \frac{3,600}{100} = 532.8$초

---

14 신호등 교차로에서 한 접근로에서 교통량비(flow ratio) v/s=0.27이며, 녹색시간비 g/c는 0.4일 때 포화도는 얼마인가?

해설 포화도=$(V/S)/(g/C) = 0.27/0.4 = 0.675$

【참고】• 접근로 or 이동류의 용량

$$c_i = S_i \times (g/C)_i$$

여기서

C_i : i 접근로 or 이동류의 용량(vph)

S_i : i 접근로 or 이동류의 포화교통류율(vphg)

$(g/C)_i$: i 접근로 or 이동류의 유효녹색시간대 주기의 비

X_i(포화도) $= (v/c)_i = v_i/[S_i \times (g/C)_i] = v_i C/S_i g_i = (v/s)_i/(g/C)_i$

---

15 어느 교차로의 한 접근로에서 포화 교통량이 1800대/시 접근교통량이 320대이고 유효녹색시간이 25초일 때 이 접근로의 V/C의 비는 얼마인가?(단, 주기는 120초이다)

해설 $v/c = (v/s)/(g/c) = (320/1{,}800)/(25/120) = 0.85$

---

16 주기가 60초, 유효녹색시간은 25초, 포화교통량이 1000대/시, 도착 교통량은 500대/시이다. 이 접근로의 차량군비를 구하시오.

해설 $v/c = (v/s)/(g/c) = (500/1{,}000)/(25/60) = 1.2$

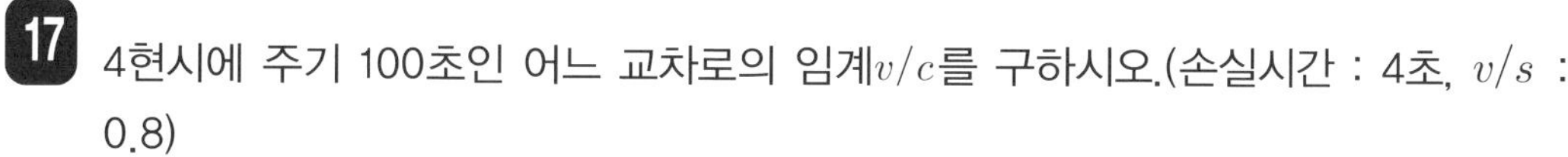

17 4현시에 주기 100초인 어느 교차로의 임계v/c를 구하시오.(손실시간 : 4초, v/s : 0.8)

해설 – 총유효녹색시간=100−(4×4)=84초

– 교차로임계 $v/c=0.8\times\frac{100}{84}=0.95$

18 2현시 운영의 신호교차로에서 신호주기 시간이 80초이고 주기당 손실시간은 6초일 때 교차로에 대한 다음 물음에 답하여라.(각 현시별 주이동류의 교통수요와 포화유율은 1현시 V=700, S=1,500, 2현시 V=400, S=1,000)

(1) 각 접근로별 V/S비 계산과 주 이동류 파악

해설 1현시$=V/S=\frac{700}{1,500}=0.47$

2현시$=V/S=\frac{400}{1,000}=0.40$

(2) 주기별 유효녹색시간

해설 유효녹색시간(g)=신호주기(C)−주기당 손실시간=80−6=74초

(3) 교차로 V/C

해설 $V/C=(0.47+0.40)\times\frac{80}{74}=0.94$

19 어느 교차로의 한 접근로에서 포화교통량이 1,800대/시 접근교통량이 320대이고 유효녹색시간이 25초일 때 이 접근로의 포화도를 산출하시오.(단, 주기는 120초)

해설 포화도$=(V/S)/(g/C)=(320/1,800)/(25/120)=0.85$

---

20 4현시 교차로의 v/s합은 0.78, 현시당 손실시간 3초일 경우 webster 방식을 이용한 적정주기를 산출하시오.

해설 손실시간 L=3초×4현시=12초

$$C_p=\frac{1.5L+5}{1-\sum y/s}=\frac{1.5\times 12+5}{1-0.78}=105\text{초}$$

---

21 4현시 신호등 교차로에서 최대교통량 방향의 교통량비(v/s)를 합한 값 $\sum Yi$가 0.80이며 교차로 전체의 v/c비가 0.9일때의 최소주기와 Webster 방식으로 적정주기를 산출하시오.(단, 각 현시의 손실시간은 3초)

해설

$$v/c=(\sum Y_i)\frac{c}{c-L}$$

$\frac{0.9}{0.8}=\frac{c}{c-12}$ 그러므로 최소주기 $C_{\min}=108$초

webster 적정주기공식 $Cop=\frac{1.5L+5}{1-\sum Y_i}$

$$Cop=\frac{1.5(12)+5}{1-0.8}=115\text{초}$$

【참고】• Webster 방식 이용 신호주기 산정

이 방식은 실측 자료 및 시뮬레이션을 통한 차량의 지체도를 고려하여 신호주기를 결정하는 방식으로 최소지체를 나타내는 신호주기 산정해 냄

$$C_p=\frac{1.5L+5.0}{1-\sum_{i=1}^{n}y_i}$$

C_p : 최적 신호주기(초) L : 주기당 총 손실시간(초)

n : 주기당 현시의 수 y_i : $\frac{\text{현시 } i\text{의 최대교통량}}{\text{현시 } i\text{의 포화교통량}}$

[팁] 원래 이 방법은 임계 v/c비가 0.85~0.95 사이의 경우에 해당하는데 만약 여기서 임계 v/c비가 1.0이면 논리적으로 이 방법은 최소신호주기 산정공식으로 대

체된다.

최소신호주기 산정공식은 $C_{\min} = \frac{L}{1 - \sum_{i=1}^{n} y_i}$ 으로 여기서, $C_{\min}$ 은 최소신호주기이다.

---

22 다음 그림과 같은 교차로에서 2현시 운영을 하고자 할 때 webster 방식으로 신호주기와 유효녹색시간을 산정하시오. (단, s : 2000대/시, 손실시간 : 3초)

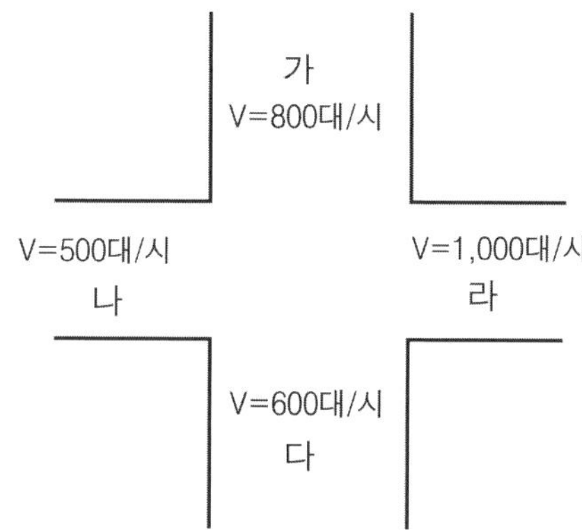

해설 각 접근로별 v/s비 계산과 주이동류 파악

가 : 800/2,000=0.4

나 : 500/2,000=0.25

다 : 600/2,000=0.3

라 : 1,000/2,000=0.5

임계v/s비 (0.4+0.5)=0.9

∴ webster 방식 주기 : $\frac{(1.5 \times 6) + 5.0}{1 - 0.9} = 140$초

∴ 유효녹색시간 : $140 - 6 = 134$초

---

23 현시 교차로에서 현시당 손실시간이 3초일 때 최소신호주기와 webster 방식 최적신호주기를 구하시오.

현시 1 : 관측교통량 1,232 포화교통량 2,600, y_i=0.47
현시 2 : 관측교통량 2,665 포화교통량 6,600, y_i=0.40

해설 우선 주기당 총 손실시간부터 구해야 한다.
L=2현시×현시당 손실시간=2×3=6초

$$\sum_{i=1}^{2} y_i = (0.47+0.40) = 0.87$$

최적신호주기는 $C_p = \dfrac{1.5L+5.0}{1-\sum_{i=1}^{n} y_i} = \dfrac{1.5\times 6+5.0}{1-0.87} = 108$초

최소신호주기는 $C_{\min} = \dfrac{L}{1-\sum_{i=1}^{n} y_i} = \dfrac{6}{1-0.87} = 46$초

---

24 4현시 신호시간, 차두간격은 2초, 주기는 100초, 황색시간은 4초, 출발지연은 5초, 진행연장 3초이다. 다음과 같이 주어진 조건에 따라 물음에 답하시오.

현시	교통량
1	100
2	500
3	150
4	610

(1) 총 손실시간을 산정하시오.

해설 총 손실시간(L)
={출발지연시간(L_1)+황색시간(Y)−진행연장시간(E)}×현시수
=(5+4−3)×4=24초

(2) webster식 최적주기를 산정하시오.

해설 포화교통량(s)=3,600/h=3,600/2=1,800vph
$Y_1 = v/s_1$=100/1,800=0.056

$Y_2 = v/s_2$=500/1,800=0.278

$Y_3 = v/s_3$=150/1,800=0.083

$Y_4 = v/s_4$=610/1,800=0.339 $\quad\quad \therefore\ \Sigma(Y_i)$=0.756

최적주기(Co)

={(1.5×L)+5}/{1−Σ(Y_i)}={(1.5×24)+5}/(1−0.756)

=168초⇒170초(10초 단위로 환산)

(3) 각 이동류별 녹색시간을 구하시오.

해설 전체 유효녹색시간= $Co - L = 170 - [(4\times4) - 4(5-3)] = 146$

각 이동류별 녹색시간(G_i)={ Y_i/Σ(Y_i)×전체유효녹색시간} + $L_1 - E$

(G_1)={ Y_1/Σ(Y_i)×전체유효녹색시간} + $L_1 - E$

=(0.056/0.756×146)+5−3=13초

(G_2)={ Y_2/Σ(Y_i)×전체유효녹색시간} + $L_1 - E$

=(0.278/0.756×146)+5−3=56초

(G_3)={ Y_3/Σ(Y_i)×전체유효녹색시간} + $L_1 - E$

=(0.083/0.756×146)+5−3=18초

(G_4)={ Y_4/Σ(Y_i)×전체유효녹색시간} + $L_1 - E$

=(0.339/0.756×146)+5−3=67초

[팁] 유효녹색시간 산정식과 혼동하지 말것

---

25 4현시 신호시간이고 차두간격은 2초, 주기는 100초, 손실시간은 4초, 회전교통량은 1.5배이다.

순서	현시	교통량
1	↰↳	100
2	↓↑	500
3	→↑ ↙	150
4	⇆	610

(1) 총 손실시간은?

해설 총 손실시간(L)=손실시간×현시수=4×4=16초

(2) webster식 최적주기는?

해설 포화교통량(s)=3,600/h=3,600/2=1,800vph

$Y_1 = v/s_1$=(100×1.5)/1,800=0.083

$Y_2 = v/s_2$=500/1,800=0.278

$Y_3 = v/s_3$=(150×1.5)/1,800=0.125

$Y_4 = v/s_4$=610/1,800=0.339 $\therefore \Sigma(Y_i)$=0.825

최적주기(Co)

={(1.5×L)+5}/{1−Σ(Y_i)}={(1.5×16)+5}/(1−0.825)=166초

⇒170초(10초 단위로 환산)

(3) 각 이동류별 유효녹색시간은?

해설 전체 유효녹색시간=$C_0 - L$=170−16=154

각 이동류별 녹색시간(G_i)={$Y_i/\Sigma(Y_i)$×전체유효녹색시간}

ϕ_1=(0.083/0.825×154)=16초

ϕ_2=(0.278/0.825×154)=52초

ϕ_3=(0.125/0.825×154)=23초

ϕ_4=(0.339/0.825×154)=63초

---

26 AC도로 폭 20m, BD도로 폭 14m, 이상적인 상태에서 포화교통량 2,200pcphgpl, 출발손실시간 2.3초, 진행연장시간 2초, 지각반응시간 1초, 교차로 진입차량의 접근속도 60kph, 임계감속도 $5m/s^2$, 차량길이 5m와 같은 조건의 4지교차로가 있다. 다음 질문에 대해 답하시오.

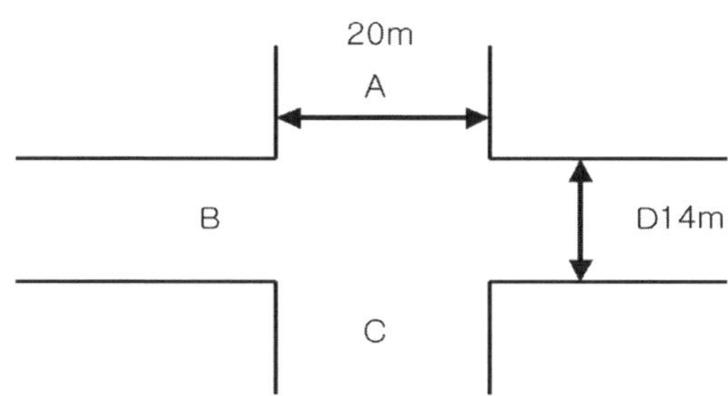

현시	소요현시율
1	0.108
2	0.296
3	0.067
4	0.255

(1) 각 황색시간을 구하시오.

해설

- AC도로의 황색시간 : $1.0+\dfrac{60/3.6}{2\times5}+\dfrac{14+5}{60/3.6}=3.8$초
- BD도로의 황색시간 : $1.0+\dfrac{60/3.6}{2\times5}+\dfrac{20+5}{60/3.6}=4.2$초

(2) 최적주기를 구하시오.

해설 주기당 손실시간(L)=2(3.8+4.2)+4(2.3−2.0)=17.2초

∴ $\Sigma(Y_i)=0.726$

최적주기(C_0)

$=\{(1.5\times L)+5\}/\{1-\Sigma(Y_i)\}=\{(1.5\times17.2)+5\}/(1-0.726)$

=112.41초⇒120초(10초 단위로 환산)

(3) 각 현시에 유효녹색시간을 구하시오.

해설 전체 유효녹색시간

$=C_0-L=120-2(4.2+3.8)-4(2.3-2)=102.8$초

각 현시의 유효녹색시간

$\phi_1=(0.108/0.726)\times102.8=15.3$초

$\phi_2=(0.296/0.726)\times102.8)=41.9$초

$\phi_3=(0.067/0.726)\times102.8)=9.5$초

$\phi_4=(0.255/0.726)\times102.8)=36.1$초

(4) 최소녹색시간을 구하시오.(보행속도는 1.2m/sec)

해설 ① 보행자 횡단시간

AC도로(BD도로 횡단) : 14/1.2=11.67초

BD도로(AC도로 횡단) : 20/1.2=16.67초

② 최소녹색시간

보행자 횡단시간−황색시간+보행자 초기녹색시간

AC도로 : 11.67−3.8+7=14.87초

BD도로 : 16.67−4.3+7=19.47초

③ 최소녹색시과 분할된 신호시간 비교

AC도로 직진신호 : 41.9초>14.87초 (만족)

BD도로 직진신호 : 36.1초>19.47초 (만족)

---

27 어떤 신호교차로에 도착하는 차량들이 다음과 같을 때 차량군비(R_p)를 구하시오.(단, 녹색시간 30초 동안 20대 차량이 도착하고 적색시간 26초 동안에는 15대가 도착하며 총 신호주기 60초 동안에는 40대가 도착한다)

해설

$$-\text{차량군비}(R_p)=\frac{PVG(\text{녹색신호동안도착차량의총차량\%})}{PTG(\text{그이동류유효녹색신호비}g/c\times100)}=\frac{20\ /\ 40}{30\ /\ 60}=1$$

[참고] • 차량이 교차로에 도착하는 형태

일단의 신호교차로 LOS 분석시 사용되는 지체는 임의도착상태에 발생하는 지체이다. 따라서 신호가 연속진행으로 될 경우에는 그 연속진행정도에 따라 지체값이 변한다.

따라서 차량도착형태에 따른 지체는 임의 도착상태시 구한 지체에 연속진행보정계수를 곱하여 구한다.

① 차량의 도착형태 5가지

㉠ 적색시점도착

밀집된 차량군이 적색신호가 시작될 때 교차로에 도착하는 경우로 연속진행상태 가장 나쁨

㉡ 적색중간도착

밀집차량군이 적색신호 중간에 도착하거나, 분산된 차량이 적색신호 전반부 도착의 경우

㉢ 임의도착

임의로 도착하는 경우로 독립신호교차로처럼 신호연동방식이 아니거나 연동교차로간 거리가 멀어 연동효과가 사라진 경우를 일컬음

㉣ 녹색중간도착

밀집 차량군이 녹색신호중간에 도착하거나 분산된 차량군이 녹색신호 전반부 도착의 경우

㉤ 녹색시점도착

밀집된 차량군이 녹색신호가 시작될 때 도착하는 경우. 연속진행상태가 가장 좋다. 도착행태는 지체 및 서비스수준에 큰 영향이 미치므로 가능한 한 정확히 결정해야 한다.

이를 위해 정확한 계산식은

$$R_p = \frac{PVG}{PTG}$$

여기서

R_p : 차량군비

PVG : 녹색신호동안 도착하는 차량의 총차량에 대한 %

PTG : 그 이동류에 대한 녹색신호 비 : $PTG = g/C \times 100$

---

28 녹색시간이 30초 동안 20대 차량이 도착하고 적색시간 25초 동안 20대가 도착하며 총신호주기 59초 동안 45대가 도착한다. 이때의 차량군비를 구하시오.

해설 $-R_P(\text{차량군비}) = \frac{PVG}{PTG} = \frac{20/45}{30/59} = 0.87$

---

29 '가' 도로의 폭이 18m, '나' 도로의 폭이 12m이고 보행자 최소초기녹색시간이 7초, 차량황색시간이 4초이다. 이때의 '가' 도로와 '나' 도로의 각 보행자시간과 점멸시간, 차량의 최소녹색시간을 구하시오.(보행자 횡단평균속도 : 1.0 m/s)

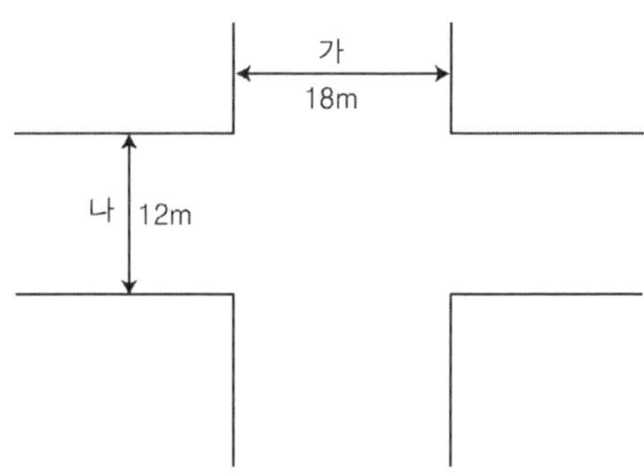

해설 • '가'도로

- 점멸시간 : $\frac{횡단보도길이}{횡단보행속도} = \frac{18m}{1.0m/s} = 18초$
- 보행자시간 : $7초 + \frac{18m}{1.0m/s} = 25초$
- 최소녹색시간 : 25초−4초=21초

• '나'도로

- 점멸시간 : $\frac{횡단보도길이}{횡단보행속도} = \frac{12m}{1.0m/s} = 12초$
- 보행자시간 : $7초 + \frac{12m}{1.0m/s} = 19초$
- 최소녹색시간 : 19초−4초=15초

---

30 최소녹색시간 20초, 황색시간 3초, 보행자 지체시간 4초, 보행속도 1.0m/s일 때 횡단보도 길이는?

해설 G_p=보행자지체시간+[W/보행속도− Y]

W/보행속도= G_p −보행자지체시간+ Y

W=보행속도×(G_p −보행자지체시간+ Y)=1.0(20−4+3)=19m

---

31 최소녹색시간 15초, 황색시간 3초, 보행자 지체시간 5초, 보행속도 1.2m/s일 때 횡단보도 길이는?

해설 G_p=보행자지체시간+[W/보행속도− Y]

W/보행속도= G_p−보행자지체시간+ Y

W=보행속도×(G_p−보행자지체시간+ Y)=1.2(15−5+3)=15.6m

---

32 보행자수 5,000인/시이고 보행자 평균속도 1.0m/초, 보행자 밀도 0.8인/㎡일 때 보도폭을 구하시오.

해설 Q(보행량)=보행속도×보행공간(인/㎡)=1.0m/초×0.8=0.8인/초 · m

$$\text{초당 보행자수} = \frac{5,000}{3,600} = 1.39\text{인/초}$$

$$\therefore \text{보도폭} = \frac{\text{보행자수}}{\text{보행량}} = \frac{1.39\text{인/초}}{0.8\text{인/초} \cdot m} = 1.74m$$

【참고】• 보도폭

보행자수 150인/일 이상, 자동차교통량 2,000대/일 이상, 통학로 및 주거밀집 지역은 위의 조건이하인 경우에도 보도 설치

[표] 도로 기능별 보도폭

구 분		보도의 최소폭(m)
지방지역의 도로		1.5
도시지역	주간선도로 및 보조간선도로	3.0
	집산도로	2.25
	국지도로	1.5
가로수		1.5
기타 노상시설		0.5

보도의 폭과 보행자수의 관계식은 다음과 같다.

$$P = 3,600\, D_p \times v \times W$$

여기서

P = 보행자수(인/시)
v = 보행자속도(m/sec)
D_p = 보행자 밀도(인/m^2)
W = 보도폭(m)

33 보행자수 5,000인/시이고 보행자 평균속도 1.2m/초, 보행자 밀도 0.7인/㎡일 때 보도폭을 구하시오.

해설 Q(보행량)=보행속도×보행공간(인/㎡)=1.2m/초×0.7=0.84인/초·m

초당 보행자수$=\dfrac{5,000}{3,600}=1.39$인/초

$\therefore$ 보도폭$=\dfrac{\text{보행자수}}{\text{보행량}}=\dfrac{1.39\text{인/초}}{0.84\text{인/초}\cdot m}=1.65m$

34 신호등의 황색신호등의 인지반응시간(t)=0.5sec, 감속도(a)=$4m/s^2$, 교차로 접근속도(V)=60km/h, 횡단교차로 길이(W)=20m, 자동차길이(L)=5m일 때 적정황색시간(Y)는?

해설 $Y=t+\dfrac{v}{2a}+\dfrac{W+L}{v}=0.5+\dfrac{60/3.6}{2\times 4}+\dfrac{20+5}{60/3.6}=4.08$초

【참고】• 황색시간 결정식

$$Y=t+\frac{v}{2a}+\frac{W+L}{v}$$

여기서

Y : 적정황색시간(초)

t : 운전자 반응시간(1~2초)

v : 차량속도(m/sec)

a : 차량의 감속도(m/sec2)

W : 교차로의 폭(m)

L : 차량의 길이(m)

35 신호등이 황색으로 변하는 것을 보고 정지선 앞에서 정지하는 차량의 최소 평균감속거리는 35m이다. 황색신호의 인지반응시간 0.5초, 교차로 접근속도 60kph, 횡단교차로의 길이를 20m라고 할 때 적정황색시간을 구하시오.(단, 차량의 길이는 무시함)

해설 적정황색시간 $(Y) = t + \frac{v}{2a} + \frac{W+L}{v} = 0.5 + \frac{35+20}{60/3.6} = 3.8$초

---

36 차량의 속도가 40km/h이며 교차로의 폭이 20m인 교차로의 적정황색시간을 구하시오.(단, 차량의 감속도 : 4.5m/s^2, 차량길이 : 5m, 운전자 반응시간 : 1초)

해설 차량의 속도=40km/h=40/3.6=11.1m/s(단위환산)

$Y = t + \frac{v}{2a} + \frac{W+L}{v}$ 에 대입하여 적정황색시간을 구하면

$Y = 1 + \frac{11.1}{2 \times 4.5} + \frac{20+5}{11.1} = 4.48$(초)

---

37 차량의 속도가 50km/h이며 교차로의 폭이 0.02km인 교차로의 황색시간이 4.5초이다. 이 교차로에서 차량의 감속도는 얼마로 해야 하는가?(단, 차량길이 : 5m, 운전자의 반응시간 : 1초)

해설 $Y = t + \frac{v}{2a} + \frac{W+L}{v} \rightarrow 4.5 = 1 + \frac{50/3.6}{2 \times a} + \frac{20+5}{50/3.6}$

$\therefore\ a = 4.085\, m/s^2$

---

38 적정황색시간 Y_{AC} , Y_{BD} 구하시오.(단, 속도 : 50kph, 감속도 : $5m/s^2$, 신호주기 : 120초, 인지반응시간 : 1초, 자동차길이 : 6m)

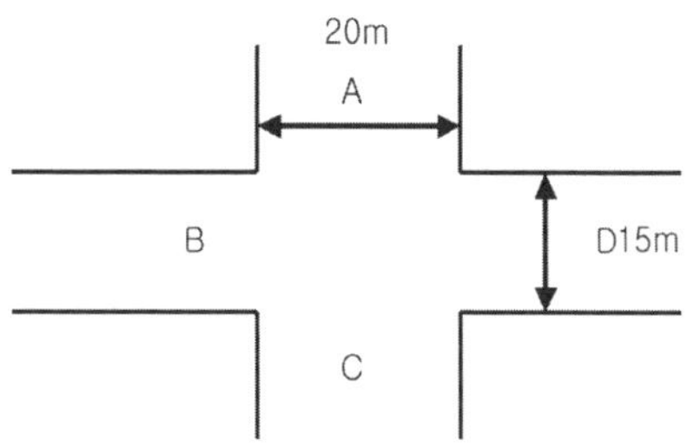

해설 $Y = t + \frac{V}{2a} + \frac{W+L}{V}$

$Y_{AC} = 1 + \frac{50/3.6}{2\times5} + \frac{15+6}{50/3.6} = 3.9$초

$Y_{BD} = 1 + \frac{50/3.6}{2\times5} + \frac{20+6}{50/3.6} = 4.26$초

---

39 딜레마존의 길이를 구하시오.

· 황색신호시간 : 3.0초	· 인지 · 반응시간 : 1초	· 차량길이 : 5m
· 교차로길이(폭) : 20m	· 차량속도 : 60km/h	· 임계 감속도 : $5m/s^2$

해설

$Y = t + \frac{V}{2a} + \frac{W+L}{V} = 1 + \frac{60/3.6}{2\times5} + \frac{20+5}{60/3.6} = 4.17$초

D = (적정황색시간−황색신호시간) × 차량의 속도

= (4.17−3) × (60/3.6) = 19.5m

---

40 어느 교차로에서 한 차량이 녹색신호시간이 끝날 무렵에 연속진행 중 교차로 내에서 다른 방향의 차량과 측면충돌 사고가 발생했다. 이때 이 운전자는 자신의 잘못이 아니라 황색시간이 너무 짧게 설정되어 있어서 사고가 난 것이라고 주장하였다. 다음 질문에 대해 답하시오.

· 황색신호시간 : 3.0sec	· 인지 · 반응시간 : 1sec	· 차량길이 : 5m
· 교차로길이(폭) : 20m	· 차량속도 : 50km/h	· 차량 감속도 : $5m/s^2$

(1) 이 운전자의 주장이 옳은지, 그른지를 판단하여라.

해설

$Y = t + \frac{V}{2a} + \frac{W+L}{V} = 1 + \frac{50/3.6}{2\times5} + \frac{20+5}{50/3.6} = 4.19$초

∴ 적정황색시간이 4.19초인데 반해 교차로의 실제황색시간은 3.0초이므로 운전자의 주장이 옳다.

(2) 이 교차로의 딜레마존의 길이를 구하시오.

해설 D=(적정황색시간−황색신호시간)×차량의 속도
=(4.19−3)×(50/3.6)=16.53m

---

41 속도 40km/h일 때 연속진행을 위한 필요한 offset을 구하시오.(A점 기준)

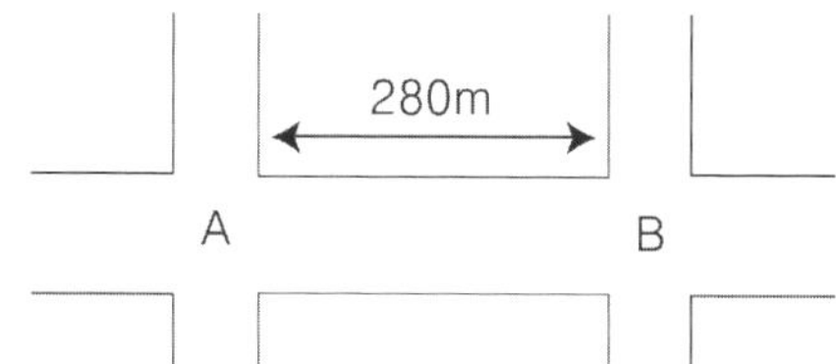

해설 $$T_{offset} = \frac{L}{V} = \frac{280}{40/3.6} = 25.2초$$

---

42 주 신호교차로간을 주행하는 차량평균속도(V)=40km/h, 옵셋시간(T_{off})=30sec, 두 교차로 간의 황색시간(Y)=3sec이다. 두 교차로 간의 간격(L)을 구하시오.

해설 $$T_{offset} + Y = \frac{L}{V}$$
$$L = (T_{off} + Y) \times V = (30+3) \times (40/3.6) = 366.67m$$

---

43 간선도로의 구간 길이가 350m이고 속도가 50km/h일 때 offset을 계산하시오.

해설 $$T_{offset} = \frac{L}{V} = \frac{350}{50/3.6} = 25.2초$$

44 동시연동시스템으로 교차로 간격 400m, 주기 100초일 때 연동을 위한 속도를 구하시오.

해설 $V = \frac{L}{C} = \frac{400}{100} = 4m/s = 4 \times 3.6 = 14.4km/h$(단위환산)

45 교호연동시스템으로 교차로 간격 300m, 주기 100초일 때 연동을 위한 속도를 구하시오.

해설 $V = \frac{2L}{C} = \frac{2 \times 300}{100} = 6m/s = 6 \times 3.6 = 21.6km/h$(단위환산)

4 도로 및 교차로계획

1 20/20 시력으로 30m 식별 가능하다. 만약 20/50 시력으론 어느 거리에서 볼 수 있는가?

해설 $30m \times \frac{20}{50} = 12m$

[참고] 정상시력이란 아주 맑은 상태에서 1/3인치 크기의 글자를 20ft 거리에서 읽을 수 있는 사람의 시력을 말하며 20/20으로 나타낸다. 20/40이란 정상시력을 가진 사람은 40ft에서 볼 수 있는데 비해 측정대상자는 20ft의 거리에서야 볼 수 있음을 의미한다.

2 10/10의 시력을 가진 운전자가 100m의 거리에서 교통표지판을 읽을 수 있다. 만약 20/50의 시력을 가진 사람이 그 표지판을 읽기 위해서는 얼마의 거리가 필요한가?

해설 $D = 100m \times \frac{20}{50} = 40m$

3 20/20 시력을 가진 운전자가 50m 거리에서 교통표지판을 읽을 수 있다. 만약 교통표지판 내 글자 크기가 10cm라고 할 때 20/50의 시력을 가진 운전자가 이 표지판을 읽기 위해서는 얼마의 거리가 필요한가?

해설 $50m \times \frac{20}{50} = 20m$

---

4 20/20 시력을 가진 사람이 80m 거리에서 1cm의 글자를 분명히 볼 수 있었다. 20/50 시력을 가진 사람이 볼 수 있는 거리는?

해설 $80m \times \frac{20}{50} = 32m$

---

5 20/40 시력을 가진 사람이 10cm 크기의 글씨 30m에서 볼 수 있다. 정상인 시력을 가진 사람은 30m에서 볼 수 있는 글씨의 크기는?

해설 $\frac{20}{40} \times 10 = 5cm$

---

6 20/20 시력을 가진 사람이 8cm 크기의 글씨 50m에서 볼 수 있다. 20/50인 시력을 가진 사람이 30m에서 볼 수 있는 글씨의 크기는?

해설 $8cm \times \frac{30}{50} \times \frac{50}{20} = 12cm$

---

7 $A-B$ 구간의 도로상에 최소곡선반경을 구하고자 한다. 설계속도는 90km/h로 계획하고 유사시설 조사결과에 따라 편구배 0.06, 마찰계수 0.63으로 설정하기로 했다면 최소곡선반경은 얼마인가?

해설 $R = \frac{V^2}{127(e+f)} = \frac{90^2}{127(0.63+0.06)} = 92.43m$

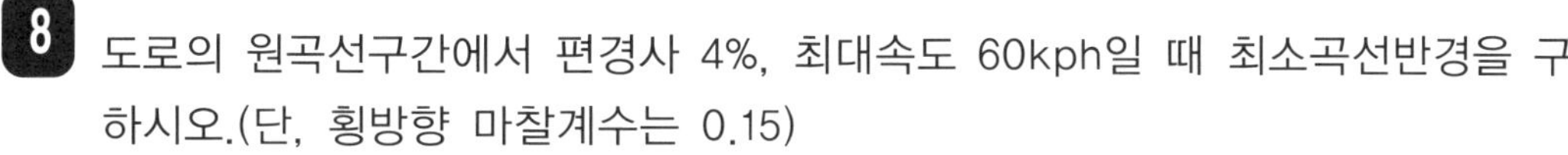

8 도로의 원곡선구간에서 편경사 4%, 최대속도 60kph일 때 최소곡선반경을 구하시오.(단, 횡방향 마찰계수는 0.15)

해설 $R = \frac{v^2}{127(f+e)} = \frac{60^2}{127(0.15+0.04)} = 149.19m$

9 곡선반경이 150m인 원곡선 구간의 편경사가 3%이다. 곡선부의 최대속도를 구하시오.(단, 횡방향 마찰계수는 0.15이다)

해설 $v^2 = 127(f+e) \cdot R = 127(0.15+0.03) \times 150$ $\therefore\ v = 58.58kph$

10 한 차량이 곡선반경 R=300m인 평면곡선을 100km/h의 속도로 주행하고 있다. 이 도로에서의 마찰계수가 0.2일 때 이 평면곡선에서 차량이 미끄러지지 않기 위한 편구배를 구해라.

해설 $e = (\frac{V^2}{127R}) - f = (\frac{100^2}{127 \times 300}) - 0.2 = 0.06$ $\therefore\ e = 6\%$

11 설계속도 80kph인 도로의 곡선부가 곡선반경이 250m라 할 때 필요한 편경사(편구배)의 크기를 구하시오.(단, 횡방향 마찰계수는 0.15)

해설 $e = (\frac{V^2}{127R}) - f = (\frac{80^2}{127 \times 250}) - 0.15 = 0.05$ $\therefore\ e = 5\%$

12 평균통행속도가 50km/h이며 편구배(e)가 0.1, 마찰계수(f)가 0.15일 때 다음을 계산하여라.

(1) 최소곡선반경(R)은?

해설 $R=\dfrac{v^2}{127(f+e)}=\dfrac{50^2}{127(0.1+0.15)}=78.74m$

(2) 마찰계수가(f)가 0.5로 변할 때의 평균통행속도는?

해설 $v^2=127(f+e)\cdot R=127(0.5+0.1)\times 78.74$

$\therefore\ v=77.46km/h$

(3) 편구배와 원심력이 평형을 이룰 때의 평균통행속도는?

해설 $m\cdot g\cdot \sin\theta=\dfrac{mv^2}{r}\ (\sin\theta \fallingdotseq 1)\ \rightarrow\ v^2=g\cdot r=9.8\text{m}/s^2\times 78.74\text{m}$

$\therefore\ v=27.78m/s=100\text{km/h}$

---

13 젖은 노면의 마찰력이 맑은 날에 비해 20% 저하된다고 할 때 곡선반경 160m, 설계속도 100km/h, 편구배 5.2%인 곡선부 도로의 우천시 설계속도를 산정하시오.

해설

$f_d=(\dfrac{V^2}{127R})-e=(\dfrac{100^2}{127\times 160})-0.052=0.44$ (맑은 날 노면의 마찰계수)

$f_w=0.44\times(1-0.2)=0.352$ (젖은 노면의 마찰계수)

$v^2=127(f+e)\cdot R=127(0.52+0.352)\times 160\qquad \therefore\ v=90.61km/h$

---

14 곡선반경 800m인 평면속선의 편구배가 0.10이다. 이 곡선을 주행하는 20ton 차량의 무게중심이 노면으로부터 2.5m 위에 있고 차륜 간 폭이 1.5m 일 때 이 차량의 속도가 얼마 이상이면 전도되는지 계산하시오.

해설 $R=800\text{m},\ e=0.10,\ W=20\text{ton},$

$Y=2.5\text{m},\ X=1.5/2=0.75\text{m},\ g=9.8m/\text{sec}^2$

$\dfrac{V^2}{127R}=\dfrac{\overline{X}+\overline{Y}\cdot e}{\overline{Y}-e\cdot\overline{X}}=\dfrac{0.75+(2.5\times 0.1)}{2.5-(0.75\times 0.1)}$ 이므로

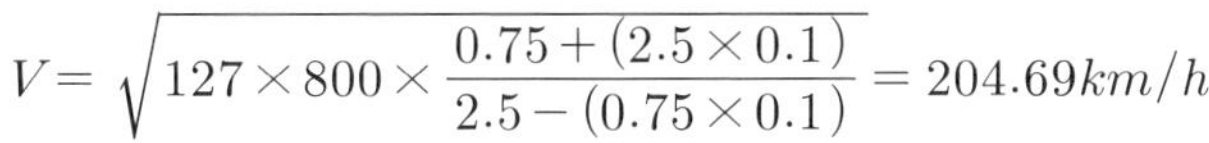

$$V = \sqrt{127 \times 800 \times \frac{0.75 + (2.5 \times 0.1)}{2.5 - (0.75 \times 0.1)}} = 204.69 km/h$$

【참고】

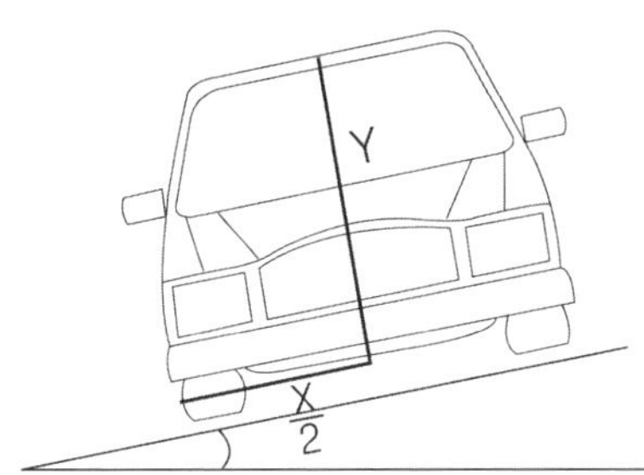

· 편구배 : 차량이 곡선부를 돌 때 원심력에 의해서 바깥쪽으로 미끄러지거나 전도되는 것을 방지하기 위하여 곡선부 바깥쪽을 높여 경사를 지워 주는 것을 말한다.

$\tan\beta = e =$ 편구배

$e + f = \frac{V^2}{127R}$ (미끄러질 경우), $\frac{V^2}{127R} = \frac{\overline{X} + \overline{Y} \cdot e}{\overline{Y} - e \cdot \overline{X}}$ (전도할 경우)

$R = \frac{v^2}{127(e+f)}$ (곡선반경을 구할 경우)

v : 속도(km/h) R : 곡선반경(m)

e : 편구배 f : 마찰계수

$\overline{X}$: 무게중심에서 차륜까지 폭

$\overline{Y}$: 바닥에서 무게중심까지 높이

---

15 곡선반경 200m인 평면곡선의 편구배가 0.1이다. 이 곡선을 주행하는 20ton 차량의 무게중심이 노면으로부터 2.5m 위에 있고 차륜 간 폭이 1.5m일 때 이 차량의 속도가 얼마 이상 되면 전도하는지 계산하시오.

해설 $\frac{V^2}{127R} = \frac{\overline{X} + \overline{Y} \cdot e}{\overline{Y} - e \cdot \overline{X}} = \frac{0.75 + (2.5 \times 0.1)}{2.5 - (0.75 \times 0.1)}$ 이므로

$$V = \sqrt{127 \times 200 \times \frac{0.75 + (2.5 \times 0.1)}{2.5 - (0.75 \times 0.1)}} = 103.34 km/h$$

16 무게중심의 타이어로부터 X는 1m, Y는 1.5m 떨어진 차량이 R=200M곡선반경을 가진 평면곡선을 주행하고 있다. 이 평면곡선의 편구배가 0.05이고 마찰계수가 0.2라고 할 때 이 차량이 미끄러지거나 전도하지 않기 위한 속도를 구하시오.

해설 미끄러질 때 : $V = \sqrt{127 \times 200 \times (0.05 + 0.2)} = 79.69\ km/h$

전도할 때 : $V = \sqrt{127 \times 200 \times \dfrac{1.0 + 1.5 \times 0.05}{1.5 - 0.05 \times 1.0}} = 137.23\ km/h$

∴ 그러므로 속도는 79.69km/h이다.

17 속도(V)=70km/h, 마찰계수(f)=0.4, 편구배(g)=0.03이다. 최소정지시거($MSSD$)를 산출하시오.

해설

$$최소정지시거(MSSD) = 0.694V + \frac{V^2}{254(f+g)}$$

$$= 0.694 \times 70 + \frac{70^2}{254(0.4+0.03)} = 93.44m$$

【참고】 ① 운전자의 인지부터 차량의 제동까지의 제동거리에 대한 공식

제동거리=인지반응시간(위험인지시간+반응시간)+제동시간

=공주거리+제동거리

$$D = t_r \cdot V + \frac{V^2}{2g}(f+g) = \frac{t_r \cdot V}{3.6} + \frac{1}{2 \times 9.8 \times 3.6^2}\frac{V^2}{(f+g)}$$

$$= 0.278t_r \cdot v + \frac{v^2}{254(f+s)}$$

$$D = \frac{v}{3.6} \cdot t + \frac{V^2}{254 \cdot (f+g)} \text{ 다시쓰면 } = 0.278t_r V_o + \frac{V^2}{254 \cdot (f+g)}$$

이다.

② 시거

시거란 중심선상 1.0m의 높이에서 당해 차로의 중심선상에 있는 높이 15cm 의 물체정점을 볼 수 있는 거리를 말한다.

㉠ 정지시거 : 정지에 필요한 거리로서 모든 도로에 적용됨. 최소정지시거는 차량의 제동거리와 운전자의 반응시간 동안에 차량이 주행한 거리를 합하여 결정한다.

이 최소정지시거는 도로상을 주행하는 운전자에게 필요한 최소한의 안전거리이기 때문에 도로의 설계에 있어 가장 중요한 요소

$$MSSD = \text{반응거리} + \text{제동거리}$$

$$= \frac{vt}{3.6} + \frac{V^2}{254(f+g)} = 0.278 t_r V_o + \frac{V^2}{254(f+g)}$$

③ 운전자의 인지 반응 시간은 보통 1초이나 도로설계시는 2.5초를 기본으로 한다.

$$D = 0.278 t_r \cdot V + \frac{V^2}{254(f+G)} \rightarrow = 0.278 \cdot 2.5 \cdot V + \frac{V^2}{254(f+G)}$$

$$D = 0.694 \cdot V + \frac{V^2}{254(f \pm G)}$$

D : 정지시거(m)

V : 속도(km/h)

g : 중력가속도($9.8m/s^2$)

f : 타이어와 노면의 종방향 마찰계수

G : 종단구배(%/100)

t : 반응시간(초)

④ 차량의 제동거리(D_b)단위 : m

$$mps\text{단위} \rightarrow D_b = \frac{V^2 - V_o^{\ 2}}{2g(f+G)} \qquad kph\text{단위} \rightarrow D_b = \frac{V^2 - V_o^{\ 2}}{254(f+G)}$$

V : km/h

g : 중력가속도

f : 마찰계수

G : tan β 즉 종단구배

---

18 설계속도 80km/h의 속도를 가진 4차로도로에서 경사가 +4%일 때 최소정지시거는 얼마가 되어야 하는가?(단, 타이어와 노면의 마찰계수 = 0.5 $PIEV$(인지반응 = 2.5초)

해설

$$\text{최소정지시거}(MSSD) = \frac{t_r \cdot V}{3.6} + \frac{V^2}{254 \times (f+g)}$$

$$= \frac{2.5 \times 80}{3.6} + \frac{80^2}{254 \times (0.5+0.04)} = 102.26m$$

---

19 자동차 주행속도가 60km/h, 반응시간의 2.5초, 마찰계수가 0.33, 구배가 2.0%일 때 내리막에서 최소정지시거를 구하시오.

해설

$$\text{최소정지시거}(MSSD) = \frac{t_r \cdot V}{3.6} + \frac{V^2}{254 \times (f+g)}$$

$$= \frac{2.5 \times 60}{3.6} + \frac{60^2}{254 \times (0.33-0.02)} = 87.39m$$

---

20 f=0.4, 종단구배 +3%, v=100km/h의 인지반응시간 2.5초일 때 최소정지시거를 구하시오.

해설

$$\text{최소정지시거}(MSSD) = \frac{t_r \cdot V}{3.6} + \frac{V^2}{254 \times (f+g)}$$

$$= 0.694 \times 100 + \frac{100^2}{254(0.4+0.03)} = 160.96m$$

---

21 설계속도가 100㎞이고 구배가 3%, 마찰계수가 0.6, 반응시간이 2.5초일 때 최소 안정시거를 구하시오.

해설

$$\text{최소정지시거}(MSSD) = \frac{t_r \cdot V}{3.6} + \frac{V^2}{254 \times (f+g)}$$

$$= \frac{2.5 \times 100}{3.6} + \frac{100^2}{254(0.6+0.03)} = 131.94m$$

---

22 f=0.4, 종단구배 +3%, v=70㎞/h, 인지반응 시간 2.5초일 때 최소정지시거는?

해설
$$최소정지시거(MSSD) = \frac{t_r \cdot V}{3.6} + \frac{V^2}{254 \times (f+g)}$$
$$= \frac{2.5 \times 70}{3.6} + \frac{70^2}{254(0.4+0.03)} = 93.44m$$

---

23 80kph의 속도를 가진 4차로도로에서 경사가 +4%일 때 최소 정지시거는 얼마가 되어야 하는가?(단, 타이어와 노면의 마찰계수=0.5, 인지시간=2.5초)

해설
$$최소정지시거(MSSD) = \frac{t_r \cdot V}{3.6} + \frac{V^2}{254 \times (f+g)}$$
$$= \frac{2.5 \times 80}{3.6} + \frac{80^2}{254(0.5+0.04)} = 102.26m$$

---

24 100km로 주행 중인 차량이 장애물을 발견하고 0.5㎨으로 감속하였다. 이때의 정지시거를 구하시오.

해설
$$정지시거거리(D) = \frac{V^2}{254a} = \frac{100^2}{254 \times 0.5} = 78.7m$$

---

25 위의 문제에서 종단구배가 −3%라면 제동거리는 얼마인가?

해설
$$정지시거거리(D) = \frac{v^2}{254(a+g)} = \frac{100^2}{254(0.5-0.03)} = 83.8m$$

---

26 차량이 60km/h(V)의 속도로 주행하다 정지($V1$)하였다. 차량의 제동거리(D)는?(마찰계수(f)=0.2, 구배(g)=0)

해설
$$정지시거(D) = \frac{|0^2 - 60^2|}{254(0.2+0)} = 70.87m$$

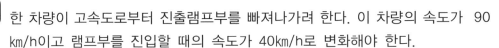

한 차량이 고속도로부터 진출램프부를 빠져나가려 한다. 이 차량의 속도가 90㎞/h이고 램프부를 진입할 때의 속도가 40㎞/h로 변화해야 한다.

(1) 만약 차량의 감속도가 0.5㎨ 이라면 감속을 위한 taper길이는 얼마로 하는 것이 좋은가?(단, 이 도로의 종단구배는 0이다)

해설

$$D_1 = \frac{|\ V_1{}^2 - V_2^2\ |}{254(f \pm g)} = \frac{90^2 - 40^2}{254(0.5)} = 51.2m$$

(2) (1)번에서 종단구배가 +2%라면 제동거리의 변화율은?

해설

$$D_2 = \frac{90^2 - 40^2}{254(0.5 + 0.02)} = 49.2m$$

∴ 제동거리의 변화율은 다음과 같다.

$$\text{변화율} = \frac{D1 - D2}{D1} \times 100\% = \frac{51.2 - 49.2}{51.2} \times 100\% = 3.9(\%)$$

28 부도로교통이 양보표지에 의해 통제되는 아래 교차로에서 주도로 및 부도로의 제한속도가 각각 60kph, 40kph이며 주도로 바깥쪽차로 중심선에서의 장애물까지의 거리는 몇m 이상이어야 하는가?(단, 마찰계수는 0.54, 인지반응시간은 1.5초)

해설

$$D = \frac{t_r \cdot\ V}{3.6} + \frac{|v^2 - v_1^2|}{254(f+g)}| = \frac{1.5 \times 60}{3.6} + \frac{|60^2 - 40^2|}{254(0.54 + 0)} = 39.58m$$

29 정상시력을 가진 운전자는 15m의 거리에서 20cm의 표지판을 읽을 수 있다. 정상시력을 가진 운전자의 1/2에 해당하는 설계기준 운전자의 시력으로 60cm의 표지판을 읽을 수 있도록 고속도로의 유출부에서 방향안내표지를 설치하고자 한다. 이때 g=3%, $t = 2.5\text{sec}$, 고속도로상에서의 속도(V)=100km/h, 유출부에서의 속도(V_1)=60km/h이다. 표지판은 유출부에서 얼마만큼 전방에 설치

하여야 하는가?(마찰계수(f)=0.6)

해설 정상시력을 가진 운전자가 표지판을 읽을 수 있는 거리 (D_1)=15×(60/20)=45m(글자의 크기가 60cm이므로)
설계기준 운전자가 표지판을 읽을 수 있는 거리(D_2)=45×(1/2)=22.5m
유출부까지 감속하는데 주행하는 거리

$$D_3 = \frac{V}{3.6}\times t + \frac{|v^2 - v_1^2|}{254(f+g)}| = \frac{100}{3.6}\times 2.5 + \frac{|100^2 - 60^2|}{254(0.6+0.03)} = 109.44m$$

∴ 표지판 설치위치$(D_4) = D_3 - D_2 = 109.44 - 22.5 = 86.94m$

---

30 정상시력을 가진 운전자가 15m거리에서 1인치 표지판의 글자를 분명히 읽을 수 있으며 설계시 기준으로 하는 운전자의 시력은 20/40이라고 가정하자. 한 평탄지 고속도로의 유출부에서 방향 안내표지를 설치하고자 할 때 고속도로의 속도가 100km/h이고 유출부에서의 속도를 50km/h로 유도하려면 이 표지판은 유출부에서 얼마만큼 전방에 설치되어야 하는가?(단, 운전자의 인지반응시간은 2.5초, 마찰계수 0.3, 글자의 크기는 8인치로 가정한다)

해설 정상시력을 가진 운전자가 이 표지판을 읽을 수 있는 거리는 다음과 같다.

$$D_1 = 15\times 8 = 120(\text{m})$$

설계기준 운전자가 이 표지판을 읽기 위해서는 다음과 같은 거리가 필요

$$D_2 = 120\times\frac{20}{40} = 60(\text{m})$$

이 유출부로 안전하게 진입하기 위해 감속하는데 필요한 거리 s는

$$S = 0.694(V) + \frac{V^2 - V_0{}^2}{254(F\pm G)} = 0.694(100) + \frac{100^2 - 50^2}{254(0.3)} = 167.8(m)$$

∴ 그러므로 표지판은 유출부로부터 167.8−60=107.8m 떨어진 전방에 설치해야 한다.

$$= 0.694\times 70 + \frac{70^2}{254(0.4+0.03)} = 93.44m$$

[팁] 초기반응속도를 계산할 때 통상 인지반응시간은 2.5초로 설정하므로 다음과 같은 식을 암기해 놓으면 계산하기 용이하다.

$$\frac{V\times 2.5}{3.6} = 0.694V$$

31 고속도로의 요금소 전방에 예고 표지판을 설치하였다. 보통 대기행렬(D_1)=150m, 제한속도(V)=100km/h, 마찰계수(f)=0.25, 반응시간(t)=2.5sec이다. 표지판의 위치는 매표소에서 얼마까지 떨어져 위치해야 하는가?(운전자가 표지판을 볼 수 있는 거리(D_2)는 100m 후방에서부터)

해설 매표소까지 정지(V_1=0)하는데 주행하는 거리

$$D_3 = \frac{V}{3.6} \times t + \frac{|V^2 - {V_0}^2|}{254(f+g)} = \frac{100}{3.6} \times 2.5 + \frac{|100^2 - 0^2|}{254(0.25+0)} = 226.92m$$

표지판의 설치위치 = 최종정지위치+대기행렬길이−표지판을 볼 수 있는 위치

∴ 표지판 설치위치$(D_4) = D_3 + D_1 - D_2 = 226.92 + 150 - 100 = 276.92m$

32 정상시력을 가진 운전자가 15m의 거리에서 20cm의 표지판을 읽을 수 있으며 설계기준으로 하는 운전자의 시력 1/2로 하자. 종단구배가 3%가 되는 고속도로의 유출부에서 방향안내표지를 설치하고자 할 때 고속도로의 속도가 100km/시이고 유출부에서의 속도를 60km/시로 유도하려면 이 표지판은 유출부에서 얼마만큼 전방에 설치하여야 하는가?(인지반응시간 : 2.5초 마찰계수 : 0.5)

해설 정상시력을 가진 운전자가 이 표지판을 읽을 수 있는 거리는 15m

설계기준 운전자가 이 표지판을 읽을 수 있는 거리는 15m$\times\frac{1}{2}$=7.5m

따라서 유출부로 안전하게 진입하기 위해 감속하는데 필요한 거리는

$$D = \frac{Vt}{3.6} + \frac{V^2 - {V_0}^2}{254(f+g)} = \frac{100 \times 2.5}{3.6} + \frac{100^2 - 60^2}{254(0.5+0.03)} = 117m$$

∴ 그러므로 표지판은 유출부로부터 117−7.5=109.5m 떨어진 전방에 설치해야 한다.

33 곡선반경이 200m인 도로에서 곡선부 정지시거 150m를 확보하기 위해서 곡선부 도로의 내측차로 중심선으로부터 장애물 제거간격은?

해설

$$M = R(1-\cos\frac{28.65}{R}D) = \frac{D^2}{8R} = \frac{150^2}{8\times200} = 14.06m$$

【참고】• 시거확보

곡선부로 형성된 평면선형에서 곡선부의 내측에 위치한 장애물이 시거를 확보되는 지의 여부

$$M = R(1-\cos\frac{28.65}{R}D) = \frac{D^2}{8R}$$

M : 차로의 중심부터 측정한 시거 확보 폭(m)
D : 그 도로의 설계속도에 따른 정지시거(m)
R : 곡선부의 곡선반경(m)

---

34 한 평면곡선의 안쪽 차로 중심으로부터 6m 지점에 장애물이 놓여져 있다. 이 곡선의 반경이 100m라 할 때 평면시거를 구하시오.(단, 차량 주행경로는 무시하시오)

해설

$$M = R - R\cos\frac{\theta}{2} = R(1-\cos\frac{\theta}{2}) = R(1-\cos\frac{28.65\,D}{R}) = 6$$

$$\therefore 1-\cos(\theta/2) = 0.06,\ \frac{\theta}{2} = \cos^{-1}(0.94),\ \theta = 39.8°$$

$$시거(L) = \pi R\theta/180 = (\pi\times100\times39.8)/180 = 69.5m$$

$$M = \frac{D^2}{8\cdot R} \rightarrow D = 69.3m$$

---

35 속도(V)=90km/h일 때 운행상의 충격완화를 위한 종단곡선의 길이(L)는?(종단구배 +3%(i_1), −2%(i_2))

해설 $A = |i_1 - i_2| = |3-(-2)| = 5$

$$L = \frac{V^2 S}{360} = \frac{90^2 \times 5}{360} = 112.5\text{m}$$

【참고】 • 충격완화를 위한 종단곡선의 길이

$$L = \frac{V^2 |i_1 - i_2|}{360}$$

L : 충격완화를 위한 종단곡선길이
$|i_1 - i_2|$: 종단구배 차
V : 설계속도(km/h)

---

36 길이(L)가 1,000m인 종단곡선이 있다. $G_1 = +5\%$, $G_2 = -2\%$인 종단구배지를 연결하였다. 운전자의 눈높이(H_1)=1.2m, 장애물의 높이(H_2)=1.3m이다. 추월시거(S)는?

해설 • **시거가 종단길이보다 작을 때($S < L$)**

$A = |G_1 - G_2| = |5-(-2)| = 7$

$$L = \frac{AS^2}{200(\sqrt{H_1} + \sqrt{H_2})^2} \rightarrow S^2 = \frac{200(\sqrt{H_1} + \sqrt{H_2})^2 L}{A} \rightarrow$$

$$S = \sqrt{\frac{200(\sqrt{H_1} + \sqrt{H_2})^2 L}{I}} \rightarrow S = \sqrt{\frac{100(\sqrt{2 \times 1.2} + \sqrt{2 \times 1.3})^2 \times 1{,}000}{7}}$$

$= 377.89\text{m}$

• **종단길이가 시거보다 작을 때 ($S > L$)**

$$L = 2S - \frac{200(\sqrt{H_1} + \sqrt{H_2})^2}{A} \rightarrow 2S = \frac{200(\sqrt{H_1} + \sqrt{H_2})^2}{A} + L$$

$$\rightarrow S = \left(\frac{200(\sqrt{H_1} + \sqrt{H_2})^2}{A} + L\right) \times \frac{1}{2}$$

$$\rightarrow S = \left(\frac{200(\sqrt{1.2} + \sqrt{1.3})^2}{7} + 1{,}000\right) \times \frac{1}{2} = 571.4\text{m}$$

그러나 종단길이가 시거보다 크므로 조건에 맞지 않다.

【참고】 • **볼록종단곡선**

㉠ 시거 S가 종단곡선길이 L보다 길거나 같은 경우($S \geq L$)

$$L = 2S - \frac{200(\sqrt{H_1} + \sqrt{H_2})^2}{A}$$

통상 운전자의 눈높이를 1M, 장애물의 높이를 0.15M로 계산하면

$$L = 2S - \frac{385}{A}$$

㉡ 시거 S가 종단곡선길이 L보다 짧을 경우($S \leq L$)

$$L = \frac{AS^2}{200(\sqrt{H1} + \sqrt{H2})^2}$$

㉢ 통상 운전자의 눈높이를 1M, 장애물의 높이를 0.15M로 계산하면

$$L = \frac{AS^2}{385}$$

L=종단곡선의 최소길이(m)

S=시거(m)

A=경사의 대수차 $\{|G_2 - G_1|\}$ [%]

H_1=운전자 눈높이

H_2=장애물 높이

- **오목종단곡선**

㉠ 시거 S가 종단곡선길이 L보다 길거나 같은 경우($S \geq L$)

$$L = 2S - \frac{200(H + S \cdot \tan\beta)}{A}$$

㉡ 전조등 높이 0.6M와 조명각 1° 를 대입하면

$$L = 2S - \frac{120 + 3.5S}{A}$$

㉢ 시거 S가 종단곡선길이 L보다 짧을 경우($S < L$)

$$L = \frac{S^2 A}{200(H + S \cdot \tan\beta)}$$

㉣ 전조등 높이 0.6M와 조명각 1° 를 대입하면

$$L = \frac{S^2 A}{120 + 3.5S}$$

L=종단곡선의 최소길이(m)

S=시거(m)

A=경사의 대수차 $\{|G_2 - G_1|\}$ [%]

β=전조등 상향각[°]

H=전조등 높이

37 설계속도가 80km/h인 도로구간의 최소정지시거는 140m이다. 구배가 I_1 =–3%, I_2=3%인 오목종단곡선의 길이를 정지시거가 만족하도록 가정하여라. (단, 전조등은 도로면에 0.5m~0.6m에 위치하고 전조등은 1%위로 비친다고 가정한다)

해설 V=80km/h, S=140m, I=[−3−(+3)]=6%

• **오목형** $S<L$**인 경우**

$$L=\frac{140^2 \times (6)}{120+3.5\times 140}= 192.79m$$

• **오목형** $S \geq L$**인 경우**

$$L=2S-\frac{120+3.5S}{A}=2\times 140-\frac{(120+(3.5\times 140))}{6}=178.33m$$

그러나 종단길이가 시거보다 크므로 조건에 맞지 않다.

38 가속차로를 완전히 벗어나 80kph의 속도로 주행선에 합류하는 경우 가속차로의 폭은 3.6m라 하면 이를 벗어나는데 걸리는 시간은 4초이다. 이 때 taper의 길이는?

해설

$$T=\frac{t\times v_a}{3.6}=\frac{4s\times 80km/h}{3.6}=88.9m$$

T : 테이퍼 길이, V_a : 평균주행속도, t : 주행시간

【참고】• 접근로의 테이퍼

접근로의 테이퍼는 접근방향 교통류를 우측으로 밀리게 하며 이로 인해 좌회전 차로를 설치할 수 있는 공간을 조성하며 직진차량들이 원만한 진행을 할 수 있도록 충분한 거리 안에서 설치되는 것이 중요하다.

$T_a=\dfrac{W_1 V_2}{60}$: 바람직한 설계기준 $T_a=W_s\cdot V$: 최소설계기준

W_1=차로폭(ft), V=속도(mph), W_s=좌회전차로의 돌출 폭(ft)

- **좌회전차로의 테이퍼**

이는 좌회전교통류를 직진차로에서 좌회전 차로로 유도하는 기능을 하며 이에 대한 설계시 좌회전차량이 좌회전 차로로 진입할 때 무리한 감속을 유발하지 않도록 해야 하며 너무 완만히 설계하면 운전자에게 혼란을 가져올 수 있다는 것에 유의해야 한다.

$T_b = \frac{W_1 V}{2.5}$: 바람직한 설계기준 $T_b = 4 : 1$: 최소설계기준

- **좌회전 차로길이 설계**

$L = 1.5 \cdot N \cdot S + l - T \geq 2.0 \cdot N \cdot S$

여기서, L : 좌회전 대기차로길이

N : 좌회전 차량수(신호 1주기당 또는 비신호 1분간 도착좌회전수 차량수)

S : 차량길이(=7.0m)

l : 가 · 감속길이$= \frac{1}{2a} \cdot (V/3.6)^2$

a : 감속을 위한 가속도 값(일반적으로 $2.0m/s^2$, 시가지의 경우 $3.0m/s^2$)

T : 차로테이퍼 길이

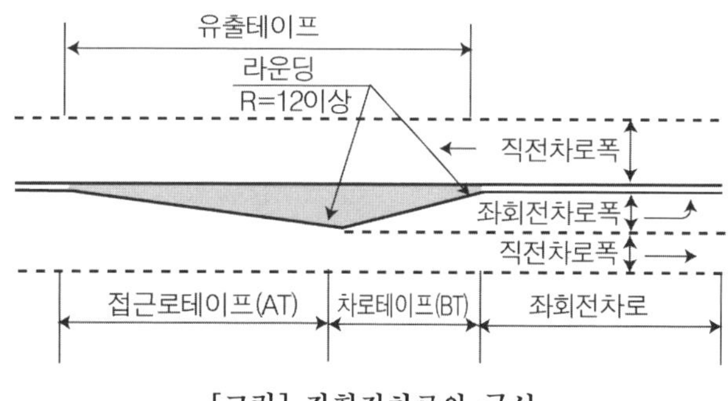

[그림] 좌회전차로의 구성

---

39 설계속도 60kph, 곡선반경 300m, 가속도변화율 $1m/\sec^3$일 때 완화곡선 최소길이는?

해설

$$L = \frac{0.07V^3}{RC} = \frac{0.07 \times 60^3}{300 \times 1} = 50.4m$$

【참고】

$$L = \frac{0.07V^3}{RC}$$

L : 완화곡선의 최소길이(m)

V : 속도(km/h)

R : 곡선반경(m)

C : 원심력의 가속도 변화율($m/\sec^3$), 보통 1~3$m/\sec^3$값이 사용된다.

교통안전 및 시설

1 "가" 도로와 "나" 도로가 만나는 교차로에서 작년 한 해 동안 발생한 사고건수는 72건이었으며 이 교차로에 들어오는 하루 평균교통량은 27,000대이었다. 이 교차로의 백만 대당 교통사고율을 구하시오.

해설

$$\text{백만 대당 교통사고율} = \frac{72 \times 10^6}{27{,}000 \times 365} = 7.31\text{건/백만대}$$

【참고】• 교통사고 사고율에 의한 방법

– 교차로와 같이 한 지점에 대한 경우

$$AR(\text{교통사고율}) = \frac{\text{교통사고건수} \times 1{,}000{,}000(10^6)}{365 \times \text{연수} \times \text{일평균교통량}(AADT)}$$

– 산악지형(국도 등)과 같이 도로구간에 대한 경우

$$AR(\text{교통사고율}) = \frac{\text{교통사고건수} \times 10^6}{365 \times \text{연수} \times AADT \times \text{도로구간의길이}(km)}$$

– 1억 차량당 사고율(AR')

$$AR' = \frac{\text{교통사고건수} \times 10^8}{365 \times \text{연수} \times AADT \times \text{도로구간의길이}(km)}$$

2 4번 국도의 어느 10Km 구간에서 작년 한 해 동안의 교통사고 발생건수는 56건이었으며 이 구간의 $AADT$는 8,000대이다. 이 도로구간의 MEV(백만대당 교통사고율)를 구하시오.

해설 $\text{MEV} = \dfrac{56 \times 10^6}{10 \times 8000 \times 365} = 1.91$건/백만대$\cdot km$

---

3 35km의 도로구간에서 1년 동안 50건의 교통사고가 발생하였다. 조사결과 일 평균 교통량($AADT$)이 6,000대이고 총 사고건수 중 3%가 치명적인 사고였다고 한다면 다음에 대해 답하시오.

(1) 차량 1억대-km당 총사고율은 얼마인가?

해설 차량 1억대-km당 총사고율

$$= \frac{\text{총사고건수} \times 100{,}000{,}000}{AADT \times 365 \times \text{도로구간길이}} = \frac{50 \times 100{,}000{,}000}{6{,}000 \times 365 \times 35} = 65.2\ \text{건억대}\cdot km$$

(2) 차량 1억대-km당 치명적인 사고율은 얼마인가?

해설 1억대 · km당 총 사고율= $65.2 \times 0.03 = 1.96$ 건/억대$\cdot km$

---

4 42번 국도에서 어느 25km 구간에서 작년 한해 동안 교통사고 건수는 74건이었으며, 이 구간의 $AADT$는 9,000대이다. 이 도로 구간의 1억대 · km당 총 사고율을 구하시오.

해설 1억대 · km당 총 사고율$= \dfrac{74 \times 10^8}{25 \times 9000 \times 365} = 90.1$ 건/억대$\cdot km$

---

5 하루에 15,400대의 차량이 통행하는 200m 구간의 도시간선도로 교통사고 23건/3년 중 8건은 인명피해사고이고 우리나라평균치 1억대 · km당 3년 간 375건 중 120건 인명피해 사고이다. 이 도로구간의 사고율, 이 구간의 위험도 즉 사고 많은 장소인지 판정하시오.(단, 인명피해사고의 가중치는 3, 신뢰수준은 95%)

해설 • **이 도로구간의 교통사고율계산**

- 실제등가사고건수 = (23 − 8) + 3 × 8 = 39건(등가물피사고)

- $AR = \dfrac{39 \times 1\text{억}}{3\text{년} \times 365\text{일} \times 15,400\text{대} \times 0.2\text{km}} = 1,157\text{건}(1\text{억대} \cdot \text{km당})$

• **한계 사고율계산**

- 우리나라(이와 유사한 도로의)평균사고율
  (375−120)+3×120=615건(1억대 · km당)

- $M = \dfrac{3\text{년} \times 365\text{일} \times 15,400\text{대} \times 0.2\text{km}}{1\text{억}} = 0.0337(\text{억대} \cdot \text{km})$

- $\text{한계사고율} = 615 + 1.645\sqrt{\dfrac{615}{0.0337}} + \dfrac{1}{2 \times 0.0337} = 852\text{건}(1\text{억대} \cdot \text{km당})$

• **위험도 계산 및 평가**

위험도 : 1,157 > 852($AR > R_c$)

∴ 이 도로구간은 위험한 구간(사고 많은 장소)이다.

【참고】

$$R_c = R_a + k\sqrt{\frac{R_a}{M}} + \frac{1}{2M}$$

R_c = 대상지역의 한계 교통사고율

R_a = 유사한 도로에서의 평균교통사고율

K = 유의수준계수

M = 대상지역 교통사고 노출량

$\therefore\ M = \dfrac{AADT \times 365 \times \text{도로구간길이}}{1\text{백만}}$

$AR > R_c$(위험도로로 판정) $AR < R_c$(위험도로가 아님)

---

6 어느 한 지역의 일평균 교통량이 10,000대이고 도로구간이 12km이며 이와 유사한 도로의 평균사고율이 1년에 3.5건이라면 95%의 유의수준으로 한계교통사고율(백만차량 · km)을 산출하시오.(단, 95%의 유의수준일 때 K=1.645)

해설 • **대상지역의 교통사고 노출량 계산**

$$M = \frac{AADT \times 365 \times \text{도로구간의길이} \times \text{연수}}{10^6} = \frac{10,000 \times 365 \times 12 \times 1}{10^6} = 43.8$$

- **한계 교통사고율 계산**

$$R_c = R_a + k\sqrt{\frac{R_a}{M}} + \frac{1}{2M} = 3.5 + 1.645 \times \sqrt{\frac{3.5}{43.8}} + \frac{1}{2 \times 43.8}$$

$$= 3.976\text{건}/\text{백만차량}\cdot km$$

---

7 우리나라 2차로 국도의 1㎞당 사고건수를 예측하기 위한 중회귀 모형식(설명변수 : 교통량, 주행속도, 차도폭원, 혼잡도), 회귀계수(b))이다. 교통량이 거의 일정한 지방부 2차로 국도 2㎞내, 사고건수 15건/3년 이 중 200m의 어느 곡선구간에서의 사고 5건, 다음의 회귀모형식을 이용하여 예측결과 전구간 13건, 200m 구간 1.5건으로 200m 곡선구간이 신뢰수준 95%에서 사고 많은 지점으로 간주될 수 있는지를 판정하시오.

$$Y = b_0 + b_1 X_1 + b_2 X_2 + b_3 X_3 + b_4 X_4$$

해설 – 전체 구간에 대한 곡선구간의 위험률(p)=1.5/13=0.115

– 곡선구간의 평균 사고율 기대값(np)=15×0.115=1,725건

$$Z = \frac{5 - 1.725}{\sqrt{15 \times 0.115 \times 0.885}} = 2.65 > 1.645$$

그러므로 이 곡선구간은 위험하며 사고 많은 장소로 볼 수 있다.

---

8 어떤 속도로 달리던 차량이 급정거하여 바퀴자국이 32m나 생겼다. 같은 장소에서 시험차량으로 60kph의 속도로 달리다가 급정거하니 바퀴자국이 길이는 28.3m이었다. 속도에 따른 노면과 타이어 간의 마찰계수가 변함이 없다면 이 때 차량의 속도를 추정하시오.

해설 $D = \frac{|V^2 - V_1^2|}{254(f+g)} \quad \rightarrow f = \frac{|V^2 - V_1^2|}{254 \times D_1} = \frac{|0^2 - 60^2|}{254 \times 28.3} = 0.5$

$$|0^2 - V^2| = D \times 254(f+g) \rightarrow V = \sqrt{D \times 254(f+g)}$$

$$V = \sqrt{32 \times 254 \times 0.5} = 63.75km/h$$

---

9 자동차주행속도 V=60kph로 주행 중 도로상의 장애물을 발견하고 급정지하였다. Skidding distance를 계산하시오.(단, 마찰계수 f=0.33)

해설

$$D = \frac{{V_1}^2}{254 \cdot (f+g)} = \frac{60^2}{254 \times (0.33+0)} = 42.95m$$

---

10 차량이 60km/h(V)의 속도로 주행하다 정지(V_1)하였다. 차량의 제동거리(D)는 얼마인가?(마찰계수(f)=0.2, 구배(g)=0)

해설

$$D = \frac{|V^2 - V_1^2|}{254(f+g)} \rightarrow D = \frac{|0^2 - 60^2|}{254(0.2+0)} = 70.87m$$

---

11 구배가 0%인 도로에서 70km/h로 달리는 차량이 급제동을 할 때의 감속도는 산출하고 이 때 나타나는 바퀴자국의 길이는 계산하시오.(단, 노면과 바퀴의 마찰계수 0.5가 제동하는 동안 일률적으로 작용한다고 본다)

해설 $f(\text{마찰력}) = wf = ma$

주행거리공식 : $X - X_0 = \dfrac{v^2}{2a}$

$mgf = ma$

$g(\text{중력가속도}) \times f(\text{마찰계수}) = a(\text{감속도})$이므로

$a = g \times f = 9.8 \times 0.5 = 4.9\ m/s^2$

미끄러진 거리$= \dfrac{v^2}{2a} = \left(\dfrac{70^2}{2 \times 4.9 \times 3.6^2}\right) = 38.6m$

12 속도(V)=60km/h, 노면과 바퀴의 마찰계수(f)=0.5이다. 차량이 급제동할 때의 감속도(a)와 바퀴자국의 길이(D)를 구하시오.(구배는 0%)

해설 $D=\frac{V^2}{2g(f+g')3.6^2}$ 에서 g'(구배)가 0%라면 → $D=\frac{V^2}{2g\times f\times 3.6^2}$

g(중력가속도)$\times f$(마찰계수)$=a$(감속도)이므로

$a=g\times f=9.8\times 0.5=4.9\ m/s^2$

$$D=\frac{V^2}{2a\times 3.6^2}=\frac{60^2}{2\times 4.9\times 3.6^2}=28.34m$$

13 60km/h로 달리던 차가 급제동하여 10m 미끄러졌는데 미끄러진 후의 속도를 구하시오.(단, 반응시간 무시, 마찰계수는 0.7, 구배는 0%)

해설 $D=\frac{{V_1}^2-{V_2}^2}{254(f+G)}$ → $10=\frac{60^2-{V_2}^2}{254(0.7+0)}$

${V_2}^2=60^2-(254\times 0.7\times 10)$ → $V_2=42.68\ km/h$

∴ 미끄러진 후의 속도는 42.68km/h

14 속도 V=30kph로 주행하던 차가 급제동한 결과 Skidding distance d=54ft로 나타났다. 이때의 마찰계수(f)를 구하시오.

해설 1ft=0.3048m이고, 54ft=16.46m이다.

$$D=\frac{V^2}{2gf} \rightarrow 16.46=\frac{(30/3.6)^2}{9.8\times 2\times f}$$

$$f=\frac{(30/3.6)^2}{9.8\times 2\times 16.46}=0.215$$

∴ 마찰계수(f)는 0.215

15

한 운전자가 주행 중에 장애물을 만나 급제동하며 그 장애물 앞에서 가까스로 정지하였다. 이때 바퀴에 의한 미끄럼 흔적(Skid Mark)이 25m이고 노면의 마찰계수가 0.6일 때 다음 각 조건에서의 차량의 초속도를 계산하시오.

(1) 3% 상향구배일 때 차량의 초속도는?

해설

$$D_b = \frac{V^2 - V_0^2}{254(f+g)} \rightarrow 25 = \frac{V^2}{254 \times (0.6+0.03)}$$

$$\therefore V^2 = 63.3km/h$$

(2) 2.3% 하향구배일 때 차량의 초속도는?

해설 $V^2 = 25 \times 254(0.6 - 0.023) = 3663.9 \qquad \therefore V_o = 60.5\ km/h$

(3) 평탄지일 때 차량의 초속도는?

해설 $V^2 = 25 \times 254(0.6) = 3,810 \qquad \therefore V_o = 61.7\ km/h$

16

한 차량이 급정거하여 바퀴자국이 32m가 생겼다. 같은 장소에서 60km/h의 속도로 달리던 차량이 급정거하여 남겨진 바퀴자국의 길이가 28.3m이었다. 속도에 따른 노면과 타이어 간의 마찰계수가 변함이 없다면 이 차량의 속도를 구하시오.(구배 : 0%)

해설

$$D = \frac{{V_1}^2 - {V_2}^2}{254 \cdot (f+g)} \rightarrow 28.3 = \frac{60^2 - 0^2}{254(f+0)} \rightarrow f = 0.5$$

$$30 = \frac{v_1^2 - 0^2}{254(0.5+0)} \rightarrow v = 63.75km/h$$

17 한 운전자가 주행 중에 장애물을 발견하여 급제동하며 정지하였다. 이 도로의 제한속도가 30km/h라면 이 차량이 속도위반을 했는지 판단하시오.(조건 : 스키드마크 20m, 마찰계수 : 0.5, 인지반응시간 : 2.5초)

해설 $D = \frac{t_r \cdot V}{3.6} + \frac{V^2}{254(f+g')}$ 에서 g'(구배)는 생략하고 인지반응시간을 제외한 차량의 제동거리를 계산한다.

$$D = \frac{V^2}{254 \times (f+g)} = \frac{30^2}{254 \times (0.5+0)} = 7.09m$$

위의 조건과 비교했을 때 7.09m < 20m

∴ 30km/h로 주행한 차량의 스키드마크가 위 조건의 스키드마크보다 더 짧기 때문에 운전자는 속도를 위반하였다.

18 차량이 50m 거리를 미끄러져 주차한 차량과 충돌하였으며 충돌 후 두 차량이 18m 미끄러져 정지하였다. 양 차량의 무게가 동일할 때 주행차량의 초기 속도는?(마찰계수 : 0.6)

해설 $v = \sqrt{254 \times f\,[\,S_2(\frac{W_A + W_B}{W_B})^2 + S_1\,]}$ W_A 와 W_B가 같으므로

$$v = \sqrt{254 \times 0.6\,[\,18(\frac{2}{1})^2 + 50]} = 136.35km/h$$

【참고】• 충돌 전 초기속도

$$v = \sqrt{254 \times f\,[\,S_2(\frac{W_A + W_B}{W_B})^2 + S_1\,]}$$

W_A : 주행차량의 무게(kg)

W_B : 정차한 차량의 무게(kg)

f : 평균마찰계수

S_1 : 충돌 전 초기에 미끄러진 거리(m)

S_2 : 충돌 후 두 차량이 함께 미끄러진 거리(m)

---

19 주행 중인 차량이 도로변의 전봇대와 충돌하여 진행방향에서 왼쪽으로 60° 의 각도로 30m 미끄러져 정지하였다. 충돌 전의 초기속도를 구하시오.(단, 마찰계수는 0.4)

해설 $f=0.4 \quad d_1=0 \quad d_2=30$

$$v=\sqrt{254\times f\left[\frac{d_2}{\cos^2 A}+d_1\right]}$$

$$v=\sqrt{254\times 0.4\left[\frac{30}{\cos^2 60}+0\right]}=110.42\,km/h$$

실전문제

실전시험과 같이 문제지에 답을 볼펜으로 작성해 보세요.

1 시험차량을 이용하여 일정구간을 남방향에서 북방향 주행시 얻은 결과가 아래와 같다.

·남 → 북 방향 통행시간(tn) : 10분 ·북 → 남 방향 통행시간(ts) : 9분 ·북 → 남 방향 주행시 반대편에서 오는 차량대수(Ms) : 200대 ·남 → 북 방향주행시 조사차량을 추월한 차량수(On) : 8대 ·남 → 북 방향주행시 조사차량이 추월한 차량수(Pn) : 5대 ·남과 북구간의 거리(ℓ) : 4 km

(1) 북방향 교통량을 구하시오.

(2) 북방향 평균주행시간을 구하시오.

(3) 북방향 주행속도를 구하시오.

(4) 북방향 밀도를 구하시오.

2 순간속도를 측정하기 위하여 30m의 측정구간을 설정하여 5대의 차량의 통과 시간을 측정한 결과 다음과 같다. 시간평균속도와 공간평균속도를 구하시오.

차량번호	측정구간 통과 시간(초)
1	2.6
2	2.7
3	1.9
4	2.3
5	2.1

3 단독서비스 창구에서 평균도착율 150대/시, 평균서비스율 200 대/시이다. 이 창구의 도착분포 형태가 poisson 분포를 따르고 유출형태가 지수함수 형태일 때 다음 사항을 계산하시오.

(1) 시스템 내에 한 대도 없을 확률

(2) 시스템 내에 3대가 있을 확률

(3) 시스템 내의 평균대기행렬 길이

(4) 평균대기시간

4 편도 3차로 도로의 용량은 6,000대/시이고 수요는 5,600대/시이다. 1시간의 보수공사로 인해 1차로를 폐쇄하였다. 다음의 질문에 답하여라.

공사구간

(1) 현 상황에서 발생되는 도로용량과 수요의 관계를 그래프로 그리시오.

(2) 공사로 인해 지체가 발생할 때 최대 지체를 겪는 차량은 몇 번째 차량인가?

(3) 최대 지체시간을 구하시오.

(4) 대기행렬이 완전히 해소되는 시간을 구하시오.

5 각 이동류별로 한 차로씩 배정된 신호교차로의 교통량이 다음과 같고, 포화교통류율이 1800pcphgpl이다. 현시가 다음과 같이 같고, 현시당 황색시간 3초, 출발손실시간 2.3초, 진행연장시간 2.0초일 때, 다음의 물음에 답하여라.

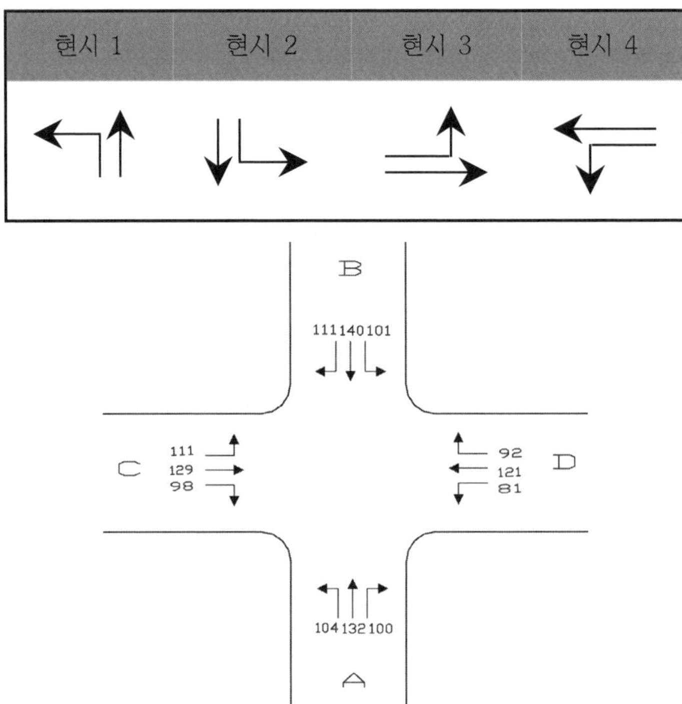

(1) 주기당 총 손실시간을 구하시오.

(2) webster적정주기를 구하시오.

(3) 각 현시의 유효녹색시간을 구하시오.

6 좌회전+직진 공용 차로에서 5대중 평균 2대가 죄회전 차량이다. 적색신호시간 동안 10대의 도착차량 중에서 직진이 4대 있을 확률은 얼마인가?

7 임의 도착교통량이 시간당 600대이다. 1분 동안에 5대가 도착할 확률은 얼마인가?(단, 임의 도착교통량분포는 poisson분포에 따른다)

8 Y형 교차로에서 우회전확률이 2/3, 좌회전확률이 1/3이다. 3대 차량 중 1대 이하가 우회전할 확률은?

9 어떤 주차장에서 3분당 차량1대가 도착한다고 한다. 주차장에 2분 동안 1대도 도착하지 않을 확률을 구하시오.(단, 주차장 도착차량분포는 음지수분포에 따른다)

10 어느 500m구간에서 속도조사를 실시하였다. 3개의 차량이 이 구간을 통과하는데 각각 21초, 20초, 24초로 나타났다.

(1) 공간평균속도는 얼마인가?

(2) 시간평균속도는 얼마인가?

11 4차로인 도로에서 승용차환산계수를 적용하여 구한 교통량이 7,000대/h일 때 평균속도가 40㎞/h였다. 다음 질문에 답하시오.

(1) 밀도(k)를 산출시오.

(2) 차두시간을 산출하시오.

(3) 차두거리를 산출하시오.

12 교통류분석을 수행하기 위해 교통량(q)와 밀도(k)의 관계를 조사한 결과 $q=-0.1k^2+30k$일 때 다음 질문에 답하시오.

(1) $q_{\max}$을 구하시오.

(2) u_m을 구하시오.

(3) k_j를 구하시오.

13 어느 도로구간 내에서 얻은 자료로부터 얻은 자료로부터 AADT가 40,000대, k 계수의 값이 0.09, 중차량비율이 20%로 나타났다. 방향별 교통량분포가 60:40일 때 이 도로의 설계시간 교통량을 산출하시오.(단 중차량의 승용차환산 계수는 1.8로 한다)

14 도시부 고속도로구간 계획시 AADT=45,000대/시, k=0.09, D=0.6, PHF =0.95이고, 최대서비스교통량이 1,500대/시일 때 다음과 같은 조건을 만족할 수 있는 차로수를 산정하시오.(차로폭 및 측방여유폭은 이상적인 상태이고, 중차량보정계수는 0.77이다)

15 다음은 어느 교차로에서 조사된 교통량을 나타낸 표이다. 첨두시간 계수를 산출하시오.

시간		교통량
08:00	8:15	420
08:15	8:30	640
08:30	8:45	600
08:45	9:00	540

16 어느 접근로의 지체도를 측정하기 위해서 조사를 실시하였다. 측정자료가 아래와 같을 때 다음 질문에 답하시오.(주기 100초, 선정단위 15초)

조사기간	+0	+15	+30	+45초	교통량
8:00	7	4	7	4	50
8:01	6	7	5	0	35
8:02	5	3	0	5	50
8:03	7	4	4	2	70
8:04	3	5	8	4	45

(1) 총 지체도는?

(2) 접근 차량당 평균지체도는?

17 신호교차로에서 신호등이 푸른색으로 바뀌면서 한 차로에 대한 차두간격 시간이 아래와 같을 때 포화차두 시간간격, 포화교통량, 출발손실시간을 계산하시오.

대기행렬에 있는 차량번호	차두간격(초)	대기행렬에 있는 차량번호	차두간격(초)
1	2.8	5	2.1
2	2.6	6	2.0
3	2.4	7	2.0
4	2.2	8	2.0

18 딜레마존의 길이를 구하시오.

황색신호시간 : 3.0초　인지 · 반응시간 : 1.5초　차량길이 : 5m
교차로길이(폭) : 25m　차량속도 : 60km/h　임계 감속도 : $5m/s^2$

19 2현시 교차로에서 현시 당 손실시간이 3초일 때 webster식으로 주기를 구하고 교차로 v/c를 구하시오.

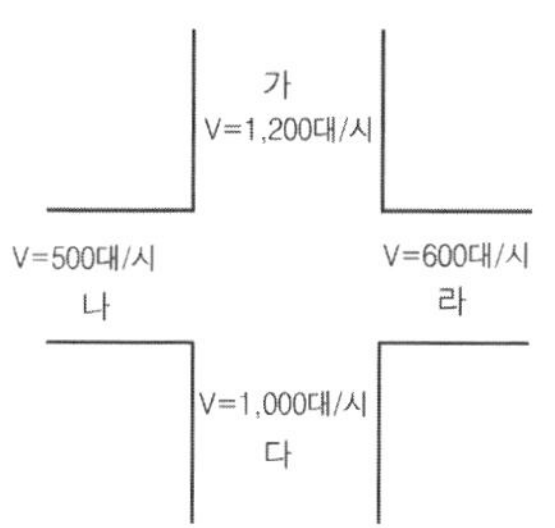

접근로	포화교통량
가	3,200
나	1,200
다	3,200
라	1,200

1현시	2현시
← →	↑ ↓

20 평균통행속도가 60km/h이며 편구배(e)가 0.4, 마찰계수(f)가 0.15일 때 다음을 계산하여라.

(1) 최소곡선반경(R)은?

(2) 마찰계수가(f)가 0.3로 변할 때의 평균통행속도는?

21 정상시력을 가진 운전자가 20m거리에서 20cm 표지판의 글자를 분명히 읽을 수 있으며 설계시 기준으로 하는 운전자의 시력은 20/40이라고 가정하자. 한 평탄지 고속도로의 유출부에서 방향 안내표지를 설치하고자 할 때 고속도로의 속도가 100km/h이고 유출부에서의 속도를 60km/h로 유도하려면 이 표지판은 유출부에서 얼마만큼 전방에 설치되어야 하는가?(단 운전자의 인지반응시간은 2.5초, 마찰계수 0.3, 글자의 크기는 60cm로 가정한다)

22 한 운전자가 주행 중에 장애물을 발견하여 급제동하며 정지하였다. 이 도로의 제한속도가 40km/h라면 이 차량은 속도위반을 했는지 판단하시오.(단, 조건은 skid mark : 45m, 마찰계수 : 0.4, 인지반응시간 : 2.5초)

23 하루에 16,000대의 차량이 통행하는 1km 구간의 도시간선도로 교통사고 50건/3년 중 10건은 인명피해사고이고 우리나라평균치 1억대 · ㎞당 3년 간 380건 중 120건 인명피해 사고이다. 이 도로구간의 사고율, 이 구간의 위험도 즉 사고 많은 장소인지 판정하시오.(단, 인명피해사고의 가중치는 3, 신뢰수준은 95%)

실전문제해설

제1부 교통계획(이론문제)

제2부 교통계획(계산문제)

제3부 교통공학(이론문제)

제4부 교통공학(계산문제)

실전문제해설

제1부 교통계획(이론문제)

1 폐쇄선 조사, 스크린라인 조사, 영업용차량 조사, 대중교통수단 이용객 조사, 터미널승객 조사, 직장방문 조사, 가구방문 조사, 노측면접 조사, 차량번호판 조사

2
- 각 존은 가급적 동질적인 토지 이용이 포함이 되도록 한다.
- 각 존 내부의 사회적, 경제적 성격이 비슷하게 존을 산정한다.
- 간선도로나 강, 철도 등이 가급적 존 경계선과 일치하도록 한다.
- 행정구역과 가급적 일치시킨다.
- 각 존의 모양은 원형에 가깝게 해야 한다.
- 한 존에 소규모 도시의 주거지역 : 1,000~3,000명
- 대규모 도시의 주거지역 : 5,000~10,000명

(각 존의 가구수, 인구, 통행량 규모가 비슷해야 한다.)

3
- 가급적 행정구역 경계선과 일치시킨다.
- 도시주변의 인접 위성도시나 장래도시화 지역은 포함시킨다.
- 횡단되는 도로나 철도는 최소화한다.
- 주변에 동이 위치하면 포함시킨다.

4 출발지와 목적지, 통행목적, 통행비용, 자동차소유여부와 보유대수, 환승 여부, 가구총소득, 5세 이상 가족수, 통행시간, 교통비, 이용한 교통수단, 운전면허증 소지여부

5
- 근시안적인 교통계획의 장기적인 테두리 설정해준다.
- 즉흥적인 계획과 집행을 막을 수 있다.
- 교통행정에 대한 지침을 제공하는 역할을 한다.
- 정책목표를 세울 수 있는 계기가 마련된다.
- 한정된 재원의 투자우선순위를 설정해 준다.
- 세부계획을 수립할 수 있는 준거를 마련해 준다.

– 교통문제 진단, 인식여건 조성시킨다.
– 집행된 교통정책 점검할 수 있다.
– 단기, 중기, 장기교통정책의 조정과 상호연관성을 높일 수 있다.

6

장기교통계획	단기교통계획
소수대안	다수의 대안
유사한 대안	서로다른 대안
교통수요고정	교통수요의 변화
단일교통수단위주	여러교통수단을 동시에 고려
공공기관의 정책	공공기관 및 민간기관 정책
장기적	단기적
시설지향적	서비스지향적
추정지향적	피드백지향적
자본집약적	저자본집약적

7

– 이해가 용이
– 자료 이용이 효율적
– 검정과 변수조정이 용이
– 추정이 비교적 정확
– 교통정책에 민감하게 변화
– 다양한 유형에 적용 가능
– 타 지역에 이전이 용이

8

– 교통존이 한정되지 않으므로 어떤 지역단위에서도 적용이 가능
– 효용이론에 근거한 모델 구축
– 형태성이 강하기 때문에 공간적 시간적으로 이전 가능
– 관측 불가능한 효용에 대해서 가정된 분포의 형태에 따라서 다양한 형태의 모형이 구축 가능
– 4단계 교통수요추정모형과 비교해서 여러 가지 과정을 동시에 수행 가능
– 단기적 교통정책의 영향을 쉽게 확인
– 비용 절감, 짧은 시간만에 결과 도출

9

· 장점

– 각 단계별로 결과에 대한 검증함으로써 교통수요를 수리적 모형으로 묘사 가능
– 통행패턴의 변화가 일어나지 않는다는 가정을 전제로 하기 때문에 통행패턴의 변화가 적은 사업에 유용
– 장기적, 대규모 사업 분석에 유용
– 각 단계별로 적절한 모형의 선택이 가능

· 단점

– 과거의 일정한 시점을 기초로 모형화 함으로써 추정시 경직성을 나타냄

- 계획가나 분석가의 주관이 강하게 작용할 수 있음
- 총체적 자료에 의존하기 때문에 통행자의 행태적 측면이 거의 무시됨
- 단기적, 서비스 지향 사업에 적용 곤란
- 누적오차 발생

10

통행발생	과거추세연장법(증감율법, 원단위법), 회귀분석법, 카테고리 분석법
통행분포	성장률법(균일성장률법, 평균성장률법, 프라타법, 디트로이트법), 간섭기회모형, 중력모형
교통수단 선택	통행단모형, 전환곡선모형, 개별행태모형
통행배분	용량을 제약하지 않는 방법(ALL-OR-NOTHING법) 용량을 제약하는 방법(반복 배분법, 분할 배분법, 평행 배분법, 확률적 통행 배분법))

11

· **장점**

- 도로의 여건이 최대한 주어진다면 개인의 희망노선을 알려준다.
- 대중교통 같은 노선을 결정하는 경우에 개념이 같다는 점
- 이론이 단순하며 모형을 적용하기가 용이하다.
- 총 교통체계의 관점에서 최적 통행 배분상태 검토할 수 있다.

· **단점**

- 도로의 용량을 고려하지 않음
- 실질적인 도로용량을 초과하는 경우가 다수 발생
- 통행자의 개별적 행태 측면의 반영 미흡
- 통행시간에 다른 통행자의 경로변경 등의 현실성을 고려치 않음

12

• **비용-편익분석법**

㉮ 비용-편익비(B/C비)
- 비용으로 편익을 나누어 가장 큰 수치가 나타나는 대안을 선택하는 방법
- 장래에 발생될 비용과 편익을 현재가치로 환산해야 한다.
- $B/C > 1$이면 타당성이 있는 사업, B/C비 < 1이면 타당성이 없는 사업

$$(B/C)\text{비} = \frac{\text{편익의 현재가치}}{\text{비용의 현재가치}}$$

㉯ 초기년도수익률(FYRR : First Year Rate of Return)
- 사업시행으로 인한 수익이 나타나기 시작하는 해의 수익을 소요비용으로 나누는 방법
- 초기에 많은 비용이 소요되고 일정한 편익이 발생되는 경우에 적합

$$FYRR = \frac{\text{수익성이 발생하기 시작한 해의 편익}}{\text{사업에 소요된 비용}}$$

㉰ 내부수익률(IRR : Internal Rate of Return)
- 편익과 비용의 현재가치로 환산된 값이 같아지는 할인율을 구하는 방법

- 내부수익율 : 사업시행으로 인한 순현재가치(NPV)를 0으로 만드는 할인율
- 내부수익률이 사회적 기회비용(일반적인 할인율)보다 크면 수익성이 존재
- NPV=0, B/C=1로 만들어 주는 값⇒IRR

$$IRR = \sum_{t=0}^{n} \frac{B_t}{(1+r)^t} = \sum_{t=0}^{n} \frac{C_t}{(1+r)^t}$$

㉣ 순현재가치(NPV : Net Present Value)
- 현재가치로 환산된 총 편익에서 총 비용을 제하여 편익을 구하는 방법
- 교통사업의 경제성 분석시 가장 보편적으로 사용
- 할인율을 적용하여 장래의 비용, 편익을 현재가치화
- $NPV > 0$이라면 타당성이 있는 사업이라 판단

$$NPV = \sum_{t=0}^{n} \frac{B_t}{(1+r)^t} - \sum_{t=0}^{n} \frac{C_t}{(1+r)^t} = 0$$

㉤ 자본회수기간(PP : Payback Period)
- 할인율이 적용된 총 편익과 총 비용이 같아지는 기간을 찾는 방법
- 자본회수 기간은 짧을수록 유리
- PP의 n년도를 도출

$$PP = \sum_{t=0}^{n} \frac{B_t}{(1+r)^t} = \sum_{t=0}^{n} \frac{C_t}{(1+r)^t}$$

13

기법	장점	단점
B/C	· 이해의 용이 · 사업규모 고려 가능 · 비용, 편익이 발생하는 시간에 대한 고려 가능	· 편익과 비용을 명확하게 구분하기 힘들다. · 대안이 상호 배타적일 경우 대안선택의 오류 발생 가능 · 할인율을 반드시 알아야 한다.
FYRR	· 이해의 용이 · 계산 간단	· 사업의 초기년도를 정하기 곤란 · 편익, 비용이 발생하는 시간 고려가 불가능 · 할인율을 고려하기 않아 정확성 결여
IRR	· 사업의 수익성 측정 가능 · 타대안과 비교가 용이 · 평가과정과 결과 이해가 용이	· 사업의 절대적인 규모를 고려하지 못함 · 몇 개의 내부수익률이 동시에 도출될 가능성 내재
NPV	· 대안선택에 있어 정확한 기준제시 · 장래발생편익의 현재가치 제시 · 한계 순현재가치를 고려하여 여러 가지 분석 가능	· 할인율(자본의 기회비용)을 반드시 알아야 함 · 이해가 어려움 · 상대적 기준이 아니므로 대안 우선순위 결정시 오류발생 가능성이 존재
PP	· 사업 시행 후 타사업이 있을 경우 정책결정에 유용 · 자본이 부족할 때 유리	· 분석 전기간에 걸친 적절한 지표로 사용하기에는 역부족

14

- 대중교통체계의 비효율성
- 도시구조와 교통체계간의 부조화
- 교통시설에 대한 운영 및 관리의 미숙
- 교통시설 공급의 부족
- 교통계획 및 행정의 미흡

15

- 단거리교통
- 대량수송
- 도심지 등 특정지역에 집중
- 통행로, 교통수단, 터미널에 의한 서비스 제공
- 첨두특성(오전, 오후 등 2회의 피크 현상)

16

추정방식	장점	단점
과거추세연장법	이해가 쉽고, 적용 편리계산 간편	신뢰성부족 장래의 불확실성에 대한 고려가 불가능 함
주차발생원단위법	단기적 주차수요예측에 높은 신뢰성 제공함	주차이용효율 산출이 어려움 발생원단위 변화의 융통성 부족
건물연상면적 원단위법	총체적 수요추정에 비교적 높은 신뢰성 제공	자료수집곤란
P요소법	여러 가지 지역특성의 포괄적 고려 가능 특정장소의 수요추정에 곤란	각 계수에 대한 자료수집 어려움
자동차 기종점에 의한 방법	특정지역에 대해서는 정확한 수요 추정이 가능	조사곤란 시간 및 비용소요과다
누적주차수요 추정법	시간에 대한 고려가능 특정용도의 수요추정에 적용이 쉽다.	추정시 각 용도별로 각각 추정함으로써 비용이 많이 소요됨

2부 교통계획(계산문제)

1 $(700\times3.0)+(60\times0.4)+(1{,}000\times3.4)+(200\times2.5)=6{,}024$통행

2 (1) $\mu=\dfrac{\Delta V}{\Delta P}\times\dfrac{P}{V}=-0.3$

(2) $\mu=\dfrac{\Delta V}{\Delta P}\times\dfrac{P}{V}=0.4$

(3) $V1=100\cdot 1{,}600^{-0.3}\cdot 600^{0.4}=142$대

지하철의 수요탄력성 $\mu=0.4\dfrac{\Delta P}{P_2}\rightarrow\dfrac{(700-600)}{600}=0.1667$

지하철 요금이 16.67% 증가되므로 택시수요는

$\dfrac{\Delta V}{V_1}=\mu\times\dfrac{\Delta P}{P_2}=0.4\times16.67\%=6.67\%$ 증가한다.

새로운 택시수요는 142×(1+0.0667)=152대

3 – All–or–nothing 배정기법

200 → b로 가면 ($V_a=0$, $V_b=200$)

link cost는 $t_a=10$, $t_b=25$ 즉 total cost=(0×10)+(200×25)=5,000

200 → a로 가면 ($V_a=200$, $V_b=0$)

link cost는 $t_a=30$, $t_b=15$ 즉 total cost=(200×30)+(0×15)=6,000

200 → a > 200→b이므로 $V_a=200$, $V_b=0$ 배정한다.

– Incremental Assignment

$\alpha^1=50\%$, $\alpha^2=50\%$라 하면

$K_{12}=0.5\times200=100$, $K_{12}^2=0.5\times200=100$

$V_a=100$, $V_b=100$ 이다.

4 – user equilibrium

② 노드에서 ③ 노드로 가는 링크는 하나이므로 링크 1과 링크 2에서 사용자 평형을 이루는 x_1 과 x_2를 구하면 된다.

전체 통행량은 4이므로 ① 노드에서 ② 노드의 통행량은 4이다.

$1+3x_2=2+x_1^2$ ....1)

$x_1+x_2=4$ ....2)

식 2)를 1)에 대입하면,

$x_1^2+3x_1-11=0$

근의 공식을 이용하여 풀이하면 각 경로별 교통량을 산출할 수 있다.

$\therefore\ x_1 = 2.14$

$x_2 = 1.86$

$x_3 = 4$

각 경로별 통행시간은

$\therefore\ t_1 = 2 + x_1^2 = 6.58$

$t_2 = 1 + 3x_2 = 6.58$

$t_3 = 3 + x_3 = 7$

– system optimization

$t_1 C_1 = (2 + x_1^2)x_1 = x^3 + 2x_1$

$t_2 C_2 = (1 + 3x_2)x_2 = 3x_2^2 + x_1$

$MC_1 = 3x_1^2 + 2x_1\,, \quad MC_2 = 6x_2 + 1$

$MC_1 = MC_2\,, \quad x_1 + x_2 = 4$ 이용하여 풀이하면,

$3x_1 + 2x_1 = 6x_2 + 1$ ....3)

$x_1 + x_2 = 4$ ....4)

식 4)를 3)에 대입하면,

$3(4 - x_2)^2 + 2(4 - x_2) - 6x_2 - 1 = 0 \ \rightarrow\ 3x_2^2 - 32x_2 + 55 = 0$

근의 공식을 이용하여 풀이하면 각 경로별 교통량을 산출할 수 있다.

$\therefore\ x_1 = 2.15$

$x_2 = 1.85$

$x_3 = 4$

각 경로별 통행시간은

$\therefore\ t_1 = 2 + x_1^2 = 6.62$

$t_2 = 1 + 3x_2 = 6.55$

$t_3 = 3 + x_3 = 7$

5

$NPV_I = -10 + \frac{7}{1.08} + \frac{5}{(1.08)^2} + \frac{3}{(1.08)^3} + \frac{2}{(1.08)^4} + \frac{1}{(1.08)^5} = 5{,}300{,}315$원

$NPV_{\mathrm{II}} = -10 + \frac{5}{1.08} + \frac{5}{(1.08)^2} + \frac{6}{(1.08)^3} + \frac{6}{(1.08)^4} + \frac{6}{(1.08)^5} = 12{,}172{,}995$원

$\therefore$ 대안Ⅱ을 선택한다.

6

$$Q=\frac{P \cdot V \cdot N}{2L}=\frac{50\times40\times10}{2\times20}=500\text{명/시간}$$

7

(1) 13:30~14:30

(2) $\frac{(53+54)}{2}$=53.5대-시

(3) $\frac{53.5}{0.85}$=63면

(4) $\frac{70}{63}$=1.1회/시간

(5) $\frac{53.5}{70}$=0.76시간

8

$$P(\text{주차수요})=\frac{0.6\times1.1\times1.1}{1.8\times0.85}\times0.45\times0.9\times15{,}000\times0.1=289\text{대}$$

∴ 5년 후 확보되어야 할 주차대수=$289(1+0.05)^5=369$대

9

U_t=−0.0005×2000−0.0003×20=−1.006

U_b=−0.0005×500−0.0003×30=−0.259

$$P_t=\frac{e^{-1.006}}{e^{-1.006}+e^{-0.259}}=0.3215$$

∴ 택시를 이용할 확률은 32.15% 이다.

10

F=장래의 총 통행량/현재의 총 통행량 즉, $F=\frac{\sum T_{ij}}{\sum t_{ij}}=\frac{90}{75}=1.2$

T_{11}=6×1.2=7.2 T_{12}=8×1.2=9.6 T_{13}=6×1.2=7.2

T_{21}=5×1.2=6 T_{22}=7×1.2=8.4 T_{23}=10×1.2=12

T_{31}=9×1.2=10.8 T_{32}=10×1.2=12 T_{33}=14×1.2=16.8

O \ D	1	2	3	계
1	7	10	7	24
2	6	8	12	26
3	11	12	17	40
계	24	30	36	90

11 1,000세대×4인/가구×1.8회/인=7,200통행

각 수단별 분담률 : 자가용 7,200×0.25=1,800통행
택시 7,200×0.1=720통행
버스 7,200×0.25=1,800통행
지하철 7,200×0.4=2,880통행

차량대수 : 자가용 1,800/1.2인=1,500
택시 720/1.8인=400
버스 1,800/45인=40
∴ 총 통행량=1,500+400+(40×2)=1,980대
∴ 피크시 1시간 교통량=1,980대×0.15=297대

제3부 교통공학(이론문제)

1

- 주행속도 : 구간거리/(통행시간－정지시간)
- 통행속도 : 구간거리/총통행시간
- 지점속도 : 일정도로구간의 한 지점에서 측정한 차량속도
- 자유속도 : 주행시 다른 차량의 영향을 받지 않고 자유롭게 낼 수 있는 속도
- 설계속도 : 차량의 안전한 주행과 도로의 구조, 설계조건 등을 감안하여 설정한 속도
- 운영속도 : 도로의 설계속도를 초과하지 않는 범위 내에서 차량이 낼 수 있는 최대 속도

2

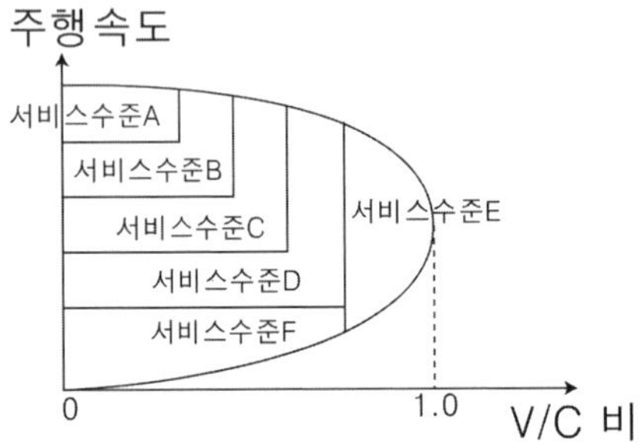

주행속도
서비스수준A
서비스수준B
서비스수준C
서비스수준D
서비스수준E
서비스수준F
0
1.0
V/C 비

3

- 평지
- 추월가능구간이 100%인 도로
- 차로폭은 3.5m 이상이어야 한다.
- 측방여유폭은 1.5m이어야 한다.
- 교통통제 및 회전차량으로 인한 직진 차량이 방해받지 않는 도로
- 방향별 교통량 분포가 균등한 도로(방향별분포 50/50)
- 도로유형Ⅰ은 설계속도 80km/h 이상, 도로유형Ⅱ는 설계속도 80km/h 미만

4

엇갈림이란 교통통제 시설이 도움 없이 상당히 긴 도로를 따라가면서 동일방향의 두 교통류가 차로를 변경하는 교통현상을 말한다. 엇갈림구간은 합류구간 바로 다음에 분류구간이 있을 때는 유입연결로 바로 다음에 분류구간이 있을 때 또는 유입연결로 바로 다음에 유출연결로가 있을 때 이 두 지점이 연속된 보조차로로 연결되어 있는 구간이다.

5

① 자료조사
② 교통량보정
③ 포화교통량 보정
④ 용량분석
⑤ 서비스수준 분석

6
① 적은 비용투자
② 단기적인 편익발생
③ 지역적이고 미시적인 기법
④ 고투자사업의 보완
⑤ 교통체계의 양적 측면보다 질적 측면 강조
⑥ 기존시설 및 서비스의 효율적 활용
⑦ 도시교통체계의 모든 요소간의 조정 및 균형 유지의 역할
⑧ 고투자사업 대치 가능
⑨ 차량보다는 사람의 효율적인 움직임에 중점

7
- 계량적이어야 한다.
- 시뮬레이션이 가능하고 현장측정이 가능해야 한다.
- 민감한 것이어야 한다.
- 통계적으로 나타낼 수 있어야 한다.
- 중복되는 것은 피해야 한다.

8
① 수요감소 : Car-Sharing, Park & Ride, 준대중 교통수단 도입, 버스노선조정, 요금정책, 자전거/보행자시설 설치
② 공급증가 : 신호체계 개선, 교통정보 제공, 관리센터 설치, 시차제 실시, 트럭통행 규제
③ 수요감소/공급증가 : 버스전용차로제(신설), 노상주차 제한
④ 수요감소/공급감소 : 버스전용차로제(기존차로 이용), 승용차 통행제한구역 설정, 주차면적 감소, 노상주차시설 확대

9

구분	내용
장점	도로용량증대, 상충이동류의 감소, 교통 안전성 향상, 신호시간조절의 용이, 주차조건의 개선, 평균통행속도의 증가, 교통운영의 개선, 도로변 업무지역의 효과
단점	통행거리의 증가, 대중교통용량의 감소, 도로변 영업에 악영향, 회전용량의 감소, 교통통제설비의 증가, 넓은 도로에서 보행자 횡단 곤란

10
- 방향별 교통량 분포가 6:4 이상인 경우
- 양방향 교통소통을 위해 도로용량이 충분한 구간
- 신호통제가 확실히 이루어져야 한다.
- 6차선 이상의 도로에서 실시할 수 있다.
- 장기적으로 교통 혼잡이 발생하고 일방통행제 실시가 불가능한 간선도로

11
- 적절한 설계
- 적절한 설치
- 적용의 통일성
- 일관성 있는 운영

– 규칙적인 유지관리

12

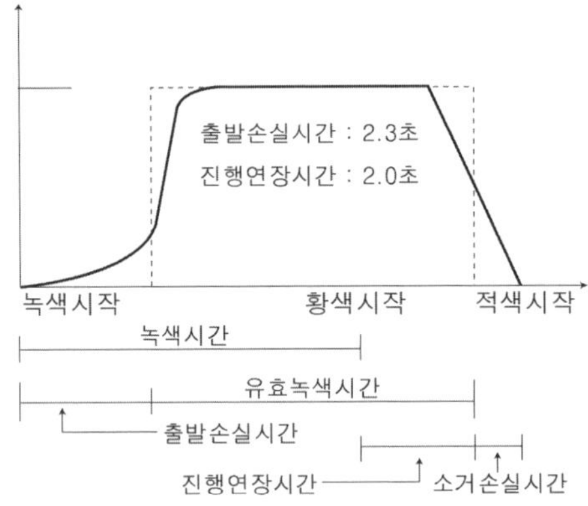

13 – 교통예측이 불가능하여 고정시간신호를 처리하기 어려운 교차로에 적합하다.
– 복잡한 교차로에 적합
– 고정시간신호로는 간격이나 위치가 부적당한 곳에 적당
– 하루 중 잠시 동안 신호설치의 준거에 도달한 곳에 사용하면 좋다.
– 교통량의 시간별 변동이 심할 때 사용하면 지체를 최소화
– 부도로 교통에 꼭 필요한 때에만 주도로 교통을 차단시킬 목적으로 사용하면 좋다.
– 주도로 교통에 불필요한 지체를 주지 않게 계속적인 (정지–진행)의 운영을 할 수 있다.

14 – 상충점 분리
– 상충지점수 최소화
– 상충횟수 최소화
– 상충면적 최소화
– 상대속도 최소화
– 이질교통류는 서로 분리
– 기하구조와 교통통제 · 운영방법 조화
– 가장 타당한 교차방법을 사용할 것
– 회전 교통 경로를 마련할 것
– 복잡한 합류와 분류를 피할 것
– 주도로 우선권 부여

15 – 자연스러운 주행속도를 유지하도록 하여야 한다.
– 적당한 크기를 확보해야 한다.
– 필요 이상의 교통섬을 설치하는 것은 피해야 한다.
– 시야가 확보되지 않거나 곡선이 급한 지점 등에는 안전상 설치를 금지하는 것이 바람직하다.

16

- 바람직하지 않은 교통흐름은 억제되거나 금지되어야 한다.
- 차량의 진행경로는 분명히 표시되어야 한다.
- 차량의 본래 주행속도는 되도록 유지되어야 한다.
- 상충이 발생하는 지점은 가능한 한 분리시켜야 한다.
- 교통류는 서로 직각으로 교차하고 비스듬히 합류해야 한다.
- 우선순위가 높은 교통류의 처리가 우선적으로 이루어져야 한다.
- 바람직한 교통통제기법이 충분히 활용될 수 있어야 한다.
- 직진차량은 되도록 속도 변화를 갖지 않아야 한다.
- 보행자에 대한 안전성을 높인다.
- 운전자를 한 번에 한 가지 이상의 의사결정을 하지 않도록 해야 한다.
- 운전자가 적절한 시인성 및 시계를 가지도록 해야 한다.
- 교통섬의 최소면적은 4.5㎡ 이상 되어야 한다.

17 도시고속도로, 간선도로, 보조간선도로, 집산도로, 국지도로

18

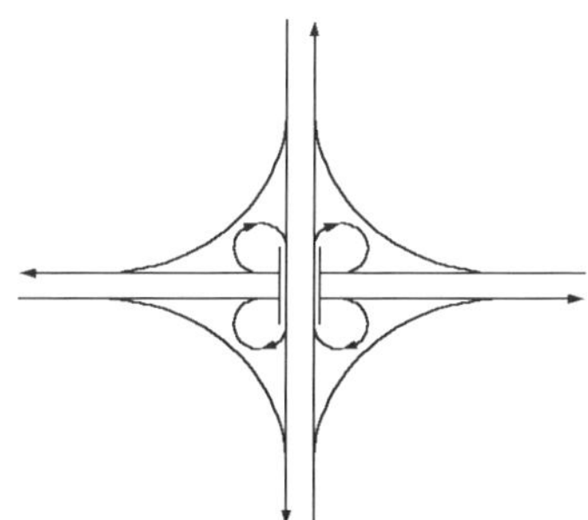

19

- ATMS(Advanced Traffic Management Systems)첨단교통관리시스템
- APTS(Advanced Public Transportation Systems)첨단대중교통시스템
- ATIS(Advanced Traveller Information Systems)첨단여행자정보시스템
- CVO(Advanced Commercial Vehicle Operation)첨단화물교통
- AVHS(Advanced Vehicle & Highway Systems)첨단차량제어시스템

20

- 사고건수법 : 주어진 기간 동안에 도로의 구간이나 지점에서 발생한 교통사고 건수
- 사고율법 : 교통량 또는 차량의 운행거리를 이용한 교통사고율을 산정
- 사고건수 · 사고율법 : 사고건수법과 사고율법을 혼용한 방법
- 한계사고율법 : 지점 또는 구간의 사고율이 비슷한 특성을 지니는 유사지점과

(Reference Site) 비교하여 사고위험도의 높낮이를 통계적으로 해석하는 방법

- 사고 심각도법(EPDO) : 교통사고의 심각도를 고려하여 사망, 부상 등 사회적 손실을 재산피해와 비교하여 가중치를 부여하는 방법(Reference Site) 비교하여 사고위험도의 높낮이를 통계적으로 해석하는 방법
- 사고 심각도법(EPDO) : 교통사고의 심각도를 고려하여 사망, 부상 등 사회적 손실을 재산피해와 비교하여 가중치를 부여하는 방법

제4부 교통공학(계산문제)

1

(1) $V_n = \dfrac{60(M_s + O_n - P_n)}{T_n + T_s} = \dfrac{60(200+8-5)}{10+9} = 641$대/시

(2) $\overline{T_n} = T_n - \dfrac{60(O_n - P_n)}{V_n} = 10 - \dfrac{60(8-5)}{641} = 9.72$분

(3) $\overline{V} = \dfrac{\ell}{t} = \dfrac{4 \times 60}{9.72} = 24.69km/h$

(4) $K = \dfrac{Q}{V} = \dfrac{641}{24.69} = 25.96$대$/km$

2

시간평균속도 $= (\dfrac{30}{2.6} + \dfrac{30}{2.7} + \dfrac{30}{1.9} + \dfrac{30}{2.3} + \dfrac{30}{2.1}) \times \dfrac{1}{5} = 13.15m/s$

$\therefore$ 47.35km/h

공간평균속도 $= \dfrac{30 \times 5}{2.6 + 2.7 + 1.9 + 2.3 + 2.1} = 12.93m/s$

$\therefore$ 46.55km/h

3

(1) $\rho = \dfrac{\lambda}{\mu} = \dfrac{150}{200} = 0.75$ $\quad P(0) = (1-\rho) = 1 - 0.75 = 0.25$

(2) $P(3) = \rho^n (\rho - 1) = 0.75^3(1-0.75) = 0.105$

(3) $E[Lq] = \dfrac{\rho^2}{1-\rho} = \dfrac{0.75^2}{1-0.75} = 2.25$대

(4) $E[Tq] = \dfrac{\lambda}{\mu(\mu-\lambda)} = \dfrac{150}{200(200-150)} = 0.015$시간 $\rightarrow$ 54초

4

(1)

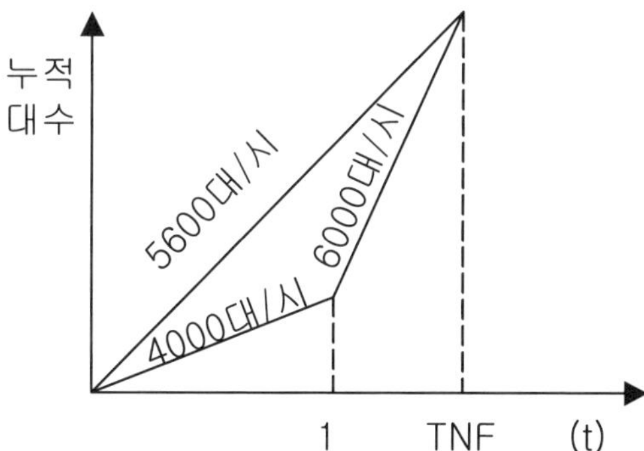

(2) 4,000대/시 $= \dfrac{x}{1\text{시간}}$ $\quad \therefore x = 4,000$번째차량

(3) 5,600대/시 = $\frac{4,000}{x}$ → $x = 0.714$시간

∴ 최대지체시간 : 1시간 − 0.714시간 = 0.286시간

(4) 5,600×TNF=4,000×1 + 6,000×(TNF−1) → 400TNF=2,000

∴ TNF=5시간

5 (1) 주기당 총손실시간(L) = 4(3+2.3−2.0) =13.2초

(2)

접근로	이동류	교통량	소요현시율
A	좌회전	104	104/1,800=0.058
	직진	132	132/1,800=0.073
	우회전	100	100/1,800=0.056
B	좌회전	101	101/1,800=0.056
	직진	140	140/1,800=0.078
	우회전	111	111/1,800=0.062
C	좌회전	11	111/1,800=0.062
	직진	129	129/1,800=0.072
	우회전	98	98/1,800=0.054
D	좌회전	81	81/1,800=0.045
	직진	121	121/1,800=0.067
	우회전	92	92/1,800=0.051

− 1현시 소요현시율(v/s)=0.187

− 2현시 소요현시율(v/s)=0.196

− 3현시 소요현시율(v/s)=0.188

− 4현시 소요현시율(v/s)=0.163

· Σ(V/S) = ΣYi = 0.255 +0.260 +0.212+0.223 = 0.734

$C_0 = \frac{1.5L+5}{1-\sum(V/S)} = \frac{(1.5\times 13.2)+5}{1-0.734}$ = 93.2초 → 100초(10초 단위로 환산)

(3) g = C −L =100−13.2=86.8(초)

각 현시의 유효녹색시간

ϕ_1=(0.187/0.734)×86.8)=22.1초

ϕ_2=(0.196/0.734)×86.8)=23.2초

ϕ_3=(0.188/0.734)×86.8)=22.2초

ϕ_4=(0.163/0.734)×86.8)=19.3초

6

좌회전 할 확률 : $\frac{2}{5} = 0.4$ 직진 할 확률 : $1-0.4 = 0.6$

시행의 수(n)=10

10번의 시행에서 일어나는 사상의 수(x)

좌회전 할 확률(p)=0.6

$q = 1 - p = 1 - 0.6 = 0.4$

8명중에서 5명이 대중교통을 이용할 확률

$$B(4) = \frac{10!}{4!(10-4)!}(0.6)^4(0.4)^{(10-4)} = \frac{10!}{4!6!}(0.6)^4(0.4)^6 = 0.1115$$

∴ 11.15%

7

λ(평균도착률) $= \frac{600}{3,600} = \frac{1}{6}$대/초, $t = 60$초, $m = \lambda \cdot t = \frac{1}{6} \times 60 = 10$대, $x = 4$

$P(x) = \frac{m^x e^{-m}}{x!} \rightarrow P(5) = \frac{10^5 \times e^{-10}}{5\,!} = 0.0378$ ∴ 3.78%

8

이항분포 $B(x) = \binom{n}{x} p^x q^{n-x} = \frac{n!}{x!(n-x)!} p^x q^{n-x}$

시행의 수(n)=3

n번의 시행에서 일어나는 사상의 수(x)

한 시행에서 한 사상이 일어날 확률(p)=2/3

$q = 1 - p = 1 - 1/3 = 2/3$

$$B(0) = \frac{3!}{0!(3-0)!}(\frac{2}{3})^0(\frac{1}{3})^{(3-0)} = \frac{3!}{0!3!}(\frac{2}{3})^0(\frac{1}{3})^3 = 0.0370$$

$$B(1) = \frac{3!}{1!(3-1)!}(\frac{2}{3})^1(\frac{1}{3})^{(3-1)} = \frac{3!}{1!2!}(\frac{2}{3})^1(\frac{1}{3})^2 = 0.2222$$

B(0≤x≤1)=B(0)+B(1)=0.2592= ∴ 25.92%

9

$\lambda = 1$대/3분 $= \frac{1}{3}$대/분 $P(0) = P(h \geq 1) = e^{-\lambda t} = e^{-1/3 \cdot 2} = e^{-2/3} = 0.5134$

∴ 51.34%

10

(1) $SMS = N \times \frac{s}{\sum t} = 3 \times \frac{500}{(21+20+24)} = 23.08m/s = 83.08km/h$

(2) $TMS = \frac{1}{N} \times \sum \frac{s}{ti} = \frac{1}{3} \times (\frac{500}{21} + \frac{500}{20} + \frac{500}{24}) = 23.21.92m/s = 83.57km/h$

11

(1) $\frac{교통량}{속도} = \frac{\frac{7,000대/시}{4}}{40km/h} = 43.75대/km/\text{line}$

(2) $\frac{3,600}{Q} = \frac{3,600}{1,750} = 2.06초/대$

(3) $\frac{1,000}{밀도} = \frac{1,000}{43.75} = 22.86m/대$

12

(1) $\frac{dQ}{dk} = -0.2k_m + 30 = 0$

$k_m = \frac{30}{0.2} = 150$

$Q_{\max} = -0.1 \times 150^2 + 30 \times 150 = 2,250대/h$

(2) $u_m = 2,250/150 = 15km/h$

(3) k_j는 Q가 0인 상태에서 밀도를 나타내므로 $k_j(0.1k_j - 30) = 0$

k_j는 0이 아니므로 $0.1k_j - 30 = 0$

$\therefore k_j = 300대/km$

13

$K = 0.06$, $D = 0.6$

$DDHV = AADT \times K \times D = 40,000 \times 0.09 \times 0.6 = 2,160대/시$

∴ (2,160×0.8+2,160×0.2×1.8)=2.506 대/시

14

$PHF = \frac{PHV}{(4 \times V_{15})} = \frac{(420 + 640 + 600 + 540)}{4 \times 640} = 0.86$

15

$PDDHV = \frac{AADT \times K \times D}{PHF} = \frac{45,000 \times 0.09 \times 0.6}{0.95} = 2,558vph$

$MSF_D = 1,500\ pcphpl$ (최대서비스교통량)

$SF_D = 1,500 \times 1 \times 0.77 = 1,155vphpl$ (서비스교통량)

$N = \frac{PDDHV}{SF_D} = \frac{2,558}{1,155} = 2.21차로/방향$

따라서, 양방향 6차로가 필요하다.

16

(1) 총지체도=(7+6+5....+5+2+4) = 90×15 = 1, 350대 · 초

(2) 접근차량당 평균지체도= $\frac{1,350}{(50 + 35 + 50 + 70 + 45)} = \frac{1,350}{250} = 5.4초$

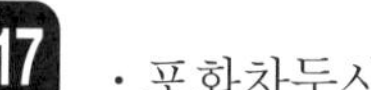

17

- 포화차두시간=2.0초
- 포화교통량=3,600/2.0=1,800대/시
- 출발손실시간=0.8+0.6+0.4+0.2+0.1=2.1초

18

$$Y = t + \frac{V}{2a} + \frac{W+L}{V} = 1.5 + \frac{60/3.6}{2\times 5} + \frac{25+5}{60/3.6} = 4.97\text{초}$$

D=(적정황색시간−황색신호시간)×차량의 속도=(4.97−3)×(60/3.6)=32.83m

19

각 접근로별 v/s 계산과 주이동류 파악

가 : 1,200/3,200=0.375

나 : 500/1,200=0.417

다 : 1,000/3,200=0.313

라 : 600/1,200=0.5

접근로의 임계방향 v/s비의 합 : (0.5+0.375)=0.875

$$\therefore \text{ webster식 주기} = \frac{(1.5\times 6)+5.0}{1-0.875} = 112\text{초} \Rightarrow 120\text{초(10초단위로 환산)}$$

$$\therefore v/c = \left(\sum_{i=1}^{n}(V/S)_{ci}\left[\frac{C}{C-L}\right] = 0.875\times\frac{120}{120-6} = 0.92$$

20

$$(1)\ R = \frac{v^2}{127(f+e)} = \frac{60^2}{127(0.4+0.15)} = 51.54m$$

$$(2)\ v^2 = 127(f+e)\cdot R = 127(0.4+0.3)\times 51.54$$

$$\therefore v = 67.69km/h$$

21

정상시력을 가진 운전자가 이 표지판을 읽을 수 있는 거리는 다음과 같다.

$$D_1 = 20\times 3 = 60(m)$$

설계기준 운전자가 이 표지판을 읽기 위해서는 다음과 같은 거리가 필요

$$D_2 = \frac{20}{40}\times 60 = 30(m)$$

이 유출부로 안전하게 진입하기 위해 감속하는데 필요한 거리(s)는

$$S = 2.5\times\frac{100}{3.6} + \frac{100^2-60^2}{254(0.3)} = 153.43(m)$$

∴ 그러므로 표지판은 유출부로부터 153.43−30=123.43m 떨어진 전방에 설치해야 한다.

22

$D = \frac{t_r\cdot V}{3.6} + \frac{V^2}{254(f+g')}$ 에서 g'(구배)는 생략하고 인지반응시간을 제외한 차량의 제동거리를 계산한다.

$$D = \frac{40^2}{254 \times (0.4 + 0)} = 15.75m$$

위의 조건과 비교했을 때 15.75m<45m

∴ 차량 주행시 정지할 때의 skid mark가 제한속도로 주행시 정지할 때 skid mark 보다 더 길기 때문에 운전자는 속도를 위반하였다.

23

- 이 도로구간의 사고율 계산
  - 실제등가사고건수 = (50 − 10) + 10 × 3 = 70건(등가물피사고)

$$AR = \frac{70 \times 1억}{3년 \times 365일 \times 16,000 \times 1km} = 399.5건(1억대 \cdot km당)$$

- 한계 교통사고율 계산
  - 우리나라(이와 유사한 도로의) 평균사고율
    = (380 − 120) + 3 × 120 = 620건(1억대·km당)

$$M = \frac{3년 \times 365일 \times 16,000대 \times 1km}{1억} = 0.1752건(1억대 \cdot km당)$$

$$한계\ 교통사고율 = 620 + 1.64\sqrt{\frac{620}{0.1752}} + \frac{1}{2 \times 0.1752} = 721건(1억대 \cdot ㎞당)$$

- 위험도계산 및 평가

위험도 : 339.5<721($AR < Rc$)

∴ 이 도로구간은 위험한 구간이 아닌 것으로 판명되었다.

부록

꼭 알아야 할 공식

필수 암기 공식

■ 선형회귀식

$$Y = a + bx$$

$$a = Y - bx$$

$$b = \frac{n\sum XY - \sum X \sum Y}{n\sum X^2 - (\sum X)^2}$$

■ 링크통행량과 도로의 용량을 나타내는 BPR식

$$T = T[1 + 0.15(v/c)^4]$$

■ 표본의 크기

① 표준편차를 알 때

$n = (\frac{Z\delta}{\alpha})^2$ Z =1.96(유의계수), δ =표준편차, α =절대오차

■ 교통개선대안 설정 및 평가

① 편익·비용분석(B/C)

비용의 현재가치로 편익의 현재가치를 나눈 값

$$B/C = \frac{\sum_{t=0}^{n} \frac{B_t}{(1+r)^t}}{\sum_{t=0}^{n} \frac{C_t}{(1+r)^t}}$$

$B/C > 1$ 타당성 있음

$B/C < 1$ 타당성 없음

B_t : t연도편익 C_t : t연도 비용 r : 이자율 n :분석기간

② 초기연도수익률($FYRR$)

교통수익성이 나타나기 시작하는 첫해의 편익을 편익이 생기기 시작하는 연도까지 소요된 비용으로 나눈 값

$$FYRR = \frac{\text{수익성이 발생하기 시작한 해의 편익}}{\text{사업에 소요된 비용}}$$

③ 순현재가치법(NPV)

현재가치로 환산된 장래의 연도별 편익의 합계에서 현재가치로 환산된 장래의 연도별 비용의 합을 뺀 값

$$NPV = \sum_{t=0}^{n} \frac{B_t}{(1+r)^t} - \sum_{t=0}^{n} \frac{C_t}{(1+r)^t} = 0$$

$NPV > 0$: 사업의 편익창출

④ 내부수익률(IRR)

편익과 비용의 현재가치의 합계가 같아지는 할인율

IRR > 자본의 비율(이자율)=기회비용

$$IRR = \sum_{t=0}^{n} \frac{B_t}{(1+r)^t} = \sum_{t=0}^{n} \frac{C_t}{(1+r)^t}$$

■ 수요 탄력성법

$$\mu = \frac{\Delta V}{\Delta P} \cdot \frac{P_0}{V_0}$$

V_0 : 수요량

P_0 : 공급가액

ΔV : 수요변화량

ΔP : 공급가액 변화량

■ 주행차량 이용법

① n방향 시간당교통량

$$V_n = \frac{60(M+O-P)}{(T_n + T_s)}$$

M : 주행방향 반대방향에서 만난 차량수

T_n : n방향 운행시 운행시간

T_s : s방향 운행시 운행시간

② 평균주행시간

$$T_n = T_n - \frac{60(O-P)}{V_n}$$

O : 시험차량을 추월한 차량수

P : 시험차량이 추월한 차량수

V_n : n방향 시간당 교통량

■ 주차

① 주차회전율= $\frac{\text{이용차량대수}}{\text{총주차면수}}$

② 점유율= $\frac{\text{주차부하}}{\text{가용용량} \times \text{관측시간의 길이}}$

③ 소요주차면수= $\frac{\text{주차부하}}{\text{효율계수}}$

④ 주차시간 길이= $\frac{\text{첨두시간대의 교통량}}{\text{소요 주차면수}} = \frac{\text{주차부하}}{\text{첨두시간 교통량}}$

⑤ 주차부하=주차대수×주차시간

■ 주차원단위법

$$P = \frac{U \cdot F}{(1{,}000 \cdot e)}$$

P : 주차수요

U : 1,000㎡당 주차발생량

F : 건물 상면적

e : 주차이용효율

■ 설계시간 교통량

$$DHV = AADT \times (K_{30}/100)$$

① 방향고려시

$$DHV = AADT \times (K_{30}/100) \times (D/100)$$

② 차선수 결정

$$N = DHV/\text{설계서비스교통량}$$

■ 차두시간, 차간간격

① 차두시간 (headway)

$h = 3600/q$

② 차간간격(gap)

$g = h - L/V$

③ 차두거리(spacing)

$s = 1/$밀도

■ 포화교통량 (pcphgpl)

$s = 3600/h$

h : 포화차두시간(우리나라는 1.63초)

■ 교차로 지체도 측정방법

① 총지체도 = 총정지차량수 × 설정된 시간 간격(단위 : 대·초)

② 접근차량당 평균지체도 = $\frac{\text{총지체도}}{\text{도착교통량}}$ (단위 : 초)

■ 포아송분포

$$P_x = \frac{m^x \cdot e^{-m}}{x!}$$

■ 이항분포

$$P_x = \frac{n!}{x!(n-x)!} p^x q^{n-x}$$

■ 음이항분포

$$P_x = \frac{(x-1)(k-1)!}{x!(k-1)!} p^k q^x$$

■ 시간 · 공간평균속도

① 시간평균속도($\overline{U_t}$)–산술평균 : 모든 차량의 속도를 그 수로 나눈 값

$$\overline{U_t} = \frac{1}{N}\sum_{i=1}^{N}\frac{\Delta X}{\Delta t_i} = \frac{1}{N}\sum_{i=1}^{N}U_i$$

② 공간평균속도($\overline{U_S}$)-조화평균 : 모든 차량이 이동한 총 거리를 합하여 총 걸린 시간으로 나눈 속도

$$\overline{U_s} = \frac{1}{\frac{1}{N}\cdot\sum_{i=1}^{N}\frac{1}{U_i}}$$

■ 황색시간길이

$$Y = t + \frac{v}{2a} + \frac{(w+L)}{v}$$

t : 반응시간
a : 가속도
w : 횡단길이
L : 차량길이
v : 속도[m/sec]

■ webster 방식 신호주기

$$C_0 = \frac{1.5L + 5.0}{1 - \sum_{i=0}^{n} y_i}$$

L : 총손실시간 y_i : 총현시율

■ 최소신호주기

$$C_{\min} = \frac{L}{1 - \sum_{i=0}^{n} y_i}$$

■ 최소정지시거(MSSD)

$$MSSD = 0.694(v) \times \frac{v^2}{254(f \pm g)}$$

■ 도로곡선반경

$$R = \frac{v^2}{127(f \pm g)}$$

■ 1백만 차량당 사고건수

$$MEV = \frac{교통사고건수 \times 10^6}{AADT \times 연수 \times 365} \text{(교차로일 경우)}$$

■ 1억 차량당 사고건수

$$HMEV = \frac{교통사고건수 \times 10^8}{AADT \times 연수 \times 365 \times 구간길이} \text{(도로구간일 경우)}$$

■ 1백만대 · km당 사고율

$$AR = \frac{교통사고건수 \times 10^6}{AADT \times 연수 \times 365 \times 구간길이} \text{(교차로일 경우 구간길이는 고려하지 않음)}$$

■ 1억대 · km당 사고율

$$AR' = \frac{교통사고건수 \times 10^8}{AADT \times 연수 \times 365 \times 구간길이}$$

■ 통계적 교통사고율

$$한계교통사고율(R_C) = R_A + K\sqrt{\frac{R_A}{M}} + \frac{1}{2M}$$

R_A : 유사지역 평균교통사고율　　K : 유의수준계수　　M : 사고노출량

$AR > R_C$(위험도로 판정)　　$AR < R_C$(위험도로 아님)

■ 사고노출량

$$M(사고노출량) = \frac{AADT \times 365 \times 도로구간길이 \times 연수}{10^6}$$

■ 교통사고 감소건수

$$교통사고\ 감소\ 건수 = N \times \frac{ARF}{100} \times \frac{개선\ 후\ ADT}{개선\ 전\ ADT}$$

N : 개선 전 사고건수　　ARF : 사고 감수계수(%)

■ SKID MARK

$$미끄러진\ 거리(S) = \frac{V^2}{2gf}$$

V : 초기주행속도(m/s)　　g : 중력가속도(m/s^2)　　f : 마찰계수

참고문헌

1) 국토교통부, 도로용량편람(2013)
2) 국토교통부, 도로의 구조 · 시설기준에 관한 규칙 해설 및 지침(2009)
3) 국토교통부, 평면교차로설계지침(2004)
4) 김익기, 교통수요분석에서 통행목적별 OD 접근방법과 PA접근방법의 이론적 비교연구, 대한교통학회지, v.15, no.1, 45-62(1997)
5) 도로교통관리공단, 교통사고조사 매뉴얼(2001)
6) 도철웅, 교통공학원론(상, 하), 청문각(2000)
7) 박창수, 도시교통공학론, 도서출판 정일(2001)
8) 박창수, 도시교통 운영론, 도서출판 정일(2001)
9) 원제무, 알기 쉬운 도시교통, 박영사(2000)
10) 원제무, 도시교통론, 박영사(1998)
11) 윤대식, 교통수요분석, 박영사(2001)
12) Ben-Akiva, M. and S. R Lerman, *Discrete Choice Analysis*, The MIT Press(1985)
13) Federal Highway Administration, *Traffic Control System Handbook*(2005)
14) Yosef Sheffi, *Urban Transportation Networks*, Prentice-Hall. Inc(1985)